NO HOME

Sélectionnée par la revue *Granta* parmi les 20 auteurs les plus importants de la décennie, Yaa Gyasi est née à Mampong, au Ghana. Elle a émigré aux États-Unis à l'âge de deux ans, pour suivre son père, alors étudiant en français à l'université d'État de l'Ohio. Lectrice précoce, elle dévore Charles Dickens et Charlotte Brontë comme Lurlene McDaniel et Toni Morrison. Diplômée d'un Bachelor of Arts en anglais de l'université de Stanford et d'un Master of Fine Arts obtenu aux prestigieux Iowa Writers Workshop, où elle a décroché une bourse d'études, elle vit désormais à Berkeley, en Californie. C'est un voyage au Ghana qui a déclenché son désir d'écrire *No Home*, son premier roman. Devenu un véritable best-seller dès sa sortie aux États-Unis, *No Home* a également reçu le prestigieux PEN/Hemingway Award.

YAA GYASI

No Home

TRADUIT DE L'ANGLAIS (ÉTATS-UNIS)
PAR ANNE DAMOUR

CALMANN-LÉVY

Titre original :

HOMEGOING
Paru chez Alfred A. Knopf, New York, 2016.

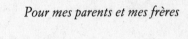

Pour mes parents et mes frères

Abusua te sɛ kwaɛ : sɛ wo wɛ akyire a wo hunu sɛ ɛbom ; sɛ wo bɛn ho a na wo hunu sɛ nnua no bia sisi ne baabi nko.

« La famille est comme la forêt : si tu es dehors, elle est dense ; si tu es dedans, tu vois que chaque arbre a sa place. »

Proverbe akan

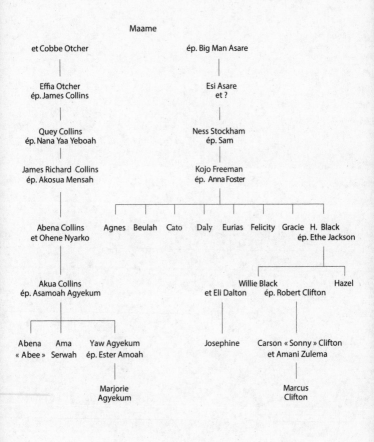

PREMIÈRE PARTIE

Effia

La nuit où naquit Effia dans la chaleur moite du pays fanti, un feu embrasa la forêt, jouxtant la concession de son père. Il progressa rapidement, creusant son chemin pendant des jours. Il se nourrissait d'air ; il dormait dans les grottes et se cachait dans les arbres ; il brûla, se propagea, insensible à la désolation qu'il laissait derrière lui, jusqu'à ce qu'il atteigne un village ashanti. Là, il disparut, se fondant dans la nuit.

Le père d'Effia, Cobbe Otcher, laissa sa femme, Baaba, avec la nouveau-née, pour aller inspecter les dommages causés à ses ignames, ces précieuses racines essentielles à la nourriture des familles. Cobbe en avait perdu sept, et chaque perte était pour lui un coup porté aux siens. Il comprit alors que le souvenir du feu qui s'était embrasé, puis enfui, le hanterait, lui et ses enfants et les enfants de ses enfants, aussi longtemps que durerait sa lignée. À son retour, quand il entra dans la case de Baaba et y trouva Effia, l'enfant de l'incendie, qui hurlait à pleins poumons, il regarda sa femme et dit :

« Nous ne parlerons plus jamais de ce qui est arrivé aujourd'hui. »

Les villageois commencèrent à dire que l'enfant était née du feu, que c'était pourquoi Baaba n'avait pas de lait. Effia fut nourrie par la deuxième femme de Cobbe, qui avait donné naissance à un fils trois mois plus tôt. Effia ne voulait pas téter, et quand elle le faisait, ses gencives dures déchiraient les mamelons de la femme qui finit par avoir peur de la nourrir. Elle maigrit au point de n'avoir plus que la peau sur ses petits os d'oiseau et un grand trou noir en guise de bouche d'où sortait un hurlement affamé audible dans tout le village, même les jours où Baaba faisait de son mieux pour le contenir, pressant la paume rude de sa main gauche sur les lèvres du bébé.

« Aime-la », ordonna Cobbe, comme si aimer était un acte aussi simple que de prendre de la nourriture dans une assiette et la porter à sa bouche.

La nuit, Baaba rêvait qu'elle abandonnait le bébé dans la sombre forêt pour que le dieu Nyame en fasse ce qu'il lui plairait.

Effia grandit. L'été qui suivit son troisième anniversaire, Baaba eut son premier fils. Il avait pour nom Fiifi, et il était si gros que parfois, quand Baaba ne la voyait pas, Effia le faisait rouler sur le sol comme une boule. La première fois où Baaba lui permit de le prendre dans ses bras, elle le laissa tomber par inadvertance. Le bébé rebondit sur ses fesses, tomba sur le ventre et regarda ceux qui l'entouraient, ne sachant s'il devait pleurer ou non. Il décida que non, mais Baaba, qui était en train de mélanger du banku, leva son bâton et frappa le dos nu d'Effia. Chaque fois que le bâton se détachait du corps de la petite fille, il y laissait collés des morceaux de banku qui brûlaient

16

sa chair. Effia finit couverte de plaies, hurlant et pleurant. Tandis qu'au sol, roulant sur son ventre, Fiifi, les yeux écarquillés, la fixait en silence.

En rentrant chez lui, Cobbe trouva ses autres femmes en train de soigner les blessures d'Effia et comprit aussitôt ce qui était arrivé. Baaba et lui se disputèrent tard dans la nuit. Effia les entendait à travers les minces cloisons de la case où elle reposait sur le sol, cédant par intervalles à un sommeil fiévreux. Dans son rêve, Cobbe était un lion et Baaba un arbre. Le lion déracinait l'arbre et l'abattait. L'arbre étendait ses branches pour protester, et le lion les arrachait, l'une après l'autre. L'arbre, couché à l'horizontale, se mettait à pleurer des fourmis rouges qui circulaient dans les minces fentes de son écorce. Les fourmis se rassemblaient sur le sol meuble autour du tronc de l'arbre.

Et c'est ainsi que commença le cycle. Baaba battait Effia. Cobbe battait Baaba. À l'âge de dix ans, Effia pouvait réciter l'histoire des cicatrices qui couvraient son corps. L'été 1764, quand Baaba lui avait cassé des ignames sur le dos. Le printemps de 1767, quand Baaba lui avait écrasé le pied avec une pierre, lui brisant le gros orteil qui s'écartait des autres doigts désormais. Pour chaque cicatrice sur le corps d'Effia, il y en avait une correspondante sur le corps de Baaba, mais cela n'empêchait pas la mère de battre la fille, le père de battre la mère.

Les choses empirèrent quand la beauté d'Effia s'épanouit. Lorsqu'elle eut douze ans, ses seins pointèrent, deux renflements jaillissant de sa poitrine, aussi doux que la chair des mangues. Les hommes du village savaient que le premier sang allait bientôt couler, et ils attendaient l'occasion de pouvoir demander sa main à Baaba et Cobbe. Les cadeaux commencèrent. L'un produisait un vin de palme meilleur que tout autre dans le village, mais les filets de pêche d'un autre n'étaient jamais vides. La famille de Cobbe festoyait grâce à la féminité d'Effia. Leurs ventres, leurs mains, n'étaient jamais vides.

En 1775, Adwoa Aidoo fut la première fille du village à être demandée en mariage par un des soldats britanniques. Elle avait la peau claire et la langue acérée. Le matin, après s'être baignée, elle se frottait tout le corps avec du beurre de karité, sous les seins et entre les jambes. Effia la connaissait peu, mais elle l'avait vue nue un jour où Baaba l'avait envoyée porter de l'huile de palme à sa case. Sa peau était lisse et brillante, sa chevelure royale.

La première fois où l'homme blanc se présenta, la mère d'Adwoa demanda aux parents d'Effia de lui faire visiter le village pendant qu'Adwoa se préparait pour lui.

« Je peux venir ? » demanda Effia, courant derrière ses parents pour les rattraper. Elle entendit le « non » de Baaba d'une oreille et le « oui » de Cobbe de l'autre. L'oreille de son père l'emporta et Effia se trouva bientôt en présence du premier homme blanc qu'elle eût jamais vu.

« Il est heureux de te rencontrer », dit l'interprète à Effia quand l'homme blanc lui tendit la main.

Elle ne la prit pas. Au lieu de quoi, elle se cacha derrière son père et l'observa.

Sa tunique, tendue sur sa bedaine, était ornée en son milieu d'une rangée de boutons dorés étincelants. Il avait le visage rougi, comme si son cou était une souche enflammée. Son corps débordait de partout, d'énormes gouttes de sueur perlaient à son front et de sa lèvre supérieure. On eût dit un nuage de pluie : morne, humide et sans forme.

« S'il vous plaît, il aimerait faire le tour du village », dit l'interprète, et ils se mirent tous en route.

Ils s'arrêtèrent d'abord devant la maison d'Effia.

« C'est ici que nous habitons », dit-elle à l'homme blanc, et il eut un sourire confus, ses yeux verts noyés de brume.

Il ne comprenait pas. Même après les explications de son interprète, il ne comprenait pas.

Cobbe tint Effia par la main tandis que Baaba et lui faisaient visiter le village à l'homme blanc.

« Ici, dans ce village, dit Cobbe, chaque épouse a sa propre case. C'est celle qu'elle partage avec ses enfants. La nuit où son mari doit être avec elle, il va la rejoindre dans sa case. »

Les yeux de l'homme blanc devinrent plus clairs tandis qu'on lui traduisait ces paroles, et Effia comprit qu'il voyait les choses d'un œil neuf. Le torchis des murs de sa case, le chaume du toit, il les voyait enfin.

Ils poursuivirent la visite du village, lui montrèrent la place, les petits bateaux de pêche creusés dans des troncs d'arbres que les hommes portaient pour parcourir les quelques kilomètres qui les séparaient de la côte. Effia s'efforça aussi de porter sur les choses un regard nouveau. Elle huma l'air marin qui effleurait ses narines, palpa l'écorce d'un palmier aussi rugueuse et acérée qu'un coup de griffe, fut fascinée par le rouge intense, profond de l'argile tout autour d'eux.

« Baaba, demanda-t-elle quand les hommes eurent pris un peu d'avance, pourquoi Adwoa va se marier avec cet homme ?

— Parce que sa mère l'a dit. »

Quelques semaines plus tard, l'homme blanc revint pour présenter ses respects à la mère d'Adwoa, et Effia ainsi que tous les villageois se rassemblèrent pour voir ce qu'il allait offrir. Il y avait le prix de la mariée qui était de quinze livres. Il y avait les cadeaux venus du fort, transportés sur le dos des Ashantis. Cobbe laissa Effia se tenir derrière lui et observer l'entrée des serviteurs chargés d'étoffes, de millet, d'or et de fer.

Quand ils regagnèrent leur concession, Cobbe prit Effia à part, laissant ses femmes et les autres enfants les devancer.

« Tu as compris ce qui vient d'arriver ? » lui demanda-t-il.

Loin devant eux, Baaba glissa sa main dans celle de Fiifi. Le frère d'Effia venait d'avoir onze ans, mais il pouvait déjà grimper au tronc d'un palmier en s'aidant de ses seuls mains et pieds nus.

« L'homme blanc est venu pour emmener Adwoa », dit Effia.

Son père hocha la tête.

« Les hommes blancs vivent au fort de Cape Coast. Là, ils font du commerce de marchandises avec nous.

— Comme le millet et le fer ? »

Son père posa la main sur son épaule et l'embrassa sur le front, mais quand il s'écarta, son expression était soucieuse et lointaine.

« Oui, nous obtenons du millet et du fer, mais nous devons leur donner des choses en échange. Cet homme est venu de Cape Coast pour épouser Adwoa, et il y en a d'autres comme lui qui viendront pour emmener nos filles. Mais pour toi, mon enfant, j'ai des projets plus grands que de devenir la femme d'un homme blanc. Tu épouseras un homme de notre village. »

À cet instant, Effia saisit le regard mauvais de Baaba. Elle se tourna vers son père pour voir s'il l'avait remarqué, mais Cobbe ne dit pas un mot.

Effia savait qui elle choisirait pour mari, et elle espérait de tout son cœur que ses parents feraient le même choix. Abeeku Badu était le mieux placé pour devenir chef du village. Il était grand, avec une peau couleur de noyau d'avocat et de grandes mains aux longs doigts qu'il agitait autour de lui comme des éclairs quand il parlait. Il était venu leur rendre visite à quatre reprises durant le mois passé ; et plus tard dans la semaine, Effia et lui devaient partager un repas.

Abeeku amena une chèvre. Ses serviteurs apportèrent des ignames, du poisson et du vin de palme. Baaba et les autres femmes avaient entretenu les feux et chauffé l'huile. L'air embaumait.

Ce matin-là, Baaba avait tressé les cheveux d'Effia. Deux longues nattes de chaque côté de sa tête. Elles lui donnaient l'apparence d'un bélier, fort et volontaire. Elle avait huilé son corps et mis de l'or à ses oreilles. Elle était assise en face d'Abeeku pendant qu'ils mangeaient, appréciant les coups d'œil admiratifs qu'il lui lançait à la dérobée.

« Tu as assisté à la cérémonie d'Adwoa ? avait demandé Baaba une fois les hommes servis, quand les femmes avaient enfin commencé à manger.

— Oui, j'y suis allé, mais peu de temps. C'est dommage qu'Adwoa quitte le village. Elle aurait fait une bonne épouse.

— Tu travailleras pour les Anglais quand tu seras chef ? » demanda Effia.

Cobbe et Baaba lui lancèrent un regard incisif et elle baissa la tête, mais quand elle la releva, elle vit qu'Abeeku lui souriait.

« Nous travaillons *avec* les Anglais, Effia, pas pour eux. C'est le principe du commerce. Quand je serai chef, nous continuerons, comme par le passé, à faciliter le commerce avec les Ashantis et les Anglais. »

Effia hocha la tête. Elle n'était pas certaine de comprendre, mais à voir l'expression de ses parents, elle préféra se taire. Abeeku Badu était le premier homme qu'ils avaient invité à la rencontrer. Effia espérait de tout son cœur qu'il la voudrait, mais elle ignorait encore quel genre d'homme il était, quel genre de femme il désirait. Dans sa case, elle pouvait demander à son père et à Fiifi tout ce qu'elle voulait. C'était Baaba qui s'enfermait dans le silence et préférait qu'Effia en fasse autant, Baaba qui l'avait giflée quand elle lui avait demandé pourquoi elle ne l'avait pas fait bénir comme toutes les autres mères le faisaient pour leurs filles. Quand Effia ne parlait pas ou ne posait pas de questions, quand elle se faisait petite, alors seulement ressentait-elle l'amour de Baaba, ou quelque chose s'en approchant. Peut-être était-ce ce qu'Abeeku désirait lui aussi.

Abeeku finit de manger. Il serra les mains de tous les membres de la famille et s'arrêta devant la mère d'Effia.

« Tu me feras savoir quand elle sera prête », dit-il.

Baaba serra un poing sur sa poitrine et s'inclina légèrement. Cobbe et les autres hommes accompagnèrent Abeeku et le reste de la famille fit des signes d'adieu.

Cette nuit-là, Baaba réveilla Effia qui dormait sur le sol de leur case. La jeune fille sentit l'haleine chaude de sa mère contre le lobe de son oreille tandis qu'elle lui parlait.

« Quand ton sang viendra, Effia, tu devras le cacher. Tu devras me le dire et à personne d'autre, dit-elle. Tu as compris ? »

Elle tendit à Effia des feuilles de palmes qu'elle avait transformées en petits rouleaux souples.

« Mets-les à l'intérieur de toi et vérifie-les tous les jours. Quand ils deviendront rouges, tu devras me le dire. »

Effia regarda les rouleaux de palmes, que Baaba tenait dans ses mains tendues. Elle ne les prit pas tout de suite, mais quand elle releva les yeux, elle vit de la détresse dans ceux de sa mère. Et parce que cette expression adoucissait le visage de Baaba, et qu'Effia savait ce qu'était le désespoir, ce fruit du désir, elle fit ce qu'on lui demandait. Tous les jours, elle chercha des traces de rouge, mais les feuilles de palmes demeuraient d'un immuable vert pâle. Au printemps, le chef du village tomba malade et chacun observa Abeeku avec attention, cherchant à savoir s'il était prêt à assumer la tâche. Il épousa deux femmes durant ces mois-là, Arekua la Sage et Millicent, la fille métisse d'une femme fantie et d'un soldat anglais. Le soldat était mort des fièvres, laissant à sa femme et à ses deux enfants suffisamment de biens pour qu'ils puissent vivre comme ils l'entendaient. Effia pria pour qu'arrive le jour où tous les villageois l'appelleraient Effia la Beauté, comme le faisait Abeeku durant les rares occasions où il lui était permis de lui parler.

La mère de Millicent avait reçu un nouveau nom de son mari blanc. C'était une femme bien en chair, aux formes rebondies, avec des dents brillantes qui se détachaient sur la nuit noire de sa peau. Elle avait décidé de quitter le fort et de revenir au village après la mort de son mari. Comme les hommes blancs ne pouvaient pas dans leur testament léguer de l'argent à leurs femmes fanties et à leurs enfants, ils le laissaient à d'autres soldats ou amis, et ceux-ci payaient les épouses. La mère de Millicent avait reçu assez d'argent pour prendre un nouveau départ et acheter un bout de terrain. Elle venait souvent avec Millicent rendre visite à Effia et à Baaba car, comme elles le disaient, elles feraient bientôt partie de la même famille.

Millicent avait la peau la plus claire qu'Effia ait jamais vue chez une femme. Ses longs cheveux noirs lui tombaient jusqu'au milieu du dos et ses yeux étaient pailletés de vert. Elle souriait rarement, et parlait d'une voix rauque avec un étrange accent fanti.

« C'était comment, au fort ? demanda Baaba à la mère de Millicent un jour où les quatre femmes étaient assises devant quelques bananes et arachides.

— C'était agréable, agréable. Ils s'occupent de vous, oh, ces hommes ! On dirait qu'ils n'ont jamais connu de femme auparavant. Je ne sais pas ce que faisaient leurs épouses anglaises. Je peux vous le dire, mon mari me regardait comme si j'étais de l'eau et qu'il était du feu, et chaque soir il fallait éteindre l'incendie. »

Les femmes se mirent à rire. Millicent glissa un sourire à Effia, et Effia eut envie de lui demander comment c'était avec Abeeku, mais elle n'osa pas.

Baaba se pencha tout près de la mère de Millicent, mais Effia l'entendit malgré tout.

« Et ils paient un bon prix pour la mariée, eh ?

— Euh, je te le dis, mon mari a payé dix livres à ma mère, et c'était il y a quinze ans ! C'est certain, ma sœur, l'argent a du bon, mais pour ma part je suis contente que ma fille soit mariée à un Fanti. Même si un soldat offrait de payer vingt livres, cela n'en ferait pas la femme d'un chef. Et le pire est qu'elle devrait habiter le fort, loin de moi. Non, non, il vaut mieux se marier avec un homme du village, pour que tes filles restent près de toi. »

Baaba hocha la tête et se tourna vers Effia, qui évita son regard.

Cette nuit-là, deux jours après son quinzième anniversaire, le sang arriva. Ce n'était pas le flot puissant des vagues de l'océan auquel s'attendait Effia, mais un simple filet, comme la pluie s'écoulant goutte à goutte du toit d'une case. Elle se lava et attendit que son père ait quitté Baaba pour la prévenir.

« Baaba, dit-elle, lui montrant ses feuilles de palmes teintées de rouge. J'ai eu mon sang. »

Baaba plaça un doigt sur ses lèvres.

« Qui d'autre le sait ?

— Personne, dit Effia.

— Tu vas continuer comme ça. Tu comprends ? Quand quelqu'un demandera si tu es devenue une femme, tu répondras non. »

Effia hocha la tête. Elle s'apprêta à partir mais une question la brûlait comme des charbons ardents au creux de l'estomac.

« Pourquoi ? »

Baaba plongea les doigts dans la bouche d'Effia et en tira sa langue, qu'elle pinça de ses ongles pointus.

« Qui es-tu pour croire que tu peux me questionner, eh ? Si tu ne fais pas ce que je dis, je m'assurerai que tu ne parles plus jamais. »

Elle lâcha la langue d'Effia, et la jeune fille garda toute la nuit dans la bouche le goût de son propre sang.

La semaine suivante, le vieux chef mourut. L'annonce des funérailles se répandit dans tous les villages avoisinants. Les cérémonies duraient un mois et se termineraient par la nomination d'Abeeku à la tête du village. Les femmes préparèrent la nourriture de l'aube au crépuscule ; on confectionna des tambours dans des bois rares, et les meilleurs chanteurs furent convoqués pour faire entendre leur voix.

La foule présente aux funérailles se mit à danser le quatrième jour de la saison des pluies et ne reposa pas ses pieds avant que le sol ne fût redevenu complètement sec.

À la fin de la première nuit sèche, Abeeku fut couronné Omanhin, chef du village fanti. Il était vêtu de riches étoffes, flanqué de ses deux épouses. Effia et Baaba se tenaient à côté l'une de l'autre, attentives, et Cobbe se promenait dans la foule. De temps en temps, Effia l'entendait marmonner qu'elle, la plus jolie fille du village, devrait se tenir là, elle aussi.

En tant que nouveau chef, Abeeku voulut accomplir quelque chose d'impressionnant, quelque chose qui attirerait l'attention sur leur village et lui donnerait une influence sur laquelle compter. Alors qu'il était en fonction depuis trois jours à peine, il rassembla tous les hommes chez lui. Il les nourrit pendant deux jours consécutifs, les enivra avec du vin de palme jusqu'à ce que leurs rires retentissants et leurs cris d'excitation résonnent dans chaque case.

« Que vont-ils faire ? demanda Effia.

— Ça ne te regarde pas », dit Baaba.

Deux mois après que Effia s'était mise à saigner, Baaba avait cessé de la battre. En récompense de son silence. Certains jours, quand elles préparaient le repas pour les hommes, ou qu'Effia rapportait l'eau qu'elle était allée chercher et observait Baaba y plonger ses mains jointes en forme de coupe, elle se disait qu'elles se comportaient enfin comme le font les mères et les filles en général. Mais, d'autres fois, le visage de Baaba arborait des mines renfrognées, Effia comprenait alors que la nouvelle placidité de sa mère n'était que temporaire, que sa rage était une bête sauvage momentanément domptée.

Cobbe revint de la réunion avec une longue machette. La poignée était en or, sculptée de lettres que personne ne comprenait. Il était tellement ivre que toutes ses femmes et tous ses enfants formaient un cercle autour de lui, à un mètre de distance, pendant qu'il marchait en titubant, distribuant des coups dans le vide avec la lame.

« Nous allons enrichir le village avec le sang ! » hurlait-il.

Il s'élança sur Fiifi, qui s'était aventuré à l'intérieur du cercle, et le jeune homme, plus mince et plus rapide que le garçonnet replet d'autrefois, pirouetta, évitant l'extrémité de la machette de quelques centimètres.

Fiifi avait été le plus jeune de la réunion. Chacun savait qu'il serait un fier guerrier. On le devinait à sa façon de grimper en haut des palmiers. À sa manière de se parer de silence comme d'une couronne d'or.

Lorsque son père fut parti et qu'Effia fut certaine que sa mère s'était endormie, elle se glissa au côté de Fiifi.

« Réveille-toi », souffla-t-elle, et il la repoussa.

Même ensommeillé, il était plus fort qu'elle. Elle tomba en arrière, mais, avec la grâce d'un chat, se remit aussitôt sur ses pieds.

« Réveille-toi », répéta-t-elle.

Fiifi ouvrit soudain les yeux.

« Laisse-moi tranquille, grande sœur, dit-il.

— Que va-t-il arriver ? demanda-t-elle.

— C'est l'affaire des hommes.

28

— Tu n'es pas un homme.

— Et tu n'es pas encore une femme, lui rétorqua Fiifi. Autrement tu aurais été là, ce soir, comme la femme d'Abeeku. »

Les lèvres d'Effia se mirent à trembler. Elle se retourna, prête à regagner son côté de la case, mais Fiifi la retint par le bras.

« Nous aidons les Anglais et les Ashantis à faire leur commerce.

— Oh », fit Effia.

C'était l'histoire qu'elle avait entendu raconter par son père et Abeeku quelques mois auparavant. « Tu veux dire que nous allons donner l'or et les étoffes des Ashantis aux hommes blancs ? »

Fiifi serra son bras plus fort.

« Ne sois pas stupide, dit-il. Abeeku a fait alliance avec un des plus puissants villages ashantis. Nous allons les aider à vendre leurs esclaves aux Anglais. »

C'est ainsi que les hommes blancs vinrent dans leur village. Gras, maigres, rouges ou hâlés, ils arrivèrent en uniforme, l'épée au côté, le regard oblique, plus que jamais méfiants. Ils vinrent chercher les marchandises qu'Abeeku leur avait promises.

Dans les jours qui avaient suivi l'intronisation du chef, Cobbe avait commencé à s'impatienter que soit sans cesse repoussé l'espoir de voir Effia devenir femme, inquiet qu'Abeeku l'oublie en faveur d'une des autres femmes du village. Il avait toujours dit qu'il voulait que sa fille soit la première, la plus importante des épouses, mais maintenant même la troisième place paraissait de plus en plus lointaine.

Chaque jour, il demandait à Baaba où en était Effia, et chaque jour Baaba répondait qu'elle n'était pas encore prête. En désespoir de cause, il décida d'autoriser sa fille à se rendre une fois par semaine chez Abeeku en compagnie de Baaba, afin que l'homme la voie et se rappelle qu'il n'avait pas été insensible à son visage et à ses formes.

Arekua la Sage, la première des épouses d'Abeeku, les accueillit quand elles se présentèrent un soir.

« S'il te plaît, Mama, dit-elle à Baaba. Nous ne t'attendions pas aujourd'hui. Les hommes blancs sont là.

— Nous pouvons partir, dit Effia, mais Baaba lui serra le bras.

— Si tu le permets, nous aimerions rester », dit Baaba.

Arekua lui lança un regard étrange.

« Mon mari sera fâché si nous rentrons trop tôt », ajouta-t-elle en guise d'explication.

Effia savait qu'elle mentait. Cobbe ne les avait pas incitées à faire cette visite ce soir-là. Baaba avait entendu dire que les hommes blancs seraient présents et avait insisté pour aller les saluer. Arekua eut pitié et alla demander à Abeeku si elles pouvaient rester.

« Vous mangerez avec les femmes, et si les hommes entrent, vous ne direz rien », dit-elle à son retour.

Elle les fit entrer dans la concession. Effia examina les cases devant lesquelles elles passaient, l'une après l'autre, jusqu'à ce qu'elles pénètrent dans celle où les femmes étaient assemblées pour le repas. Elle s'assit à côté de Millicent, dont la grossesse commençait à poindre, son ventre pas plus gros qu'une noix de coco, porté bas. Arekua avait préparé un ragoût de poisson à l'huile de palme, et elles piochèrent dans le plat jusqu'à ce que leurs doigts deviennent orange.

Bientôt, une servante, qu'Effia n'avait pas remarquée jusqu'alors, entra dans la pièce. C'était une toute petite jeune fille, presqu'une enfant, dont les yeux étaient constamment tournés vers le sol.

« S'il te plaît, Mama, dit-elle à Arekua. Les hommes blancs voudraient visiter le domaine. Le chef Abeeku demande que tu t'assures que vous êtes présentables.

— Va chercher de l'eau, vite », ordonna Millicent, et quand la servante revint avec un seau plein d'eau, elles se lavèrent les mains et les lèvres.

Effia arrangea ses cheveux, lécha ses paumes et frotta entre ses doigts les bouclettes qui encadraient les contours de son visage. Lorsqu'elle eut fini, Baaba la plaça entre Millicent et Arekua, devant les autres femmes, et Effia s'efforça de se faire petite, pour ne pas attirer l'attention.

Peu après les hommes entrèrent. Abeeku avait la prestance d'un chef, pensa Effia, fort et puissant, comme s'il était capable de soulever dix femmes au-dessus de sa tête vers le soleil. Deux hommes blancs le suivaient. Effia supposa que l'un d'eux devait être le chef à voir la façon dont les autres le regardaient avant même qu'il se déplace ou qu'il parle. Ce chef blanc portait les mêmes vêtements que ceux qui l'accompagnaient, mais il avait des boutons plus brillants le long de sa redingote et sur ses épaulettes. Il paraissait plus âgé qu'Abeeku, ses cheveux bruns étaient striés de gris, et il se tenait droit, comme il convient à homme de son rang.

« Voici les femmes. Mes épouses et les enfants, les mères et les filles », dit Abeeku.

Le plus petit et plus effacé des deux hommes blancs l'observa attentivement pendant qu'il prononçait ces paroles, puis il se tourna vers le chef blanc et lui parla dans leur étrange langage. Le chef blanc hocha la tête et leur sourit, les examinant avec attention en leur adressant un salut dans un fanti malhabile.

Quand son « salut » s'adressa à Effia, elle ne put retenir un petit rire. Les autres la firent taire, et la honte monta à ses joues comme un feu.

« J'ai encore à apprendre », dit le chef blanc sans quitter Effia des yeux, dans un fanti qui lui déchira les oreilles.

Il la fixa pendant ce qui lui sembla de longues minutes, et elle sentit sa peau s'embraser encore davantage quand elle vit dans les yeux de l'homme quelque chose de plus hardi. Les profonds cercles bruns de ses iris ressemblaient à de grandes coupes, où pouvaient se noyer des petits enfants, et c'était ainsi qu'il contemplait Effia, comme s'il avait voulu la garder enfermée, la noyer dans ses yeux. Le rouge lui monta vite aux joues à son tour. Il se tourna vers l'autre homme blanc et lui parla.

« Non, elle n'est pas ma femme », dit Abeeku après que l'homme lui eut traduit les paroles, ne cherchant pas à cacher son irritation.

Effia baissa la tête, embarrassée d'avoir fait quelque chose d'humiliant pour Abeeku, embarrassée qu'il ne puisse pas l'appeler sa femme. Embarrassée, aussi, qu'il ne l'ait pas désignée par son nom : Effia la Beauté. Elle aurait voulu désespérément rompre la promesse qu'elle avait faite à Baaba et se présenter comme la femme qu'elle était, mais avant qu'elle puisse parler, les hommes s'en allèrent, et sa résolution s'évanouit tandis que le chef blanc la regardait par-dessus son épaule et souriait.

Il s'appelait James Collins, et il était le nouveau gouverneur du fort de Cape Coast. Moins d'une semaine plus tard, il revint au village pour demander à Baaba la main d'Effia en mariage. La rage de Cobbe en réaction à cette proposition s'engouffra dans chaque pièce comme un souffle brûlant.

« Mais elle est promise à Abeeku ! hurla-t-il quand Baaba lui dit qu'elle était favorable à cette offre.

— Oui, mais Abeeku ne peut pas l'épouser avant que son sang vienne, et nous avons attendu des années à présent. Je te le dis, mon époux, je pense qu'elle a été maudite pendant cet incendie, c'est un démon qui ne deviendra jamais femme. Réfléchis. Que vaut une créature aussi belle mais qu'on ne peut toucher ? Tous les signes de la féminité sont là, et pourtant, toujours rien. L'homme blanc l'épousera malgré tout. Il ne sait pas ce qu'elle est. »

Effia avait entendu l'homme blanc parler à sa mère plus tôt dans la journée. Il paierait trente livres en avance et vingt-cinq shillings par mois en marchandises négociables comme cadeau de mariage. Plus qu'Abeeku ne pouvait offrir, plus qu'il n'avait jamais été offert pour une femme fantie dans leur village ou un village voisin.

Effia entendit son père faire les cent pas toute la soirée. Le même bruit résonnait encore le lendemain matin quand elle se réveilla, le rythme régulier de ses pieds sur la terre d'argile durcie.

« Nous devons faire croire à Abeeku que c'était son idée », dit-il à la fin.

C'est ainsi que le chef fut invité à leur rendre visite dans leur domaine. Il s'assit près de Cobbe, et Baaba lui exposa sa théorie, que l'incendie qui avait détruit tant des possessions de la famille avait aussi détruit l'enfant.

« Elle a le corps d'une femme mais quelque chose de mauvais est tapi dans son esprit, dit Baaba, crachant sur le sol pour renforcer ses paroles. Si tu l'épouses, elle ne te donnera jamais d'enfant. Si l'homme blanc l'épouse, il pensera avec bienveillance à notre village, et ton commerce en sera plus prospère. »

Abeeku se frotta la barbe pensivement en réfléchissant à ces paroles.

« Amenez-moi la Beauté », dit-il finalement.

La seconde épouse de Cobbe fit entrer Effia dans la pièce. Elle tremblait et elle avait si mal au ventre qu'elle craignit de vider ses intestins sur-le-champ devant tout le monde.

Abeeku se leva et se tint face à elle. Il parcourut des doigts tout le paysage de son visage, les collines de ses joues, les grottes de ses narines.

« Plus belle femme n'a jamais vu le jour », dit-il finalement.

Il se tourna vers Baaba.

« Mais je vois que tu as raison. Si l'homme blanc la veut, il peut l'avoir. Ce sera tout avantage pour notre commerce avec eux. Tout avantage pour le village. »

Cobbe, aussi grand et fort qu'il fût, ne cacha pas ses larmes, mais Baaba garda la tête haute. Elle s'approcha d'Effia après le départ d'Abeeku et lui tendit un pendentif fait d'une pierre noire qui miroitait comme si elle était recouverte de poussière d'or.

Elle la glissa entre les mains d'Effia puis se pencha jusqu'à ce que ses lèvres effleurent son oreille.

« Emporte-la quand tu partiras, dit Baaba. Un morceau de ta mère. »

Et quand Baaba s'éloigna, Effia crut voir une sorte de soulagement danser derrière son sourire.

Effia n'était passée qu'une seule fois près du fort de Cape Coast, lorsqu'elle s'était aventurée avec Baaba hors de leur village pour se rendre en ville, mais elle n'y était jamais entrée avant le jour de son mariage. Il y avait une chapelle au rez-de-chaussée, et James Collins et elle y furent mariés par un pasteur qui avait demandé à Effia de répéter des mots qui n'avaient aucun sens pour elle, dans une langue qu'elle ne comprenait pas. Il n'y eut ni bal ni repas de fête, pas de couleurs brillantes, de cheveux huilés, de vieilles femmes aux seins nus et ridés jetant des pièces de monnaie et agitant des mouchoirs. Même la famille d'Effia ne vint pas, car après que Baaba les avait convaincus que cette fille portait malheur, personne ne voulait avoir affaire à elle. Le matin de son départ pour le fort, Cobbe l'avait embrassée sur le haut du crâne et lui avait fait signe de s'en aller sachant que la dissolution et la destruction de la lignée familiale, le pressentiment qui l'avait saisi la nuit de l'incendie, allaient se concrétiser maintenant, avec le mariage de sa fille et de l'homme blanc.

De son côté, James avait fait tout ce qu'il pouvait pour mettre Effia à l'aise. Elle put constater ses efforts par elle-même. Il avait demandé à son interprète de lui enseigner d'autres mots en fanti afin qu'il puisse lui dire combien il la trouvait belle, lui promettre de prendre soin d'elle du mieux qu'il pourrait. Il l'avait appelée comme le faisait Abeeku, Effia la Beauté.

Après leur mariage, James lui fit visiter le fort. Au bas de la paroi nord se trouvaient les appartements et les magasins. Au centre le terrain d'exercice, les quartiers des soldats et le corps de garde. Il y avait un parc à bestiaux, une mare, un hôpital. Un atelier de charpentier, et les cuisines. Le fort était en lui-même un village. Effia en fit le tour avec James, fascinée, effleurant de la main les meubles précieux faits d'un bois dont la couleur rappelait la peau de son père, les tentures de soie douces comme des baisers.

Elle absorba tout, fit une halte devant la plateforme d'artillerie où de gros canons noirs faisaient face à la mer. Elle voulut s'arrêter avant que James la conduise à son escalier privé et appuya la tête contre un des canons. Elle sentit alors un courant d'air sous ses pieds, sortant de petits trous percés dans le sol.

« Qu'est-ce qu'il y a en dessous ? » demanda-t-elle à James. Un mot lui parvint :

« Cargaison. »

Puis, apporté par le même courant d'air, sortit un faible bruit de pleurs. Si faible qu'Effia crut l'avoir imaginé avant de se baisser et de poser l'oreille contre la grille.

« James, il y a des gens en bas ? » demanda-t-elle.

James s'approcha vivement et la souleva du sol. Il la prit par les épaules, la fixa droit dans les yeux.

« Oui, » dit-il calmement, dans un fanti plus assuré.

Effia s'écarta de lui. Elle plongea à son tour son regard dans ses yeux perçants.

« Mais comment peux-tu les garder comme ça en train de pleurer ? dit-elle. Ah, vous autres, les Blancs ! Mon père m'avait prévenue. Ramène-moi chez moi. Ramène-moi tout de suite. »

Elle se rendit compte qu'elle avait hurlé en sentant la main de James sur sa bouche, pressant ses lèvres comme s'il voulait forcer les mots à y rester. Il la maintint ainsi pendant un long moment, jusqu'à ce qu'elle se calme. Elle ne savait pas s'il comprenait ce qu'elle disait, mais elle se rendit compte à ce moment, à la seule pression de sa paume, qu'il était un homme capable de faire mal, et qu'elle devait être contente de ne pas être la cible de sa cruauté.

« Tu veux rentrer chez toi ? » demanda James.

Son ton était ferme malgré ses mots malhabiles.

« Chez toi, ça n'est pas mieux. »

Effia écarta sa main de sa bouche et l'examina plus longuement. Elle se souvint de la joie de sa mère en la voyant partir et comprit qu'il avait raison. Elle ne pouvait pas rentrer chez elle. Elle hocha la tête, d'un geste à peine perceptible.

Il l'entraîna rapidement dans l'escalier. Ses appartements étaient situés au dernier étage. De la fenêtre, Effia découvrit la mer. Des navires de commerce semblables à des grains de poussière noirs dans l'œil bleu de l'Atlantique flottaient à l'horizon, si loin qu'on ne pouvait dire à quelle distance ils se trouvaient réellement du fort. Certains étaient peut-être à trois jours de navigation ; d'autres à seulement une heure.

Effia observa l'un de ces bateaux lorsque James et elle furent arrivés dans sa chambre. Une lueur jaune tremblotante annonçait sa présence sur l'eau, et Effia discerna à peine sa silhouette, longue et incurvée comme la coque creusée d'une noix de coco. Elle aurait voulu demander à James ce que le bateau transportait et s'il partait ou arrivait, mais elle était lasse de faire des efforts pour déchiffrer son fanti.

James lui dit quelque chose. Il sourit en lui parlant, une offre de paix. Les coins de sa bouche tremblaient presque imperceptiblement. Elle secoua la tête pour lui signifier qu'elle ne comprenait pas, et il finit par désigner le lit dans l'angle gauche de la chambre. Elle s'assit. Le matin avant qu'elle parte pour le fort, Baaba lui avait expliqué ce qu'on attendrait d'elle la nuit de son mariage, mais il semblait que personne ne l'ait expliqué à James. Quand il s'approcha d'elle, ses mains tremblaient et elle vit des gouttes de sueur perler sur son front. C'est elle qui s'étendit de tout son long, elle qui souleva sa jupe.

Ils vécurent ainsi pendant des semaines jusqu'à ce que l'apaisement de l'habitude finisse par atténuer la douleur de l'absence de sa famille. Effia ne savait ce qui la tranquillisait en James. Peut-être sa façon de toujours répondre à ses questions, ou l'affection qu'il lui montrait. Peut-être le fait que James n'avait pas d'autres femmes dont il devait s'occuper et que chacune de ses nuits lui appartenait. Elle avait pleuré la première fois qu'il lui avait fait un cadeau. Il avait pris la pierre noire que Baaba lui avait donnée et l'avait montée sur un fil pour qu'Effia puisse la porter autour du cou. Toucher la pierre lui apportait toujours un immense réconfort.

Elle savait qu'elle n'était pas censée éprouver de sentiments affectueux envers James, et résonnaient encore dans sa tête les mots de son père, qui avait désiré qu'elle soit davantage que l'épouse fantie d'un homme blanc. Elle se souvenait aussi qu'elle avait été proche de devenir réellement *quelqu'un*. Toute sa vie, Baaba l'avait battue et rabaissée. Elle s'était défendue avec sa beauté, une arme silencieuse mais puissante qui l'avait amenée aux pieds d'un chef. Pourtant, sa mère avait fini par gagner et l'avait exilée, non seulement de la maison, mais aussi du village, et aujourd'hui les seules femmes fanties qu'elle voyait régulièrement étaient les épouses des autres soldats.

Elle avait entendu les Anglais les appeler « filles », pas épouses. « Épouse » était un mot réservé aux femmes blanches de l'autre côté de l'Atlantique. « Fille » était quelque chose de totalement différent, un mot que les soldats utilisaient pour garder les mains propres et ne pas avoir d'ennuis avec leur dieu, un être qui lui-même était composé de trois parties mais n'autorisait les hommes à n'épouser qu'une seule femme.

« À quoi ressemble-t-elle ? » demanda un jour Effia à James.

Ils s'échangeaient leurs langues. Tôt le matin, avant qu'il parte surveiller la marche du fort, James lui apprenait l'anglais et, le soir, quand ils étaient au lit, elle lui apprenait le fanti. Ce soir-là, il suivait du doigt la ligne de sa clavicule tandis qu'elle lui chantait un air que Baaba fredonnait le soir à Fiifi quand Effia, couchée dans son coin, feignait de dormir, feignait d'ignorer qu'elle était toujours tenue à l'écart. Peu à peu, James s'était mis à compter davantage pour elle que ce que signifiait en général un mari pour une épouse. Le premier mot qu'il avait demandé à apprendre était « amour », et il le prononçait tous les jours.

« Elle s'appelle Anne, répondit-il, son doigt passant de sa clavicule à ses lèvres. Je ne l'ai pas vue depuis très longtemps. Nous nous sommes mariés il y a dix ans mais, depuis, j'ai été absent la plupart du temps. Je la connais à peine, en vérité. »

Effia savait que James avait deux enfants en Angleterre. Emily et Jimmy. Ils étaient âgés de cinq et neuf ans, conçus pendant les quelques jours où il était en permission et avait pu voir sa femme. Le père d'Effia avait vingt enfants. L'ancien chef en avait eu presque cent. Qu'un homme puisse être heureux avec une si petite progéniture lui paraissait incompréhensible. Elle se demandait à quoi ressemblaient ses enfants. Elle se demandait aussi ce qu'Anne écrivait dans ses lettres. Elles arrivaient à des intervalles qu'on ne pouvait prévoir, tantôt quatre mois, tantôt un mois. James les lisait la nuit assis à son bureau pendant qu'Effia feignait de dormir. Elle ignorait ce que disaient ces missives, mais chaque fois que James en lisait une, il regagnait ensuite le lit et s'y couchait le plus loin possible d'elle.

Aujourd'hui, sans qu'aucune lettre puisse l'éloigner d'elle, James reposait la tête sur son sein gauche. Quand il parlait, son haleine était chaude, un souffle qui se propageait le long de son ventre, descendait entre ses jambes.

« Je veux des enfants de toi », dit James, et Effia se raidit, inquiète de ne pas pouvoir exaucer ce souhait, inquiète aussi parce qu'elle avait une mauvaise mère et pouvait elle-même le devenir.

Elle avait déjà révélé à James le stratagème de Baaba, comment elle avait forcé Effia à dissimuler qu'elle était devenue femme pour empêcher les hommes de son village de l'approcher, mais James avait chassé sa tristesse en riant.

« Une vraie chance pour moi », avait-il dit.

Pourtant, Effia s'était mise à croire que Baaba avait peut-être raison. Elle avait perdu sa virginité la nuit de son mariage, mais des mois s'étaient écoulés sans qu'elle soit enceinte. La malédiction était peut-être née d'un mensonge, mais peut-être portait-elle le fruit de la vérité. Les anciens du village racontaient l'histoire d'une femme que l'on disait maudite. Elle vivait sous un palmier dans la partie nord-ouest, et personne ne l'avait jamais appelée par son nom. Sa mère était morte pour qu'elle puisse vivre, et le jour de son dixième anniversaire, elle avait porté un pot d'huile bouillante d'une case à l'autre. Son père sommeillait sur le sol et, pensant qu'elle pouvait l'enjamber au lieu de le contourner, elle avait renversé l'huile sur son visage et l'avait défiguré pour le restant de sa vie, qui n'avait duré que vingt-cinq jours. Elle avait été chassée de la maison et avait parcouru la Côte-de-l'Or pendant des années, jusqu'à son retour à l'âge de dix-sept ans. Elle était d'une beauté étrange et rare. Pensant qu'elle n'attirait plus la mort sur son passage, un garçon qui l'avait connue quand elle était jeune proposa de l'épouser telle qu'elle était, indigente et sans famille. Elle se trouva enceinte au bout d'un mois, mais quand le bébé arriva, c'était un métis, avec des yeux bleus et la peau claire, et il mourut quatre jours plus tard. Elle quitta la maison de son mari la nuit de la mort de son enfant et s'en alla vivre sous le palmier, se punissant à jamais.

Effia savait que les anciens du village racontaient cette histoire uniquement pour enseigner aux enfants la prudence quand ils s'approchaient de l'huile chaude, mais elle s'interrogeait sur la fin de l'histoire, l'enfant métis. Comment cet enfant, à la fois blanc et noir, était-il maléfique au point de forcer la femme à aller vivre dans la palmeraie.

Quand Adwoa avait épousé le soldat blanc, et quand Millicent et sa mère étaient apparues dans le village, Cobbe les avait ignorées. Il avait toujours dit que l'union d'un homme et d'une femme était aussi l'union de deux familles. Ancêtres, antécédents, faisaient partie de cet acte, ainsi que les péchés et les malédictions. Les enfants étaient l'incarnation de cette unité, et ils en supportaient tout le poids. Quels péchés avait apportés l'homme blanc avec lui ? Baaba avait dit que la malédiction d'Effia était due à un échec de la féminité, mais c'était Cobbe qui avait prédit un lignage corrompu. Effia ne pouvait s'empêcher de penser qu'elle luttait contre son propre utérus, contre les enfants de l'incendie.

« Si tu ne donnes pas bientôt des enfants à cet homme, il va te ramener là-bas », avait dit Adwoa.

Elle et Effia n'étaient pas amies quand elles vivaient au village, mais elles se voyaient aussi souvent que possible, chacune heureuse de se trouver près de quelqu'un qui la comprenait, d'entendre le son réconfortant de son dialecte. Adwoa avait eu deux enfants depuis qu'elle avait quitté le village. Son mari, Todd Phillips, n'avait fait que grossir depuis qu'Effia l'avait vu la dernière fois, rouge et transpirant dans l'ancienne case d'Adwoa.

« Je te le dis, oh, Todd m'a tout le temps mise sur le dos depuis que je suis arrivée ici. Je suis probablement enceinte au moment où je te parle. »

Effia sursauta.

« Mais il a un si gros ventre ! et Adwoa rit et faillit s'étrangler avec l'arachide qu'elle était en train de manger.

— Eh, mais c'est pas le ventre qui sert à faire le bébé, dit-elle. Je vais te donner des racines qu'on trouve dans la forêt. Tu les mets sous le lit quand tu es couchée avec lui. Ce soir, tu dois être comme un animal quand il entrera dans la chambre. Une lionne. Elle s'unit à son lion. Lui, il pense que le moment lui appartient alors que c'est d'elle qu'il s'agit en réalité, de *ses* enfants à elle, de *sa* postérité. L'astuce est de lui faire croire qu'il est le roi de la brousse, mais que vaut un roi ? C'est elle qui est roi et reine et tout ce qu'il y a entre. Ce soir tu vas mériter ton titre, Beauté. »

Adwoa revint donc avec les racines. Ce n'était pas des racines ordinaires. Elles étaient longues et tortillées, et dès que vous en ôtiez une tige, une autre surgissait et la remplaçait. Effia les plaça sous le lit où elles parurent se multiplier, déployant une patte après l'autre au point que la racine sembla bientôt mettre le lit sur son dos et s'en aller, telle une araignée inconnue.

« Il ne faut pas que ton mari puisse la voir », dit Adwoa, et elles repoussèrent les tiges de la racine qui insistaient pour pointer leur nez à l'extérieur, les tirant, les refoulant jusqu'à parvenir enfin à les contenir.

Puis Adwoa aida Effia à se préparer pour James. Elle tressa et lissa ses cheveux, enduisit son corps d'huile, colora ses pommettes et la courbe de ses lèvres avec de l'argile rouge. Effia s'assura que, lorsque James entrerait le soir, la chambre exhalerait un parfum riche et végétal, comme si elle contenait une promesse de fruit.

« Que se passe-t-il, ici ? » demanda James.

Il était encore en uniforme, et Effia se rendit compte que sa journée avait été longue en voyant les revers affaissés de sa tunique. Elle l'aida à la retirer ainsi que sa chemise et elle pressa son corps contre le sien, comme Adwoa le lui avait enseigné. Sans lui donner le temps de manifester sa surprise, elle le prit par les bras et le poussa vers le lit. Jamais depuis leur première nuit, il ne s'était montré aussi craintif, effrayé par le corps mystérieux d'Effia, sa chair opulente, si différente de la description qu'il avait faite de sa femme. Excité à présent, il la pénétra, et elle ferma les yeux aussi étroitement qu'elle le pouvait, sa langue pointant entre ses lèvres. Il s'enfonça plus brutalement, sa respiration lourde et entrecoupée. Elle lui griffa le dos, et il poussa un cri. Elle lui mordit l'oreille et lui tira les cheveux. Il pesa de tout son poids contre elle comme s'il voulait la transpercer. Et quand elle rouvrit les yeux pour le regarder, elle vit comme un spasme douloureux s'inscrire sur son visage et la laideur de l'acte, la sueur, le sang et les sécrétions qu'ils avaient répandus lui apparurent clairement, et elle comprit que si elle était un animal ce soir-là, il en était un lui aussi.

Une fois qu'ils eurent terminé, Effia posa la joue sur l'épaule de James.

« Qu'est-ce que c'est ? » demanda James en tournant la tête.

Ils avaient déplacé le lit et à présent trois tiges de la racine étaient visibles.

« Rien », dit Effia.

James se leva et vérifia en dessous du lit.

« Qu'est-ce que c'est, Effia ? répéta-t-il, d'une voix plus autoritaire que celle qu'elle lui connaissait.

— Ce n'est rien. Une racine que m'a donnée Adwoa. Pour la fertilité. »

Ses lèvres se serrèrent en une ligne mince.

« Écoute, Effia. Je ne veux ni vaudou ni magie noire ici. Il n'est pas question que mes hommes apprennent que ma fille met des racines bizarres sous le lit. Ce n'est pas chrétien. »

Effia l'avait déjà entendu prononcer ce mot. « Chrétien. » C'était pourquoi ils avaient été mariés dans la chapelle par cet homme sévère en noir qui secouait la tête chaque fois qu'il la regardait. Il avait aussi parlé du « vaudou » auquel tous les Africains s'adonnaient selon lui. Elle ne pouvait lui narrer les fables de l'araignée Anansi ou les histoires que racontaient les anciens de son village sans qu'il prenne un air méfiant. Depuis qu'elle habitait le fort, elle avait découvert que les hommes blancs étaient seuls à parler de « magie noire ». Comme si la magie avait une couleur. Effia avait vu une sorcière itinérante qui s'enroulait un serpent autour du cou et des épaules. Elle avait un fils. Elle lui chantait des berceuses le soir, lui tenait les mains et le nourrissait, comme n'importe quelle mère. Il n'y avait rien de noir chez elle.

Effia ne comprenait pas ce besoin d'appeler une chose « bonne » et une autre « mauvaise », celle-ci « blanche » et cette autre « noire ». Dans son village, chaque chose était un tout. Chaque chose pesait le poids de tout.

Le lendemain, Effia dit à Adwoa que James avait vu la racine.

« Ce n'est pas bon, dit Adwoa. Est-ce qu'il a dit qu'elle était maléfique ? »

Effia hocha la tête et Adwoa fit claquer trois fois sa langue.

« Todd aurait dit la même chose. Ces hommes ne sauraient pas distinguer le bien du mal même s'ils étaient Nyame en personne. Je crois que ça ne marchera pas maintenant, Effia. Je suis désolée. »

Mais Effia n'était pas désolée. Si elle était stérile, tant pis.

Bientôt, même James fut trop occupé pour se soucier d'enfants. Le fort attendait la visite d'officiers hollandais, et tout devait se passer aussi parfaitement que possible. James se réveillait bien avant Effia pour aider les hommes à stocker les marchandises importées et s'occuper des navires. Effia passait de plus en plus de temps à se promener dans les villages qui entouraient le fort, marcher en forêt et bavarder avec Adwoa.

L'après-midi de l'arrivée des Hollandais, Effia retrouva Adwoa et quelques-unes des autres filles à l'extérieur du fort. Elles s'arrêtèrent à l'ombre d'un boqueteau pour manger un ragoût de patates douces à l'huile. Avec Adwoa se trouvaient Sarah, la « fille » métisse de Sam York, et aussi la nouvelle fille, Eccoah. Elle était grande et mince, marchait comme si ses membres étaient faits de souples rameaux, comme si le vent pouvait l'abattre.

Ce jour-là, Eccoah était étendue à l'ombre légère d'un palmier. Effia l'avait aidée la veille à tresser ses cheveux qui, au soleil, ressemblaient à un million de minuscules serpents dressés sur sa tête.

« Mon mari n'arrive pas à bien prononcer mon nom. Il veut m'appeler Emily, dit Eccoah.

— S'il veut t'appeler Emily, laisse-le t'appeler Emily », dit Adwoa.

Des quatre, elle était la « fille » d'un Blanc depuis le plus longtemps, et elle exprimait toujours ses opinions librement et à voix haute.

Tout le monde savait que son mari était en adoration devant elle.

« Ça vaut mieux que de l'entendre massacrer sans arrêt ta langue maternelle. »

Sarah enfonça ses coudes dans la poussière.

« Mon père aussi était un soldat. Quand il est mort, Mama est retournée au village. Je suis revenue pour épouser Sam, mais il n'a pas eu de problème avec mon nom. Savez-vous qu'il connaissait mon père ? Ils étaient soldats ensemble au fort quand j'étais petite. »

Effia secoua la tête. Elle était à plat ventre. Elle aimait les journées comme celle-ci, où elle pouvait parler fanti aussi vite qu'elle le voulait. Personne ne lui demandait de ralentir, personne ne lui disait de parler anglais.

« Quand mon mari remonte des cachots, il pue comme un animal en train de crever », dit Eccoah doucement.

Elles détournèrent toutes les yeux. Personne ne mentionnait jamais les cachots.

« En s'approchant de moi, il sent les excréments et la pourriture et me regarde comme s'il avait vu un million de fantômes, et ne sait pas si je suis l'un d'eux ou non. Je lui dis d'aller se laver avant de me toucher et parfois il le fait, mais parfois il me couche par terre et entre en moi comme s'il était possédé. »

Effia s'assit et posa une main sur son ventre. James avait reçu une lettre de sa femme le lendemain du jour où il avait découvert la racine sous leur lit. Ils n'avaient pas dormi ensemble depuis lors.

Le vent s'était levé. Les serpents dans les cheveux d'Eccoah s'agitèrent, ses bras minces comme des brindilles se soulevèrent.

« Il y a des gens en bas, vous savez, dit-elle. Il y a des femmes qui nous ressemblent, et nos maris doivent apprendre à faire la différence. »

Elles restèrent toutes silencieuses. Eccoah s'appuya à nouveau contre l'arbre, et Effia observa une file de fourmis gravir une mèche de ses cheveux, dont la forme n'était sans doute pour elles qu'une partie du monde naturel.

Depuis leur premier jour au fort, James n'avait jamais reparlé à Effia des esclaves qu'ils gardaient dans la prison, mais il lui parlait souvent d'animaux. Ils formaient l'essentiel du trafic des Ashantis. Des animaux. Des singes et des chimpanzés, voire quelques léopards. Des oiseaux, des oiseaux de paradis et des perroquets comme ceux que Fiifi et elle tentaient d'attraper quand ils étaient enfants, parcourant la forêt à la recherche de l'oiseau unique, l'oiseau qui avait des plumes si belles qu'on ne pouvait le confondre avec les autres. Ils passaient des heures à chercher cet oiseau-là, et la plupart du temps n'en trouvaient aucun.

Elle se demanda ce que pouvait valoir un tel oiseau, car au fort tous les animaux avaient un prix. Elle avait vu James examiner un oiseau de paradis apporté par l'un de leurs commerçants ashantis et déclarer qu'il valait quatre livres. Et s'agissant de l'animal humain ? Combien pouvait-il valoir ? Effia savait, bien sûr, qu'il y avait des gens dans les cachots. Des gens qui ne parlaient pas le même dialecte qu'elle, des gens qui avaient été faits prisonniers au cours de guerres tribales, et même qui avaient été volés, mais elle ne s'était jamais demandé où ils allaient ensuite. Elle n'avait jamais réfléchi à ce que James pouvait penser chaque fois qu'il les voyait. S'il allait dans les cachots et voyait des femmes qui lui faisaient penser à elle, qui lui ressemblaient et avaient la même odeur qu'elle. S'il revenait hanté par ce qu'il avait vu.

Effia se rendit compte très vite qu'elle était enceinte. On était au printemps et les manguiers devant le fort commençaient à laisser tomber leurs fruits. Son ventre pointait en avant, élastique et rebondi, sa propre mangue. James était si heureux quand elle le lui avait annoncé qu'il l'avait soulevée dans ses bras et s'était mis à danser avec elle tout autour de leur logement. Elle lui avait tapé dans le dos et demandé de la reposer par terre, de crainte que les secousses ne mettent le bébé en morceaux, et il avait obéi avant de se pencher et de déposer un baiser sur son ventre à peine arrondi.

Mais leur joie fut bientôt amoindrie par les nouvelles de son village. Cobbe était tombé malade. Tellement malade qu'on ne savait pas s'il resterait en vie le temps qu'Effia fasse le voyage pour le revoir.

Elle ignorait qui au village avait envoyé la lettre, car elle était adressée à son mari et écrite en mauvais anglais. Elle était partie depuis deux ans et n'avait pas eu de nouvelle de sa famille. Elle savait que Baaba en était la cause et s'étonnait même que quelqu'un ait pensé à l'informer de la maladie de son père.

Le voyage de retour prit presque trois jours. James n'avait pas voulu qu'elle fasse le trajet seule dans son état. Mais dans l'incapacité de l'accompagner, il avait demandé à une servante de l'escorter à sa place. Quand elles arrivèrent, tout dans le village lui sembla changé. Les couleurs de la voûte des arbres lui parurent ternies, les verts et les bruns avaient perdu leur éclat. Les sons paraissaient différents eux aussi. Tout ce qui bruissait autrefois était maintenant immobile. Abeeku avait si bien fait prospérer le village qu'on s'en souviendrait comme l'un des principaux marchés d'esclaves de toute la Côte-de-l'Or. Il n'avait pas le temps de la voir. Cependant, des présents de vin de palme et d'or l'attendaient de sa part quand elle arriva à la concession de son père.

Baaba se tenait à la grille de l'entrée. Elle semblait avoir vieilli de cent ans pendant les deux années d'absence d'Effia. Son rictus maussade était maintenu en place par les centaines de rides minuscules qui lui tiraient la peau, et ses ongles étaient devenus si longs qu'ils se recourbaient comme des serres. Elle ne dit pas un mot, et conduisit seulement Effia jusqu'à la pièce où reposait son père.

Personne ne savait quelle maladie avait frappé Cobbe. Les apothicaires, les sorciers, même le pasteur chrétien du fort avaient été appelés pour donner leur avis et prier pour le pauvre homme, cependant rien, pas plus les vœux de guérison que les médicaments ne semblaient pouvoir l'arracher à la bouche de la mort.

Debout à côté de lui, Fiifi essuyait avec précaution la sueur de son front. Effia éclata en sanglots et fut prise de tremblements. Elle tendit la main et caressa la peau cireuse de son père.

« Il ne peut pas parler, murmura Fiifi, lançant un coup d'œil rapide au ventre proéminent d'Effia. Il est trop faible. »

Elle hocha la tête et continua à pleurer.

Fiifi laissa tomber le linge mouillé et prit la main d'Effia.

« Grande sœur, c'est moi qui t'ai écrit la lettre. Mama ne voulait pas que tu viennes, mais j'ai pensé qu'il fallait que tu voies notre père avant qu'il entre dans Asamando. »

Cobbe ferma les yeux, un faible murmure s'échappa de ses lèvres, et Effia vit que le royaume des ancêtres l'appelait à lui.

« Merci », dit-elle à Fiifi, et il inclina la tête.

Il allait quitter la pièce, mais avant d'avoir atteint la porte de la case, il se retourna.

« Elle n'est pas ta mère, tu sais. Baaba. Notre père t'a eue avec une servante qui s'est enfuie dans le feu la nuit de ta naissance. C'est elle qui t'a laissé la pierre que tu portes au cou. »

Fiifi sortit de la chambre. Et Cobbe mourut bientôt, pendant qu'Effia lui tenait la main. Les villageois dirent par la suite que Cobbe avait attendu qu'Effia revienne pour mourir, mais Effia savait que c'était plus compliqué que cela. Son inquiétude l'avait gardé en vie, et maintenant cette inquiétude appartenait à Effia. Elle alimenterait son existence et celle de son enfant.

Après avoir séché ses larmes, Effia sortit de la case et retrouva le soleil. Baaba était assise sur la souche d'un arbre, les épaules droites, les mains dans celles de Fiifi, qui se tenait à ses côtés, à présent aussi silencieux qu'une souris des champs. Effia aurait voulu dire quelque chose à Baaba, peut-être s'excuser du fardeau que son père lui avait imposé pendant toutes ces années, mais, avant qu'elle puisse parler, Baaba se racla la gorge, cracha sur le sol aux pieds d'Effia et dit :

« Tu n'es rien et tu viens de nulle part. Sans mère et maintenant sans père. »

Elle regarda le ventre d'Effia et sourit.

« Que peut-il sortir de rien ? »

Esi

L'odeur était insupportable. Dans un coin une femme pleurait si fort que les spasmes la secouaient comme s'ils allaient lui briser les os. C'était ce qu'ils voulaient. Le bébé s'était sali, et Afua, sa mère, n'avait pas de lait. Elle était nue, à l'exception du bout de linge que les marchands lui avaient donné pour essuyer ses tétons quand ils suintaient, mais ils n'avaient pas compris. Pas de nourriture pour la mère signifiait pas de nourriture pour l'enfant. Le bébé allait bientôt crier, mais le bruit serait absorbé par les murs de terre, noyé dans les pleurs des centaines de femmes autour de lui.

Esi était enfermée dans le cachot des femmes du fort de Cape Coast depuis deux semaines. Elle y avait passé l'anniversaire de ses quinze ans. Elle avait fêté ses quatorze ans au cœur du pays ashanti, dans le domaine de son père, le Grand Homme. Il était le meilleur guerrier du village, et tout le monde était venu rendre hommage à sa fille, qui devenait plus belle de jour en jour. Kwasi Nnuro avait apporté soixante ignames. Plus qu'aucun autre prétendant n'avait jamais offert. Esi aurait dû l'épouser pendant l'été, quand le soleil s'attardait longtemps haut dans le ciel, quand on saignait les palmiers pour en tirer le vin, pendant que les enfants les plus agiles y grimpaient, enserrant le tronc entre leurs bras et se trémoussant jusqu'au sommet pour y cueillir les fruits.

Quand elle voulait oublier le fort, elle pensait à ces instants, mais n'en attendait aucune joie. L'enfer était peuplé de souvenirs, chaque bon moment traversait l'imagination avant de retomber sur le sol comme une mangue pourrie, parfaitement inutile, inutilement parfait.

Un soldat entra dans le cachot et se mit à parler. Il devait se pincer le nez pour ne pas vomir. Les femmes ne comprenaient pas ce qu'il disait. Sa voix ne paraissait pas hostile, mais elles avaient un mouvement de recul à la vue de cet uniforme, de cette peau couleur chair de noix de coco.

Le soldat répéta ses paroles, plus fort cette fois, comme si le volume pouvait aiguiser la compréhension. Irrité, il s'avança dans la pièce. Il marcha dans des excréments et jura. Il arracha le bébé qu'Afua tenait dans ses bras, et Afua se mit à pleurer. Il la frappa et elle s'arrêta, un réflexe habituel.

Tansi s'assit à côté d'Esi. Elles avaient fait ensemble le voyage jusqu'au fort. Maintenant qu'elles n'étaient plus obligées de marcher jour et nuit, de parler à voix basse, Esi avait le temps de mieux connaître sa compagne de voyage. Tansi avait à peine seize ans. C'était une fille décidée, laide et robuste, avec un corps solidement charpenté. Esi espérait, sans trop y compter, qu'elles pourraient rester ensemble plus longtemps.

« Où emmènent-ils le bébé ? » demanda Esi.

Tansi cracha sur la terre battue et remua la salive avec un doigt, fabriquant une sorte d'emplâtre.

« Ils vont le tuer, je suis sûre », dit-elle.

L'enfant avait été conçu avant le mariage d'Afua. Pour la punir, le chef du village l'avait vendue aux marchands. Afua l'avait raconté à Esi à son arrivée dans le cachot, quand elle croyait encore qu'il y avait eu une erreur, que ses parents allaient revenir la chercher.

En entendant Tansi parler ainsi, Afua recommença à pleurer, mais personne ne sembla y prêter attention. Ces larmes étaient une sorte de routine. Elles étaient versées par toutes les femmes. Elles tombaient jusqu'à ce que le sol se transforme en boue. La nuit, Esi rêvait que, si elles pleuraient toutes à l'unisson, la boue se transformerait en une rivière qui les emporterait vers la mer.

« Tansi, raconte-moi une histoire, s'il te plaît », implora-t-elle.

Mais elles furent interrompues à nouveau. Les soldats entrèrent avec le même porridge pâteux qu'on leur avait servi dans le village fanti où Esi avait été détenue. Elle avait appris à l'avaler sans haut-le-cœur. C'était la seule nourriture qu'il leur était distribuée, et leurs estomacs étaient plus souvent vides que pleins. Elle avait l'impression que le porridge ne faisait que la traverser. Le sol était couvert de déjections, l'odeur atroce.

« Ah, tu es trop vieille pour écouter des histoires, ma sœur », dit Tansi dès que les soldats furent partis, mais Esi savait qu'elle ne résisterait pas longtemps.

Tansi aimait entendre le son de sa voix. Elle attira la tête d'Esi sur ses genoux et se mit à jouer avec ses cheveux, tirant sur les mèches collées par la saleté, si fragiles qu'elles étaient devenues cassantes comme des brindilles.

« Tu connais l'histoire du tissu kente[1] ? » demanda Tansi.

Esi l'avait entendue cent fois, y compris de la bouche de Tansi, mais elle secoua la tête. Demander si on connaissait l'histoire faisait partie de l'histoire elle-même.

Tansi commença à raconter.

« Deux hommes ashantis allèrent un jour dans la forêt, des tisserands, partis chasser. Arrivés sur place, ils s'apprêtaient à relever leurs pièges quand ils tombèrent sur Anansi, l'araignée espiègle. Elle était en train de tisser une toile magnifique. Ils l'observèrent, l'étudièrent, et se rendirent vite compte qu'une toile d'araignée est une chose unique, splendide, que la technique de l'araignée est parfaite. Ils rentrèrent chez eux et décidèrent de confectionner un tissu de la même façon qu'Anansi tissait sa toile. Et ainsi naquit le kente.

— Tu es une bonne conteuse », dit Esi.

Tansi rit et appliqua l'emplâtre qu'elle avait préparé sur ses genoux et ses coudes pour adoucir sa peau crevassée. La dernière histoire qu'elle raconta à Esi fut celle de sa capture par les gens du nord qui l'avaient arrachée au lit conjugal pendant que son

---

1. Kente : tissu africain originaire du Ghana, au caractère sacré. (*Toutes les notes sont de la traductrice.*)

mari était parti à la guerre. Elle avait été prise avec plusieurs filles, mais les autres n'avaient pas survécu.

Au matin, Afua mourut. Sa peau était bleu et violet, et Esi savait qu'elle avait retenu son souffle jusqu'à ce que Nyame l'emporte. Elles seraient toutes punies pour ça. Les soldats entrèrent, Esi n'aurait su dire à quelle heure. Les murs de terre du cachot étouffaient le temps. La lumière du soleil ne pénétrait pas. On ne voyait ni jour ni nuit. Il y avait parfois tant de corps entassés dans le cachot des femmes qu'elles devaient se coucher à plat ventre, pour que d'autres puissent être empilées au-dessus d'elles.

C'était un jour comme ça. Un des soldats jeta Esi par terre. Il posa le pied sur sa nuque, l'empêchant de tourner la tête et de respirer autre chose que la poussière et les déchets sur le sol. De nouvelles femmes furent amenées. Certaines gémissaient si fort que les soldats les assommèrent. Ils les jetèrent par-dessus les autres, leurs corps inertes comme des poids morts. Quand elles reprirent connaissance, les pleurs avaient cessé. Esi sentit la femme affalée sur elle lui uriner dessus. Le liquide chaud se répandit entre ses jambes.

Elle apprit à diviser son existence entre « Avant le fort » et « Aujourd'hui ». Avant le fort, elle était la fille du Grand Homme et de sa troisième femme, Maame. Aujourd'hui, elle n'était que poussière. Avant le fort, elle était la plus jolie fille du village. Aujourd'hui, elle n'est rien.

Esi était née dans un village du pays ashanti ; Grand Homme avait organisé une fête qui avait duré quatre nuits. Cinq chèvres avaient été abattues et bouillies jusqu'à ce que leur peau dure devienne tendre. On disait que Maame n'avait pas cessé de pleurer et de louer Nyame durant toute la cérémonie, et qu'elle avait refusé de poser le bébé Esi.

« On ne sait jamais ce qui peut arriver », répétait-elle.

À cette époque, Grand Homme n'était connu que sous le nom de Kwame Asare. Le père d'Esi n'était pas un chef, mais il inspirait autant de respect, car il était le meilleur guerrier que la nation ait jamais vu, et à vingt-cinq ans, il avait déjà cinq femmes et dix enfants. Tout le monde au village savait que sa progéniture était pleine de vigueur. Ses fils, tout jeunes, étaient déjà des lutteurs aguerris et ses filles de vraies beautés.

Esi avait grandi dans le bonheur. Les villageois l'appelaient petite mangue mûre, car elle n'était pas abîmée, encore douce. Ses parents ne pouvaient rien lui refuser. On avait même vu son père, le fameux guerrier, la promener à travers le village la nuit quand elle n'arrivait pas à s'endormir. Esi tenait le bout de son doigt, pour elle aussi gros qu'une branche, et trottinait devant les cases qui constituaient chaque concession. Son village était petit mais se développait régulièrement. La première année, il ne leur fallait pas plus de vingt minutes pour atteindre la lisière de la forêt qui les séparait du reste du pays ashanti, mais la végétation avait été repoussée de plus en plus loin et cinq ans après leur promenade prenait presque une heure. Esi aimait parcourir la forêt avec son père. Elle l'écoutait avec ravissement raconter pourquoi elle était si dense, tel un bouclier que leurs ennemis ne pouvaient pas pénétrer. Il lui racontait que, avec les autres guerriers, il la connaissait mieux que les lignes de leur main. Et c'était heureux. Suivre les lignes d'une paume ne mènerait nulle part, mais la forêt menait les guerriers à d'autres villages qu'ils pouvaient conquérir pour asseoir leur pouvoir.

« Quand tu seras assez grande, Esi, tu apprendras à grimper à ces arbres à mains nues », lui dit-il, un jour qu'ils rentraient au village.

Esi leva les yeux. Leurs cimes semblaient toucher le ciel, et Esi se demanda pourquoi leurs feuilles étaient vertes et non pas bleues.

Quand elle eut sept ans, son père gagna la bataille qui lui valut le nom de Grand Homme. Le bruit avait couru que dans un village au nord du leur des guerriers étaient revenus avec des joyaux en or et des femmes. Ils avaient même pillé l'entrepôt des Anglais, y dérobant de la poudre et des mousquets. Chef Nnuro, qui commandait le village d'Esi, appela tous les hommes vaillants à se rassembler.

« Avez-vous appris la nouvelle ? » leur demanda-t-il. Ils grognèrent, frappèrent le sol durci de leurs bâtons et hurlèrent :

« Les porcs des villages du nord paradent comme des rois ! Dans tout le pays ashanti, on dira que ce sont les gens du nord qui ont volé les fusils anglais. Les gens du nord sont les guerriers les plus puissants de toute la Côte-de-l'Or ! »

Les hommes tapèrent du pied de plus belle et secouèrent la tête.

« Allons-nous tolérer cela ? demanda le chef.

— Non ! » s'écrièrent-ils.

Kwaku Agyei, le plus raisonnable d'entre eux, les fit taire et dit :

« Écoutez-nous ! Nous pouvons aller les combattre, mais avec quoi ? Nous n'avons pas de fusils, pas de poudre. Et qu'y gagnerons-nous ? Nombreux seront ceux qui loueront nos ennemis du nord, mais ne continueront-ils pas à nous louer tout autant ? Nous sommes le village le plus puissant depuis des dizaines d'années. Personne n'a réussi à franchir la forêt et à nous défier.

— Alors vous nous demandez d'attendre que ces serpents se glissent jusque dans nos champs et volent nos femmes ? » demanda le père d'Esi.

Les deux hommes se tenaient à chaque extrémité de la salle, et tous les autres étaient massés entre eux, tournant la tête tour à tour vers l'un puis vers l'autre pour voir quel camp l'emporterait, la sagesse ou la force.

« Je dis seulement : ne montrons pas trop de précipitation. Au risque d'apparaître faibles.

— Mais qui est faible ? » demanda le père d'Esi.

Il désigna Nana Addae, puis Kojo Nyarko et Kwabena Gyimah.

« Qui d'entre nous est faible ? Toi ? Ou peut-être toi ? »

Les hommes secouèrent la tête l'un après l'autre, et bientôt un frisson les agita tous des pieds à la tête tandis qu'ils poussaient un cri de ralliement qui se répercuta d'un bout à l'autre du village. Esi l'entendit depuis la case où elle était en train d'aider sa mère à faire frire des plantains, et elle en lâcha deux tranches si brusquement que l'huile éclaboussa la jambe de sa mère.

« Aïïee ! » cria Maame, s'essuyant la jambe avec la main tout en soufflant sur la brûlure.

« Petite idiote ! Quand apprendras-tu à faire attention avec le feu ? »

Esi avait souvent entendu sa mère lui dire ce genre de chose. Maame était terrifiée par le feu. « Fais attention au feu. Apprends à rester calme quand tu t'en sers », disait-elle.

« Je n'ai pas fait exprès », répliqua Esi.

Elle avait envie d'aller dehors, d'en apprendre davantage sur la discussion des guerriers. Sa mère lui pinça l'oreille.

« Pour qui te prends-tu pour parler de cette façon ? siffla-t-elle. Réfléchis avant d'agir. Réfléchis avant de parler. »

Esi s'excusa et Maame, qui n'avait jamais pu rester fâchée contre elle plus de quelques secondes, l'embrassa sur le dessus de la tête tandis que les vociférations des hommes devenaient de plus en plus fortes.

Tout le monde au village connaissait l'histoire. Chaque soir, pendant un mois, Esi avait demandé à son père de la lui raconter. Elle s'allongeait, la tête sur ses genoux, et écoutait le récit des hommes qui étaient partis sans bruit pour le village du nord le soir du cri de ralliement. Leur plan était mince : envahir le village et voler tout ce qui avait été volé. Le père d'Esi lui raconta comment il avait conduit le groupe à travers la forêt jusqu'à ce qu'ils tombent sur le cercle des guerriers qui protégeaient leur butin. Son père et ses hommes s'étaient cachés au milieu des arbres.

Leurs pieds se déplaçaient avec la légèreté des feuilles sur le sol. Ils s'étaient élancés vers les guerriers du village et s'étaient battus vaillamment, mais en vain. Le père d'Esi et beaucoup d'autres avaient été capturés et enfermés dans des cases transformées en prison pour l'occasion.

C'était Kwaku Agyei et ses compagnons qui avaient eu la présence d'esprit de rester à l'affût dans la forêt après l'attaque des guerriers intrépides. Ils avaient trouvé les fusils que cachaient les hommes du nord et les avaient chargés rapidement et en silence avant de rejoindre l'endroit où leurs compagnons étaient retenus captifs. Bien que peu nombreux, Kwaku Agyei et ses hommes étaient parvenus à intimider les guerriers du nord en leur racontant que beaucoup d'autres suivaient derrière eux. Kwaku avait dit que si cette mission échouait, un raid serait lancé contre eux toutes les nuits jusqu'à la fin des temps. « Si ce n'est pas ceux de l'ouest, ce sera les Blancs », avait-il conclu, un éclat noir filtrant par l'écart entre ses dents de devant.

Les hommes du nord avaient compris qu'ils n'avaient d'autre choix que de s'incliner. Ils avaient relâché le père d'Esi et ses compagnons après qu'ils eurent renoncé à cinq des fusils volés. Les hommes avaient regagné le village en silence, le père d'Esi accablé de honte. En arrivant à la lisière de leur village, il avait retenu Kwaku, était tombé à genoux et avait baissé la tête devant lui.

« Pardonne-moi, mon frère. Je ne me lancerai plus jamais dans une bataille quand il est possible de raisonner.

— Il faut être un grand homme pour reconnaître sa folie », avait dit Kwaku Agyei, et ils avaient marché ensemble jusqu'au village, le pénitent nouvellement baptisé « Grand Homme » en tête.

Ce fut le Grand Homme qu'Esi vit revenir, celui qu'elle connut en grandissant. Peu enclin à s'emporter, raisonnable, mais toujours le plus intrépide et le plus fort de tous. Quand elle eut douze ans, leur petit village avait gagné plus de cinquante-cinq guerres sous son commandement. Les butins rapportés par les guerriers étaient exposés à la vue de tous, de l'or étincelant et des tissus colorés dans de grands sacs bruns, des captifs dans des cages de fer.

Les prisonniers, surtout, fascinaient Esi, car après chaque raid ils étaient exposés au milieu de la place du village. Chacun pouvait aller les regarder, la plupart étaient de jeunes guerriers virils, parfois des femmes et leurs enfants. Certains d'entre eux étaient pris par les villageois comme esclaves, serviteurs ou servantes, cuisiniers ou hommes et femmes de ménage, mais ils furent bientôt trop nombreux et il fallut trouver une solution pour le surplus.

« Mama, que deviennent les prisonniers lorsqu'ils partent d'ici ? demanda Esi à Maame un après-midi, alors qu'elles passaient près de la place, traînant derrière elles leur dîner, une chèvre, au bout d'une corde.

— C'est une question pour les garçons, Esi. Tu n'as pas besoin d'y penser », répondit sa mère, détournant les yeux.

Aussi loin que remontaient les souvenirs d'Esi, peut-être même avant, Maame avait refusé de choisir une servante ou un serviteur parmi les prisonniers qu'on faisait défiler dans le village tous les mois. Or les prisonniers étaient à présent si nombreux que Grand Homme avait insisté.

« Une servante pourrait t'aider à la cuisine, dit-il.

— Esi m'aide à préparer les repas.

— Mais Esi est ma fille, pas une fille ordinaire à qui on donne des ordres. »

Esi sourit. Elle aimait sa mère, mais elle savait que Maame avait de la chance d'avoir trouvé un mari comme Grand Homme alors qu'elle n'avait aucune famille, aucun passé véritable. Grand Homme avait sauvé Maame d'une certaine manière ; de quelle misère, Esi l'ignorait. Elle savait seulement que sa mère ferait n'importe quoi pour son père.

« Très bien, dit-elle. Esi et moi irons choisir une fille demain. »

Elles choisirent donc une fille et décidèrent de l'appeler Abronoma, « Petite Colombe ». Elle avait la peau la plus sombre qu'Esi ait jamais vue. Elle gardait les yeux baissés, et bien que son twi soit correct, elle le parlait rarement. Elle ignorait son âge, mais Esi estima qu'elle n'était pas beaucoup plus âgée qu'elle. Au début, Abronoma enchaînait les maladresses. Elle renversait l'huile ; ne balayait pas sous les choses ; ne connaissait pas d'histoires à raconter aux enfants.

« Elle n'est bonne à rien, dit Maame à Grand Homme. Il faut qu'on la ramène. »

Ils étaient tous dehors, se prélassant sous le chaud soleil de midi. Grand Homme inclina la tête en arrière et éclata d'un rire qui retentit comme le tonnerre à la saison des pluies. « La ramener où ? *Odo*, il n'y a qu'une manière de former une esclave. »

Il se tourna vers Esi qui essayait de grimper à un palmier comme les autres enfants, mais ses bras étaient trop courts pour enserrer le tronc. « Esi, va me chercher ma baguette. »

La baguette en question était faite de deux roseaux liés ensemble. Transmise de génération en génération, elle était plus vieille que le grand-père paternel d'Esi. Grand Homme ne s'en était jamais servi pour fouetter Esi, mais elle l'avait vu battre ses fils. Elle entendait encore son sifflement quand elle frappait et rebondissait sur le dos. Esi s'apprêta à lui obéir, mais Maame l'arrêta.

« Non ! » dit-elle.

Grand Homme leva la main sur sa femme, un éclat de fureur passant dans ses yeux comme de la vapeur s'échappant d'une casserole chaude quand on y verse de l'eau froide.

« Non ? »

Maame bégaya.

« Je... je pensais seulement que c'était à moi de le faire. »

Grand Homme baissa la main. Il la fixa pendant quelques instants, et Esi essaya de déchiffrer le regard qu'ils échangeaient.

« Comme tu voudras, dit Grand Homme. Mais demain je l'amènerai ici. Elle portera de l'eau depuis la cour jusqu'à l'arbre là-bas, et si elle renverse la plus petite goutte, alors je m'occuperai d'elle. Tu m'entends ? »

Maame acquiesça et Grand Homme secoua la tête. Il disait toujours à qui voulait l'entendre qu'il avait gâté sa troisième épouse, séduit par sa beauté et attendri par ses yeux pleins de mélancolie.

Maame et Esi regagnèrent leur case où elles trouvèrent Abronoma, recroquevillée sur un lit de bambou, tel un petit oiseau. Maame la réveilla et lui dit de se tenir debout devant elles. Elle prit la baguette que Grand Homme lui avait donnée, une baguette qu'elle n'avait jamais utilisée. Puis elle se tourna vers Esi, les larmes aux yeux.

« S'il te plaît, laisse-nous. »

Esi sortit de la case et entendit pendant quelques minutes le sifflement de la baguette et le son aigu de deux cris distincts.

Le lendemain, Grand Homme invita tous les gens du domaine à voir si Abronoma parviendrait à porter un seau d'eau sur sa tête depuis la cour jusqu'à l'arbre sans en renverser une goutte. Esi et sa famille, ses quatre belles-mères et neuf demi-frères et sœurs, se dispersèrent dans leur vaste cour, attendant que la fille aille chercher de l'eau à la rivière dans un grand seau noir. De là, Grand Homme lui dit de se tenir devant l'assemblée et de s'incliner avant de commencer le trajet jusqu'à l'arbre. Il marcherait à côté d'elle pour s'assurer qu'il n'y aurait pas d'erreur.

Esi vit Petite Colombe trembler au moment de hisser le seau sur sa tête. Maame serra Esi contre elle et sourit à la fille quand elle s'inclina devant elles, mais le regard apeuré que lui renvoya Abronoma fixait le vide. Quand le seau toucha sa tête, la famille commença à ricaner.

« Elle n'y arrivera jamais ! dit Amma, la première femme de Grand Homme.

— Attention, elle va tout renverser et se noyer dedans », dit Kojo, le fils aîné.

Petite Colombe fit un premier pas et Esi poussa le soupir qu'elle avait retenu. Elle-même n'avait jamais été capable de garder une minute une simple planche de bois sur la tête, mais elle avait vu sa mère porter une noix de coco parfaitement ronde sans même la faire vaciller, immobile comme une tête jumelle. « Où as-tu appris à faire ça ? » avait demandé Esi, et Maame avait répondu : « On peut tout apprendre quand il le faut. Tu pourrais apprendre à voler si cela te permettait de vivre un jour de plus. »

Abronoma s'assura sur ses jambes et commença à marcher, les yeux fixés droit devant elle. Grand Homme marchait à côté d'elle, murmurant des insultes à son oreille. Elle atteignit l'arbre à la lisière de la forêt et pivota, rebroussant chemin vers l'assistance qui l'attendait. Lorsqu'elle fut assez proche pour qu'Esi puisse distinguer ses traits à nouveau, des gouttes de sueur coulaient sur les ailes de son nez et ses yeux étaient emplis de larmes. Même le seau sur sa tête semblait pleurer, couvert de condensation. Au moment de le soulever de sa tête, Petite Colombe esquissa un sourire de triomphe. Peut-être y eut-il alors une légère bouffée de vent, ou un insecte attiré par le bain, peut-être la main de la fille glissa-t-elle au dernier moment, mais le seau n'avait pas touché terre que deux gouttes s'en échappèrent.

Esi vit Maame tourner un regard désolé et implorant vers Grand Homme, mais le reste de la famille réclamait déjà la punition.

Kojo entonna un chant :

« La Colombe a perdu. Oh, que faire ? La châtier ou tu perdras aussi. »

Grand Homme s'empara de sa baguette et au chant s'ajouta bientôt l'habituel accompagnement : la percussion de la canne de roseau sur la peau, le sifflement du roseau dans l'air. Cette fois, Abronoma ne pleura pas.

« S'il ne l'avait pas battue, tout le monde aurait dit qu'il était faible », dit Esi.

Après ces événements, Maame avait été inconsolable. Elle disait en pleurant à Esi que Grand Homme n'aurait pas dû battre Petite Colombe pour une erreur aussi minime. Esi léchait un reste de sauce sur ses doigts, ses lèvres teintées d'orange. Sa mère avait emmené Abronoma dans leur case et appliqué un baume sur ses blessures. À présent la fille dormait sur un petit lit.

« Faible, eh ? » dit Maame.

Elle examina sa fille avec un air dur qu'Esi n'avait jamais vu auparavant.

« Oui, murmura Esi.

— Quand je pense qu'il me faut entendre ma propre fille parler ainsi. Tu veux savoir ce qu'est la faiblesse ? C'est de traiter quelqu'un comme s'il t'appartenait. La force est de savoir qu'il n'appartient qu'à lui-même. »

Esi fut vexée. Elle avait seulement dit ce que tout le monde au village aurait dit, et Maame le lui reprochait. Elle eut envie de pleurer, de serrer sa mère dans ses bras, mais Maame sortit de la pièce pour terminer le travail qu'Abronoma ne pourrait pas faire ce soir-là.

Quand elle fut partie, Petite Colombe remua. Esi alla lui chercher de l'eau et l'aida à incliner la tête en arrière pour qu'elle puisse boire. Les plaies de son dos étaient encore à vif, et le baume de Maame sentait la forêt. Esi essuya les coins de la bouche d'Abronoma avec ses doigts, mais la fille la repoussa.

« Laisse-moi, dit-elle.

— Je... je regrette ce qui est arrivé. C'est un homme bon. »

Abronoma cracha sur le sol à ses pieds.

« Ton père est Grand Homme, eh ? »

Esi hocha la tête, fière de son père malgré ce qu'elle l'avait vu faire. La Colombe laissa échapper un rire amer.

« Mon père aussi est Grand Homme, et maintenant vois ce que je suis devenue. Regarde ce qu'était ta mère.

— Qu'est-ce qu'était ma mère ? »

Petite Colombe décocha à Esi un regard narquois.

« Tu ne sais pas ? »

Esi, qui n'avait jamais passé plus d'une heure loin de sa mère, ne pouvait imaginer qu'elle eut le moindre secret. Elle connaissait son odeur, la sensation qu'on éprouvait à son contact. Elle savait combien de couleurs contenait l'iris de ses yeux et connaissait chacune de ses dents mal plantées. Abronoma secoua la tête et continua à ricaner.

« Ta mère était autrefois esclave dans une famille fantie. Elle a été violée par son maître parce que lui aussi était Grand Homme et les grands hommes peuvent faire ce qui leur plaît, sinon ils paraissent *faibles*, eh ? »

Esi détourna les yeux, Abronoma continua dans un murmure.

« Tu n'es pas la première fille de ta mère. Il y en a eu une autre avant toi. Et dans mon village, il y a un dicton sur les sœurs séparées. Elles sont comme une femme et son reflet, condamnées à rester sur les rives opposées de l'étang. »

Esi voulait en savoir plus, mais elle n'eut pas le temps de questionner la Colombe. Maame revenait dans la pièce. Elle vit les deux filles assises côte à côte.

« Esi, viens ici et laisse Abronoma dormir. Demain, tu te lèveras tôt et tu m'aideras à faire le ménage. »

Esi laissa Abronoma se reposer. Elle contempla sa mère. Ses épaules qui semblaient toujours rentrées, ses yeux toujours fuyants. Soudain, elle fut envahie d'une terrible honte. Elle se souvint de la première fois où un ancien avait craché sur les prisonniers sur la place du village. L'homme avait dit :

« Ceux du nord, ils ne sont même pas des hommes. Ils sont de la boue qui demande qu'on lui crache dessus. »

Esi avait cinq ans alors. Elle en avait tiré une leçon, et quand elle était passée la fois suivante devant eux, elle avait timidement rassemblé sa salive pour la cracher sur un petit garçon recroquevillé près de sa mère. L'enfant avait crié, dans un langage qu'Esi ne comprenait pas, et Esi s'en était voulu, non d'avoir craché, mais parce qu'elle savait que sa mère aurait été en colère qu'elle l'ait fait.

À présent, Esi ne pouvait s'empêcher d'imaginer sa propre mère derrière l'affreux métal des cages. Sa propre mère, recroquevillée près d'une sœur qu'elle ne connaîtrait jamais.

Durant les mois qui suivirent, Esi tenta de se lier d'amitié avec Abronoma. Son cœur s'était mis à souffrir pour le petit oiseau qui jouait désormais à la perfection son rôle de servante de la maison. Depuis sa correction, aucune miette ne tombait, aucune goutte d'eau n'était renversée. Le soir, quand Abronoma avait terminé son travail, Esi tentait de lui tirer plus d'informations sur le passé de sa mère.

« Je n'en sais pas plus », disait Abronoma, en s'emparant du faisceau de palmes pour balayer le sol, ou en filtrant de l'huile usagée à travers des feuilles. « Laisse-moi tranquille ! » cria-t-elle une fois, au comble de l'irritation.

Esi s'efforçait malgré tout de faire amende honorable. « Qu'est-ce que je peux faire ? demandait-elle. Qu'est-ce que je peux faire ? »

Après des mois de supplications, Esi finit par obtenir une réponse.

« Donne de mes nouvelles à mon père, dit Abronoma. Dis-lui où je suis. Dis-lui où je suis et il n'y aura plus de goût amer entre nous. »

Ce soir-là, Esi ne put s'endormir. Elle voulait faire la paix avec Abronoma, mais si son père apprenait ce qu'elle lui avait demandé de faire, ce serait la guerre dans la case. Elle imaginait les hurlements de son père contre Maame, lui reprochant d'élever Esi pour en faire une petite femme faible. Sur le sol de sa case, Esi se tourna et se retourna, jusqu'à ce que sa mère lui demande de se calmer.

« Je t'en prie, dit Maame, je suis fatiguée. »

Et derrière ces paupières closes, Esi se représenta sa mère en servante.

Tôt, très tôt le lendemain matin, elle alla trouver le messager qui habitait à l'orée du village. Il écouta ses paroles et celles d'autres villageois avant de s'enfoncer dans la forêt comme chaque semaine. Ces paroles seraient transmises de village en village, de messager à messager. Qui savait si le message d'Esi atteindrait jamais le père d'Abronoma ? Il serait peut-être abandonné ou oublié, modifié ou perdu, mais au moins Esi pourrait dire qu'elle l'avait envoyé.

Quand elle revint, Abronoma était la seule à être réveillée. Esi lui rapporta ce qu'elle venait de faire. La fille applaudit des deux mains puis prit Esi dans ses petits bras, la serrant jusqu'à lui couper le souffle.

« Tout est oublié ? demanda Esi lorsque Abronoma l'eut relâchée.

— Tout est comme il faut », dit Abronoma, et le soulagement envahit tout le corps d'Esi comme un flot de sang.

Elle pressa Abronoma contre elle à son tour, et la sentant se détendre entre ses bras, elle se prit à imaginer que le corps qu'elle serrait ainsi était celui de sa sœur.

Des mois passèrent, et Petite Colombe se montra de plus en plus agitée. Le soir, avant de dormir ; elle faisait les cent pas dans la concession en murmurant tout bas : « Mon père. Mon père va venir. »

Grand Homme entendit ses chuchotements et dit à tout le clan de se méfier d'elle, au cas où elle serait une sorcière. Esi l'observait soigneusement à la recherche de signes, mais elle répétait chaque jour la même chose : « Mon père va venir. Je le sais. Il vient. » Grand Homme promit de lui faire ravaler ces mots si elle continuait. Elle s'arrêta et la famille oublia très vite.

Tout continua comme à l'accoutumée. Le village n'avait jamais été menacé depuis la naissance d'Esi. Tous les combats avaient lieu loin de chez eux. Grand Homme et les autres guerriers s'attaquaient aux villages voisins, pillaient les champs, mettant parfois le feu aux herbes pour que, trois villages plus loin, les habitants voient la fumée et sachent que les guerriers étaient venus. Mais cette fois les choses furent différentes.

Tout commença pendant que la famille dormait. C'était la nuit de Grand Homme dans la case de Maame, et Esi devait dormir sur le sol dans un coin. Quand elle entendit les petits gémissements, les halètements, elle se tourna vers le mur de la case. Une fois, une seule, elle les avait vus étendus là, l'obscurité faisant écran à sa curiosité. Son père se mouvait au-dessus du corps de sa mère, d'abord doucement, puis avec plus d'insistance. Elle ne voyait pas grand-chose, c'étaient les sons qui l'avaient intéressée. Les sons émis par ses parents, qui traçaient une ligne étroite entre le plaisir et la douleur. Esi voulait à la fois savoir et ne pas savoir. Elle n'avait plus jamais regardé.

Cette nuit-là, quand tout le monde dans la case se fut endormi, l'appel jaillit. Tous au village savaient depuis l'enfance ce que signifiaient ces cris : deux longues plaintes signifiaient que l'ennemi était encore à des miles ; trois cris brefs signifiaient qu'il était à leur porte. En entendant les trois, Grand Homme sauta du lit et saisit la machette qu'il gardait sous le lit de chacune de ses épouses.

« Prends Esi et va dans la forêt ! » hurla-t-il à Maame avant de s'élancer hors de la case, prenant à peine le temps de se vêtir.

Esi fit ce que son père lui avait enseigné, elle prit le petit couteau avec lequel sa mère coupait le plantain et le cacha dans le tissu de sa jupe. Maame était assise sur le rebord du lit.

« Viens ! » dit Esi, mais sa mère ne bougea pas. Esi se précipita vers elle et la secoua, mais elle resta immobile.

« Je ne peux pas recommencer.

— Recommencer quoi ? » demanda Esi, mais elle écoutait à peine.

Une décharge d'adrénaline parcourait tout son corps, si violemment que ses mains étaient prises de tremblements. Est-ce que c'était à cause du message qu'elle avait envoyé ?

« Je ne peux pas recommencer, murmurait sa mère. Pas la forêt. Pas le feu. »

Elle se balançait d'avant en arrière et tenait dans ses mains le pli de son ventre comme si c'était un enfant.

Abronoma arriva du quartier des esclaves ; son rire retentit dans la case.

« Mon père est ici ! cria-elle en dansant. Je t'avais dit qu'il viendrait me chercher, et il est venu ! »

Elle se sauva à toutes jambes et Esi ne sut pas ce qu'elle allait devenir. Dehors, les gens criaient et couraient. Les enfants pleuraient.

Maame saisit la main d'Esi et y glissa quelque chose. C'était une pierre noire, irisée d'or. Lisse, comme si elle avait été soigneusement polie pendant des années.

« Je l'ai gardée pour toi, dit Maame. Je voulais te la donner le jour de ton mariage. J'ai… j'en ai laissé une pareille pour ta sœur. Je l'ai laissée à Baaba après avoir mis le feu.

— Ma sœur ? » demanda Esi. Ce qu'avait dit Abronoma était donc vrai.

Maame marmonnait des paroles qui n'avaient aucun sens, des paroles qu'elle n'avait jamais prononcées auparavant. Sœur, Baaba, feu. Sœur, Baaba, feu. Esi aurait voulu poser d'autres questions, mais le vacarme au-dehors augmentait, et le regard de sa mère devenait vague, comme déserté.

Esi scruta son visage et eut l'impression de la voir pour la première fois. Maame était une femme incomplète. Des pans entiers de son esprit l'avaient quittée, et quel que soit son amour pour Esi, et

76

l'amour que lui rendait Esi, elles savaient toutes deux en ce moment précis que cet amour ne rendrait pas à Maame ce qu'elle avait perdu. Et Esi comprit aussi que sa mère préférerait mourir plutôt que s'enfuir une fois encore dans la forêt, mourir avant d'être capturée, mourir même si cela signifiait qu'en mourant elle léguerait à Esi un indicible sentiment de perte, qu'Esi apprendrait ce qu'était l'incomplétude.

« Pars, toi ! dit Maame à Esi qui s'agrippait à ses bras, essayait de faire bouger ses jambes. Pars ! »

Esi s'immobilisa et enfouit la pierre noire sous son vêtement. Elle embrassa sa mère, prit le couteau, le mit dans la main de sa mère et courut.

Elle atteignit rapidement la forêt et trouva un palmier à la taille de ses bras. Elle s'était entraînée, sans savoir dans quel but. Elle entoura le tronc de ses bras, l'enserra tout entier, utilisant ses jambes pour grimper, grimper aussi haut qu'elle le pouvait. La lune était pleine, aussi énorme que le roc de terreur qui lui serrait le ventre.

Le temps passa, passa. Esi avait l'impression que ses bras encerclaient du feu plutôt qu'un arbre, tant ils la brûlaient. Les ombres noires des feuilles sur le sol avaient pris un air menaçant. Bientôt retentirent tout autour d'elle les cris de fugitifs qui tombaient des arbres comme des fruits gaulés, puis un guerrier apparut au pied du sien. Son langage lui était étranger, mais elle en comprit assez pour savoir ce qui allait suivre. Il lui lança une pierre, puis une autre, puis une autre. La quatrième la frappa au côté, mais elle tint bon. La cinquième atteignit la jointure de ses doigts croisés ; ses bras lâchèrent, et elle tomba à terre.

Elle était attachée aux autres ; combien ? elle ne savait pas. Elle ne voyait personne de sa concession. Ni ses belles-mères ni ses demi-frères et sœurs. Ni sa mère. La corde qui enserrait ses poignets maintenait ses paumes jointes en un geste de supplication. Esi étudia les lignes de ses paumes. Elles ne menaient nulle part. Elle ne s'était jamais sentie aussi désespérée.

Tout le monde marchait. Esi avait déjà parcouru beaucoup de kilomètres avec son père et elle pensa pouvoir y arriver. En réalité, les premiers jours ne furent pas si pénibles, mais le dixième, les ampoules de ses pieds s'ouvrirent et se mirent à saigner, teintant de rouge les feuilles qu'elle foulait. Devant elle, les feuilles ensanglantées laissées par les autres. Ils étaient si nombreux à pleurer qu'il était difficile d'entendre les paroles des guerriers, mais elle ne les aurait pas comprises de toute façon. Quand elle le pouvait, elle vérifiait que la pierre que lui avait donnée sa mère était bien en sécurité dans sa jupe. Elle ignorait combien de temps ils seraient autorisés à porter leurs vêtements. Les feuilles sur le sol de la forêt étaient tellement humides de sang, de sueur et de rosée qu'un enfant devant Esi glissa. Un des guerriers le rattrapa, l'aida à se relever, et le petit garçon le remercia.

« Pourquoi le remercier ? Ils vont tous nous manger », dit la femme qui marchait derrière Esi.

Esi l'entendit à peine à travers le brouillard des larmes et le bourdonnement des insectes tout autour.

« Qui va nous manger ? demanda-t-elle.

— Les hommes blancs. C'est ce que dit ma sœur. Elle dit que les hommes blancs nous achètent pour nous faire cuire comme des chèvres dans la soupe.

— Non ! » s'écria Esi, et un des guerriers se rua vers elle et lui enfonça un bâton dans les côtes.

Une fois qu'il fut parti, la laissant le flanc douloureux, Esi se souvint des chèvres qui se promenaient librement dans les alentours de son village. Puis elle s'imagina en train d'en capturer une – la manière dont elle lui entravait les pattes et la couchait sur le côté. Dont elle lui tranchait la gorge. Était-ce ainsi que les hommes blancs allaient la tuer ? Elle frissonna.

« Comment tu t'appelles ? demanda Esi.

— On m'appelle Tansi.

— Et moi Esi. »

C'est ainsi qu'elles devinrent amies. Elles marchèrent toute la journée. Les plaies des pieds d'Esi n'avaient pas le temps de cicatriser qu'elles se rouvraient. De temps à autres, les guerriers les attachaient à des arbres de la forêt et allaient inspecter les villages alentour. Parfois, ils capturaient d'autres prisonniers qui s'ajoutaient au reste de leur troupe. La corde qui enserrait les poignets d'Esi avait commencé à la brûler. Une brûlure étrange, différente de tout ce qu'elle avait connu auparavant, comme un feu glacé, l'entaille d'un vent salé.

Bientôt l'odeur de ce vent lui parvint aux narines, et elle comprit d'après les récits qu'elle avait entendus qu'ils approchaient du pays fanti.

Les guerriers leur fouettèrent les jambes avec leurs bâtons, les pressant d'accélérer le pas. Pendant presque la moitié de la semaine, ils marchèrent nuit et jour. Ceux qui n'arrivaient pas à suivre étaient rossés, jusqu'à ce que soudain, comme par magie, ils retrouvent des forces.

Enfin, alors qu'Esi sentait peu à peu ses jambes se dérober, ils atteignirent la lisière d'un village fanti. On les entassa dans une cave sombre et humide, et Esi eut le temps de dénombrer leur groupe. Trente-cinq. Trente-cinq hommes et femmes attachés par une corde.

Ils eurent le temps de dormir, et quand ils se réveillèrent on leur apporta de la nourriture. Une sorte de porridge qu'Esi n'avait jamais mangé auparavant. Le goût lui déplut, mais elle eut le sentiment qu'ils n'auraient rien d'autre pendant longtemps.

Peu après, des hommes entrèrent dans la pièce. Certains étaient les guerriers qu'Esi avait déjà vus, les autres étaient nouveaux.

« Voilà donc les esclaves que vous nous avez amenés ? » dit un des hommes en fanti.

Esi n'avait pas entendu quelqu'un parler ce dialecte depuis longtemps, mais elle comprenait sans mal ce qu'il disait.

« Laissez-nous partir ! » commencèrent à crier les prisonniers enchaînés à côté d'Esi, maintenant qu'ils avaient quelqu'un à qui s'adresser.

Fantis et Ashantis, des Akans comme eux. Deux peuples, deux branches provenant du même arbre.

« Laissez-nous partir ! » crièrent-ils jusqu'à ce que leur voix s'enroue.

Seul le silence leur répondit.

« Chef Abeeku, dit un autre, on ne devrait pas faire ça. Nos alliés ashantis vont être furieux s'ils savent que nous avons travaillé avec leurs ennemis. »

Le chef leva les mains en l'air.

« Aujourd'hui leurs ennemis paient davantage, Fiifi, dit-il. Demain si nos alliés paient plus, nous travaillerons avec eux aussi. C'est ainsi qu'on construit un village. Tu comprends ? »

Esi observa le dénommé Fiifi. Il était jeune pour un guerrier, mais elle devinait déjà qu'il serait un Grand Homme lui aussi. Il secoua la tête, sans dire un mot de plus. Il sortit de la cave et revint accompagné de plusieurs hommes.

C'étaient des hommes blancs, les premiers qu'Esi ait jamais vus. La couleur de leur peau ne lui rappelait rien, ni celle des arbres ni celle de la boue ou encore de l'argile.

« Ces gens ne viennent pas de la nature, dit-elle.

— Je te l'ai dit, ils viennent nous manger », répliqua Tansi.

Les hommes blancs s'approchèrent.

« Debout ! » cria le chef, et ils se levèrent tous.

Le chef se tourna vers un des hommes blancs.

« Regardez, gouverneur James », dit-il dans un fanti rapide, si rapide qu'Esi le comprit à peine et se demanda comment l'homme blanc y parvenait.

« Les Ashantis sont très forts. Vous pouvez vérifier par vous-même. »

Les hommes se mirent à déshabiller ceux qui portaient encore leurs vêtements, et les inspectèrent. Dans quel but ? Esi l'ignorait. Elle se souvint de sa pierre cachée, et quand celui qui s'appelait Fiifi tendit la main pour défaire le nœud qui maintenait le haut de son habit, elle lui jeta un long jet de salive au visage.

Il ne pleura pas comme le petit captif sur lequel elle avait craché sur la place de son village. Il ne se plaignit pas, ne recula pas, ne chercha aucun réconfort. Il s'essuya seulement le visage, sans la quitter des yeux.

Le chef vint se poster près de lui.

« Qu'est-ce que tu comptes faire maintenant, Fiifi ? Laisser cela impuni ? »

Il parlait à voix basse, et seuls Esi et Fiifi pouvaient l'entendre.

Puis, le bruit de la claque. Si fort, qu'il fallut un moment à Esi pour savoir si la douleur qu'elle ressentait venait de l'extérieur ou de l'intérieur de son oreille. Elle se recroquevilla et tomba sur le sol, se couvrant le visage, en larmes. Le coup avait fait sauter la pierre hors de son pagne et elle l'aperçut par terre. Ses pleurs redoublèrent ; elle cherchait à les distraire. Puis elle posa la tête sur la pierre noire et lisse. Sa fraîcheur l'apaisa. Et quand les hommes eurent enfin tourné le dos et quitté la pièce, la laissant sur place, oubliant pour un moment de la déshabiller, Esi prit la pierre qu'elle dissimulait contre sa joue et l'avala.

À présent, les immondices sur le sol montaient à la hauteur des chevilles d'Esi. Il n'y avait jamais eu autant de femmes dans le cachot. Elle avait du mal à respirer, elle remua les épaules en ondulant pour se faire un peu de place. La femme à côté d'elle n'avait pas cessé de se vider depuis la dernière fois où les soldats étaient venus les nourrir. Esi se rappela le premier jour dans le cachot, quand la même chose lui était arrivée. Ce jour-là, elle avait trouvé la pierre que sa mère lui avait donnée dans une rivière d'excréments. Elle l'avait enterrée, marquant l'endroit sur le mur pour pouvoir s'en souvenir le moment venu.

« Chut, chut, chut, murmura-t-elle. Chut, chut, chut. »

Elle avait appris à ne plus dire que tout allait s'arranger.

Peu après, la porte du cachot s'ouvrit et un rai de lumière apparut. Deux soldats entrèrent. Ils ne semblaient pas dans leur état normal. Leurs mouvements étaient désordonnés, incohérents. Elle avait déjà vu des hommes qui s'étaient enivrés avec du vin de palme, leurs visages rougis, leurs gestes confus, et la manière dont leurs mains bougeaient en tous sens comme si elles voulaient saisir l'air.

Les soldats regardèrent autour d'eux et les femmes se mirent à chuchoter. L'un des hommes saisit l'une d'elles à l'extrémité de la pièce et la plaqua contre le mur. Ses mains lui prirent les seins puis descendirent le long de son corps, plus bas, encore plus bas, jusqu'à ce que le gémissement qu'elle laissait échapper se transforme en cri.

La masse des femmes se mit à siffler. Le sifflement disait : « Tais-toi, idiote, ou ils vont toutes nous battre ! » C'était un son aigu, sonore, le cri collectif de cent cinquante femmes pleines de colère et de peur. Le soldat qui avait encore ses mains sur la femme se mit à transpirer. Il hurla à son tour pour les faire taire.

Les voix se réduisirent à un grondement sourd, mais ne se turent pas. Une vibration si basse qu'Esi eut l'impression qu'elle sortait de son propre ventre.

« Que font-ils ! sifflèrent-elles. Que font-ils ! » De plus en plus fort, et les hommes se mirent à leur crier après à leur tour.

L'autre soldat parcourait la salle, examinant soigneusement chaque femme. Quand il arriva devant Esi, il sourit, et pendant une brève seconde elle prit cette expression pour un signe de gentillesse, car il y avait longtemps qu'elle n'avait pas vu quelqu'un sourire.

Il dit quelque chose, puis la prit par le bras.

Elle tenta de se débattre, mais les privations et les blessures laissées par les coups l'avaient trop affaiblie pour qu'elle puisse même rassembler sa salive et lui cracher dessus. Il se moqua de ses efforts et l'entraîna dehors en la tirant par le coude. En débouchant dans la lumière, Esi regarda la scène qui se déroulait derrière elle. Toutes ces femmes qui sifflaient et criaient.

Il l'emmena dans ses quartiers au-dessus de l'endroit où les esclaves étaient enfermés. Esi était si peu habituée à la lumière qu'elle était éblouie, incapable de voir où il la conduisait. Quand ils arrivèrent à son logement, il lui désigna un verre d'eau, mais Esi ne bougea pas.

Il montra le fouet posé sur son bureau. Elle hocha la tête, prit une gorgée d'eau, et la sentit couler de ses lèvres engourdies.

Il la poussa sur une bâche pliée, lui écarta les jambes et la pénétra. Elle hurla, mais il posa sa main sur ses lèvres, lui mit les doigts dans la bouche. Les mordre eut visiblement pour seul effet de lui faire plaisir, si bien qu'elle s'arrêta. Elle ferma les yeux, se forçant à écouter au lieu de voir, se figurant qu'elle était toujours la petite fille dans la case de sa mère. Celle qui, le soir où son père était venu, avait feint de fixer le mur pour ménager leur intimité, s'était tenue à l'écart, cherchant à comprendre ce qui empêchait le plaisir de se transformer en souffrance.

Quand il eut fini, il parut horrifié, dégoûté d'elle. Comme si c'était à lui qu'on avait pris quelque chose. Comme si c'était lui qui avait été violenté. Esi comprit soudain que le soldat avait fait quelque chose que même les autres soldats trouveraient répréhensible. Le corps d'Esi était devenu une honte pour lui.

À la nuit tombée, quand la lumière s'estompa, cédant la place à l'obscurité qu'Esi avait si bien appris à connaître, il la fit sortir subrepticement de ses quartiers. Elle ne pleurait plus, mais il continuait à la faire taire. Sans un regard, il la força à descendre plus bas, encore plus bas, jusqu'au cachot.

Les jours passèrent. Le cycle se répéta. Un jour avec de la nourriture, un jour sans. Esi revivait les moments passés à la lumière. Elle n'avait pas cessé de saigner depuis le viol. Un mince filet de sang coulait le long de sa jambe, sans qu'elle s'y intéresse. Elle n'avait plus envie de parler à Tansi. Elle n'avait plus envie d'écouter des histoires.

Elle s'était trompée quand elle avait observé ses parents cette nuit où ils s'affairaient ensemble dans la case de sa mère. Il n'y avait pas de plaisir.

La porte du cachot s'ouvrit. Deux soldats entrèrent, et Esi en reconnut un qu'elle avait vu dans le cachot au pays fanti. Il était grand et ses cheveux avaient la couleur de l'écorce des arbres après la pluie, mais ils commençaient à devenir gris. Il avait une quantité de boutons dorés au milieu de sa redingote et sur les pattes de ses épaules. Elle réfléchit, cherchant à écarter les toiles d'araignée qui s'étaient formées dans son cerveau, et à se souvenir du nom que le chef avait donné à cet homme.

Gouverneur James. Il traversa la pièce, ses bottes écrasant des mains, des cuisses, des cheveux, se pinçant le nez avec ses doigts. Un soldat suivait le plus jeune. Le grand homme blanc désigna vingt femmes, puis Esi.

Le soldat cria quelque chose, mais elles ne comprirent pas. Il les saisit par les poignets, les tira de dessus ou de dessous les corps des autres femmes pour les obliger à se mettre debout. Il les aligna, et le gouverneur les examina. Il passa la main sur leurs seins et entre leurs jambes. La première fille qu'il inspecta se mit à crier, et il la gifla et la fit retomber à terre.

Le gouverneur James arriva devant Esi. Il la regarda avec attention, puis cligna des yeux et secoua la tête. Il l'observa encore une fois et la palpa comme il l'avait fait avec les autres. De son entrejambe, les doigts du gouverneur ressortirent rougis.

Il lui lança un regard de pitié, comme s'il comprenait, mais Esi se demanda s'il en était capable. Il fit un geste, et sans qu'elle s'y attende, l'autre soldat les fit sortir du cachot.

« Non, ma pierre ! » hurla-t-elle se souvenant de la pierre noire et dorée que sa mère lui avait donnée.

Elle se jeta par terre et se mit à creuser, creuser, creuser, mais le soldat la souleva du sol, et à la place de la boue et de la saleté elle ne sentit plus dans ses mains fébriles que de l'air, encore plus d'air.

Ils les firent sortir dans la lumière. L'odeur de l'océan frappa les narines d'Esi. Le goût du sel s'accrocha à sa gorge. Les soldats les firent descendre jusqu'à une porte ouverte qui donnait sur du sable et de l'eau, et elles marchèrent dans leur direction.

Avant qu'Esi ne parte, l'homme qui s'appelait « Gouverneur » lui sourit. C'était un sourire bon, plein de compassion, sincère. Mais pendant le reste de sa vie, dès qu'elle verrait un sourire sur un visage blanc, Esi se rappellerait celui du soldat avant qu'il ne l'emmène dans ses quartiers, et elle se souviendrait que lorsque les hommes blancs souriaient, cela signifiait seulement que d'autres malheurs étaient à venir.

Quey

Quey avait reçu un message de son vieil ami Cudjo et ne savait quoi lui répondre. Cette nuit-là, il prétendit que la chaleur l'empêchait de dormir. Un mensonge facile car il était en sueur, mais de toute manière, quand ne transpirait-il pas ? Il faisait si chaud et l'humidité était telle dans le bush qu'il avait l'impression de rôtir lentement pour le dîner. Le fort lui manquait, tout comme la brise de mer qui provenait de la plage. Ici, dans le village de sa mère, Effia, la sueur s'accumulait dans ses oreilles, dans son nombril. Sa peau le démangeait, et il imaginait que des moustiques grimpaient le long de ses jambes depuis ses pieds jusqu'à son ventre, pour s'abreuver dans le point d'eau de son nombril. Les moustiques buvaient-ils de la sueur, ou seulement du sang ?

Le sang. Il imaginait les prisonniers amenés dans les cachots par dizaines ou vingtaines, pieds et mains liés, en sang. Il n'était pas fait pour ça. Il était censé avoir une vie plus facile, loin de l'organisation de l'esclavage. Il avait grandi parmi les Blancs à Cape Coast, avait été éduqué en Angleterre. Il aurait dû se trouver encore dans son bureau au fort, employé aux écritures, avec le grade d'officier subalterne que son père, James Collins, lui avait obtenu avant son décès, à aligner des chiffres en faisant comme s'ils ne représentaient pas des êtres humains achetés et vendus. Mais le nouveau gouverneur l'avait convoqué et envoyé ici, dans le bush.

« Comme tu le sais à présent, Quey, nous avons entretenu une longue relation commerciale avec Abeeku Badu et les Nègres de son village, mais nous avons appris récemment qu'il s'était mis à commercer avec des compagnies indépendantes. Nous aimerions installer un avant-poste au village qui servirait de résidence à quelques-uns de nos employés, afin, disons, de rappeler discrètement à nos amis qu'ils ont certaines obligations envers notre compagnie. Tu as été spécialement choisi pour cette tâche et, étant donné le passé de tes parents dans le village et ta parfaite connaissance de la langue et des coutumes locales, nous avons pensé que tu serais un atout important pour nous sur place. »

Quey avait hoché la tête et accepté la proposition, car que pouvait-il faire d'autre ? Mais il protesta en son for intérieur. Sa connaissance des coutumes locales ? Les liens passés de ses parents avec le village ? Quey n'était pas encore dans l'utérus de sa mère la dernière fois où elle y avait séjourné, tant elle craignait Baaba. C'était en 1779, voilà presque vingt ans. Baaba était morte depuis et, pourtant, ils n'étaient pas revenus. Quey pensait que son nouveau poste était une sorte de punition, mais n'avait-il pas été suffisamment puni ?

Le soleil se leva enfin, et Quey rendit visite à son oncle Fiifi. La première fois qu'il l'avait rencontré, à peine un mois auparavant, Quey avait eu du mal à croire qu'il existait un lien de parenté entre lui et un homme comme Fiifi. Effia avait été appelée la Beauté durant toute sa vie, et Quey était habitué à la beauté. Fiifi pour sa part semblait robuste, un corps fait d'un élégant assemblage de muscles. Quey ressemblait à son père, grand et maigre, mais pas particulièrement costaud. James était puissant, mais il tenait sa force de ses ascendants, les Collins de Liverpool, qui avaient fait fortune dans la construction de bateaux négriers. Le pouvoir de sa mère venait de sa beauté, mais la vigueur de Fiifi venait de son corps, du fait qu'il semblait capable d'affronter qui il voulait. Quey n'avait connu qu'une personne comme lui.

« Ah, mon fils ! Tu es le bienvenu ici, dit Fiifi en voyant Quey s'approcher. Assieds-toi. Mange. »

Il appela la servante de la maison qui vint avec deux bols. Elle allait en poser un devant Fiifi, mais il l'arrêta.

« Tu dois servir mon fils en premier.

— Pardonne-moi », murmura-t-elle en posant le bol devant Quey.

Quey la remercia et regarda le porridge.

« Mon oncle, je suis ici depuis déjà un mois et cependant tu n'as pas discuté de nos accords commerciaux. La compagnie a l'argent nécessaire pour acheter davantage. Beaucoup plus. Mais vous ne nous avez pas laissé faire. Il faut que vous cessiez de commercer avec d'autres compagnies. »

Quey avait tenu ce discours ou un autre semblable bien des fois auparavant, mais son oncle Fiifi l'avait toujours ignoré. Le soir de son arrivée, Quey avait voulu parler sans attendre à Badu. Il pensait que plus tôt il obtiendrait l'aval du chef, plus tôt il pourrait repartir. Ce soir-là, Badu avait invité tous les hommes à venir boire chez lui. Il leur avait servi assez de vin et d'akpeteshie pour qu'ils s'y noient. Timothy Hightower, un officier qui désirait impressionner le chef, avait bu la moitié d'un baril de la boisson locale avant de perdre conscience sous un palmier, tremblant, vomissant, clamant qu'il voyait des esprits. Bientôt, le reste des hommes jonchaient la forêt devant la cour de Badu, malades, inconscients ou cherchant une femme du village avec laquelle coucher. Quey avait attendu l'occasion de parler à Badu en sirotant tranquillement son alcool.

Il n'avait bu que deux gobelets quand Fiifi s'approcha.

« Fais attention, Quey, dit-il en désignant le spectacle des hommes devant eux. Des hommes plus forts qu'eux se sont écroulés pour avoir trop bu. »

Quey regarda le gobelet que Fiifi tenait à la main, et haussa les sourcils.

« De l'eau, dit Fiifi. L'un de nous doit être prêt à tout. »

Il montra Badu, qui s'était endormi sur son trône d'or, le menton reposant sur la chair rebondie de sa bedaine.

Quey rit, et Fiifi esquissa un sourire, le premier qu'il lui adressait depuis leur rencontre.

Quey ne parla pas à Badu ce soir-là, mais les semaines passant, il apprit que ce n'était pas Badu qu'il devait amadouer. Abeeku Badu était l'homme de paille, l'Omanhin qui recevait les cadeaux des leaders politiques de Londres ou de Hollande pour le rôle qu'il jouait dans leur commerce, mais c'était Fiifi qui détenait l'autorité. Quand il secouait la tête, le village entier s'arrêtait.

À présent, Fiifi restait silencieux comme chaque fois que Quey abordait le sujet du commerce avec les Anglais. Il fixait la forêt devant eux, et Quey suivait son regard. Dans les arbres, deux oiseaux aux couleurs éclatantes chantaient à tue-tête, un chant discordant.

« Oncle, l'accord qu'avait conclu Badu avec mon père…

— Tu entends ? » demanda Fiifi, montrant les oiseaux.

Déçu, Quey hocha la tête.

« Quand l'un des deux oiseaux s'arrête, l'autre recommence. Et chaque fois leur chant devient plus fort, plus perçant. Tu sais pourquoi ?

— Oncle, le commerce est la seule raison de notre présence ici. Si tu veux que les Anglais quittent le village, tu dois…

— Ce que tu ne peux pas entendre, Quey, c'est le troisième oiseau, la femelle. Elle reste silencieuse, écoute les mâles qui chantent plus fort, encore et toujours. Quand ils ont chanté à en perdre la voix, alors, et alors seulement, elle prend la parole. Alors, et alors seulement, elle choisit celui dont elle a préféré le chant. Pour le moment elle attend, les laisse se disputer : qui sera le meilleur partenaire, qui lui donnera la meilleure semence, qui se battra pour elle dans les moments difficiles.

« Quey, ce village mène ses affaires comme cet oiseau femelle. Vous voulez payer plus pour les esclaves, payez plus, mais sachez que les Hollandais paieront plus également, et aussi les Portugais, et même les pirates. Et pendant que vous tous proclamez que vous êtes meilleurs que les autres, je reste tranquillement dans ma concession, à manger mon *fufu* et à attendre que le prix atteigne le niveau que j'estime juste. Maintenant, ne parlons plus affaires. »

Quey soupira. Il resterait donc ici à jamais. Les oiseaux s'étaient tus. Peut-être devinaient-ils son exaspération. Il admira leurs ailes bleu, orange et jaune, leurs becs recourbés.

« Il n'y avait pas d'oiseaux semblables à Londres, dit Quey doucement. Il n'y avait pas de couleurs. Le ciel, les maisons, même les gens paraissaient gris. »

Fiifi secoua la tête.

« Je me demande pourquoi Effia a laissé James t'envoyer dans ce pays absurde. »

Quey hocha la tête d'un air absent et revint à son porridge.

Quey avait été un enfant solitaire. À sa naissance, son père avait fait construire une case près du fort afin de pouvoir y vivre plus confortablement avec Effia et Quey. À cette époque le commerce était prospère.

Quey n'avait jamais vu les cachots, il avait seulement une très vague idée de ce qui se passait aux niveaux inférieurs du fort, mais il savait que les affaires marchaient bien parce qu'il voyait rarement son père.

Chaque jour lui appartenait, à lui et à Effia. Elle était la mère la plus patiente de tout Cape Coast, de toute la Côte-de-l'Or. Elle parlait doucement mais avec assurance. Elle ne le frappait jamais, même quand les autres mères se moquaient d'elle, disaient qu'elle allait le gâter et qu'il n'apprendrait jamais rien.

« Apprendre quoi ? répondait Effia. Est-ce que Baaba m'a appris quelque chose ? »

Cependant, Quey avait appris. Il s'asseyait sur les genoux d'Effia et elle lui apprenait à parler, répétant un mot en fanti puis en anglais jusqu'à ce qu'il soit capable de comprendre dans une langue et de répondre dans l'autre. Elle-même n'avait su lire et écrire qu'après la naissance de Quey, cependant elle l'avait éduqué avec persévérance, tenant son petit poing potelé dans le sien tandis qu'ils traçaient ensemble une ligne après l'autre.

« Comme tu es intelligent ! » s'était-elle exclamée le jour où il avait su écrire son nom sans son aide.

En 1784, à son cinquième anniversaire, Effia lui avait parlé de son enfance dans le village de Badu. Il avait appris tous les noms – Cobbe, Baaba, Fiifi. Il avait appris qu'il existait une autre mère dont on ne connaîtrait jamais le nom, que la pierre noire brillante qu'Effia portait toujours autour du cou avait appartenu à cette femme, sa vraie grand-mère. Le visage d'Effia s'assombrissait quand elle lui racontait cette histoire, mais Quey lui avait caressé la main et l'orage était passé.

« Tu es mon enfant à moi, disait-elle. À moi seule. »

Et elle était à lui. Il s'en contentait quand il était petit, mais en grandissant il s'était mis à regretter que sa famille soit si réduite, contrairement aux autres familles de la Côte-de-l'Or, ou les frères et sœurs s'ajoutaient à d'autres frères et sœurs dans le flot continu de mariages que chaque homme important consommait. Il aurait voulu connaître les autres enfants de son père, ces Collins blancs qui vivaient en Europe, mais il savait qu'il ne le pourrait jamais. Quey n'avait que lui-même, ses livres, la plage, le fort, sa mère.

« Je m'inquiète qu'il n'ait pas d'amis, avait dit un jour Effia à James. Il ne joue pas avec les autres. »

Quey revenait d'un après-midi à faire des châteaux de sable en forme de fort quand il avait entendu sa mère mentionner son nom. Il était resté à la porte à écouter.

« Et qu'y pouvons-nous ? Tu l'as trop dorloté, Effia. Il faut qu'il apprenne à faire certaines choses tout seul.

— Il devrait jouer avec des enfants fantis, des enfants du village, sortir d'ici de temps en temps. Tu ne connais donc personne ? »

« Je suis rentré ! » avait annoncé Quey peut-être un peu trop bruyamment, ne voulant pas entendre ce que son père allait répondre.

À la fin de la journée, il avait tout oublié, mais des semaines plus tard, quand Cudjo Sackee était venu au fort avec son père, Quey s'était souvenu de la conversation de ses parents.

Le père de Cudjo était le chef d'un important village fanti. Il était le principal concurrent d'Abeeku Badu, et il venait d'entamer une discussion avec James Collins en vue de développer les échanges quand le gouverneur lui avait demandé s'il pourrait emmener son fils aîné à leurs réunions.

« Quey, voici Cudjo, avait dit James, poussant légèrement Quey vers le garçon. Allez jouer tous les deux pendant que nous discutons. »

Les deux garçons avaient regardé leurs pères se retirer dans une autre partie du fort. Une fois hors de leur vue, Cudjo avait dévisagé Quey avec curiosité.

« Tu es blanc ? » avait-il demandé en lui touchant les cheveux.

Quey avait eu un mouvement de recul à son contact, bien que d'autres garçons aient fait le même geste, lui aient posé la même question.

« Je ne suis pas blanc, avait-il dit à voix basse.

— Quoi ? Parle plus fort ! » avait dit Cudjo, et Quey avait répété, en criant presque.

Plus loin, les pères des garçons s'étaient retournés intrigués par l'éclat de voix.

« Pas si fort, Quey », avait dit James.

Quey avait senti le rouge monter à ses joues, mais Cudjo s'était borné à l'observer, visiblement amusé.

« D'accord tu n'es pas blanc. Qu'est-ce que tu es ?

— Je suis comme toi. »

Cudjo avait tendu la main et demandé à Quey de tendre la sienne, de mettre son bras contre son bras, peau contre peau.

« Pas comme moi », avait-il dit.

Quey avait eu envie de pleurer mais s'était senti honteux. Il savait qu'il était un des enfants mulâtres du fort, et comme les autres enfants mulâtres il ne pouvait pas revendiquer pleinement la moitié de lui-même, ni la blancheur de son père ni la couleur de sa mère. Ni l'Angleterre ni la Côte-de-l'Or.

Cudjo avait sans doute remarqué les larmes prêtes à jaillir de ses yeux. Il l'avait pris par la main.

« Viens. Mon père dit qu'il y a de gros canons ici. Montre-moi où ils sont. »

Mais c'est lui qui avait pris les devants, courant jusqu'à ce que tous deux aient dépassé leurs pères, courant vers les canons.

C'est ainsi que Cudjo et Quey devinrent amis. Deux jours après leur rencontre, Quey avait reçu un message de Cudjo lui demandant s'il aimerait visiter son village.

« Je peux y aller ? » demanda Quey à sa mère, mais Effia le poussait déjà sur le seuil de la porte, ravie à l'idée qu'il ait un ami.

Le village de Cudjo fut le premier où Quey séjourna quelque temps, et il s'étonna de voir à quel point il était différent du fort et de Cape Coast. Il n'y avait pas un seul Blanc, aucun soldat pour dire ce qu'on pouvait faire ou pas. Bien que les enfants soient habitués au fouet, ils étaient toujours batailleurs, bruyants et libres. Cudjo, qui avait onze ans comme Quey, était l'aîné de dix enfants, et il commandait à ses frères et sœurs comme s'ils étaient sa petite armée.

« Va chercher quelque chose à manger pour mon ami ! » ordonna-t-il à sa plus jeune sœur quand il vit Quey arriver.

Elle était encore toute petite, n'ôtait jamais son pouce de sa bouche, mais elle obéissait toujours à Cudjo, dès qu'il demandait quelque chose.

« Hé, Quey, regarde ce que j'ai trouvé », dit Cudjo, ouvrant la main sans attendre que ce dernier s'approche.

Il tenait deux petits escargots au creux de sa paume, leur corps minuscules et visqueux se tortillant dans sa main.

« Celui-là est à toi, et celui-ci est à moi, dit-il, en les désignant. On va leur faire faire la course ! »

Cudjo referma sa main et partit comme une flèche. Il était rapide, et Quey eut du mal à le suivre. Quand ils atteignirent une clairière dans la forêt, Cudjo se mit à plat ventre et fit signe à Quey de l'imiter.

Il lui donna son escargot, traça une ligne sur le sol pour marquer le départ. Les deux garçons posèrent leurs escargots derrière la ligne, puis les lâchèrent.

Au début, aucun ne bougea.

« Ils sont idiots ou quoi ? demanda Cudjo, poussant son escargot du bout du doigt. Vous êtes libres, crétins d'escargots, allez, allez !

— Ils sont peut-être seulement choqués », dit Quey, et Cudjo le dévisagea comme si c'était lui qui était stupide.

Mais soudain, l'escargot de Quey décida de franchir la ligne, suivi quelques secondes plus tard par celui de Cudjo. Il ne se déplaçait pas à l'allure habituelle des escargots, lentement et délibérément.

Il semblait avoir compris qu'il faisait une course, compris qu'il était libre. En peu de temps, les deux garçons le perdirent de vue, alors que l'escargot de Cudjo avançait tranquillement, tournant parfois en cercle sur son parcours.

Quey se sentit soudain nerveux. Cudjo serait peut-être vexé d'avoir perdu et lui dirait de quitter le village et de ne jamais revenir. Il venait à peine de faire sa connaissance, mais il savait déjà qu'il ne voulait pas le perdre. Il fit donc la seule chose qui lui vint à l'esprit. Il tendit la main, un geste que faisait souvent son père après la conclusion d'une affaire et, à sa grande surprise, Cudjo la prit.

« Mon escargot est un crétin, mais le tien s'est bien débrouillé, dit Cudjo.

— Oui, il a gagné, convint Quey, soulagé.

— On devrait leur donner un nom. On appellera le mien Richard parce que c'est un nom anglais et qu'il a été mauvais comme le sont les Anglais. On pourrait appeler le tien Kwame. »

Quey rit.

« Oui, Richard est mauvais comme les Anglais », dit-il, oubliant à cet instant que son père était anglais.

Quand il s'en souvint plus tard, il se rendit compte que cela lui était égal. Il avait seulement le sentiment qu'il était ici à sa place, pleinement et complètement.

Les garçons grandirent. Quey prit dix centimètres en un été, tandis que Cudjo prenait des muscles. Ils ondulaient le long de ses bras et de ses jambes où la sueur ruisselait en vagues. Il devint célèbre à des kilomètres à la ronde pour ses prouesses de lutteur. Des garçons plus âgés des villages voisins furent appelés à le défier, mais il remportait tous les matchs.

« Eh, Quey, quand vas-tu lutter contre moi ? » demanda Cudjo.

Quey ne l'avait jamais affronté. Il appréhendait ce moment, non pas à cause de la défaite, car il savait qu'il perdrait, mais parce qu'il avait observé attentivement Cudjo depuis trois ans et savait mieux que personne de quoi son corps était capable. L'élégance de ses mouvements tandis qu'il tournait autour de ses adversaires, la précision calculée de la violence, comment un bras plus un cou pouvait signifier étouffement, un coude plus un nez impliquer saignement. Cudjo ne ratait jamais un pas dans cette danse, et son corps, à la fois puissant et contrôlé, terrorisait Quey. Peu de temps auparavant, il avait imaginé que ses bras vigoureux l'enserraient complètement, le plaquant au sol, pesant de tout son poids sur lui.

« Demande à Richard de lutter avec toi », dit Quey, et Cudjo avait éclaté de son rire tonitruant.

Après la course des escargots, les garçons s'étaient mis à tout affubler du nom de Richard, que ce soit bon ou mauvais. Quand ils se faisaient réprimander par leurs mères pour avoir dit un mot grossier, ils en accusaient Richard. Quand ils couraient plus vite que les autres ou gagnaient à la lutte, c'était grâce à Richard. Richard était là le jour où Cudjo nagea trop loin et que ses mouvements commencèrent à ralentir. C'était Richard qui avait voulu qu'il se noie et Richard qui l'avait sauvé, aidé à retrouver son rythme.

« Pauvre Richard ! Je n'en ferais qu'une bouchée, oh ! » dit Cudjo, exhibant ses muscles.

Quey tâta le bras de Cudjo. Bien que le muscle fût ferme sous ses doigts, il s'était étonné :

« Comment ? Avec cette petite chose ?

— Eh ?

— Je dis que c'est un petit bras. Il me paraît mou sous la main, mon frère. »

Soudain, vif comme un éclair de chaleur, Cudjo bloqua son cou d'une prise du bras.

« Mou ? »

Sa voix était à peine un murmure, un souffle dans l'oreille de Quey.

« Fais gaffe, mon ami. Il n'y a rien de mou là-dedans. »

La respiration coupée, Quey sentit ses joues s'enflammer. Le corps de Cudjo était si fortement pressé contre le sien qu'il eut l'impression, pendant un moment, qu'ils ne faisaient qu'un. Sur ses gardes, les poils des bras hérissés, il attendit la suite. Cudjo finit par le relâcher.

Quey aspira une longue goulée d'air. Cudjo l'observait, un sourire moqueur aux lèvres.

« Tu as eu peur ?

— Non.

— Non ? Tu ne sais donc pas que tous les hommes du pays fanti me craignent aujourd'hui ?

— Tu ne me ferais pas de mal. »

Quey regarda Cudjo droit dans les yeux et vit quelque chose vaciller en eux.

Cudjo retrouva rapidement son assurance.

« Tu en es sûr ?

— Oui.

— Défie-moi, alors. Défie-moi à la lutte.

— Non. »

Cudjo s'avança vers lui, s'arrêta à quelques centimètres de son visage.

« Défie-moi », dit-il, et son haleine dansa sur les lèvres de Quey.

La semaine suivante Cudjo disputa un match important. Ivre, un soldat s'était vanté qu'il ne serait pas capable de le battre.

« Des Nègres qui se battent avec d'autres Nègres, ce n'est pas vraiment un défi. Mettez un sauvage en face d'un homme blanc, alors vous verrez. »

Un des serviteurs, originaire du même village que Cudjo, avait entendu le soldat se vanter et l'avait rapporté au père de Cudjo. Le lendemain, le chef vint en personne délivrer son message.

« Si un homme blanc pense pouvoir battre mon fils, qu'il essaye. Dans trois jours, nous verrons qui est le meilleur. »

Le père de Quey avait tenté d'interdire le match, déclarant que ce n'était pas digne de gens civilisés, mais les soldats s'ennuyaient et commençaient à s'impatienter. Une distraction de sauvage était exactement ce qu'ils souhaitaient.

Cudjo arriva à la fin de la semaine. Il était accompagné de son père et de ses sept frères, personne d'autre. Quey ne lui avait pas parlé depuis la semaine précédente, et il était inexplicablement nerveux, sentait encore le souffle de Cudjo sur ses lèvres.

Le soldat fanfaron était également à cran. Il faisait les cent pas, sa main tremblait, tandis que tous les hommes du fort observaient.

Cudjo se tenait face à son adversaire. Il le jaugea. Puis il aperçut Quey dans l'assistance qui lui fit un signe de tête. Il sourit, un sourire dont Quey savait qu'il signifiait : « Je vais gagner. »

Et il gagna. Une minute seulement après le début du combat, Cudjo avait enveloppé le gros ventre de l'homme de ses deux bras et l'avait fait basculer en arrière, le plaquant au sol.

La foule poussa un rugissement d'excitation. D'autres adversaires se présentèrent, des soldats que Cudjo battit plus ou moins facilement, jusqu'à ce que tous les hommes se retrouvent ivres et épuisés, et que seul demeure debout Cudjo, imperturbable.

Les soldats s'en allèrent peu à peu. Après avoir félicité Cudjo bruyamment et avec effusion, ses frères et son père partirent également. Cudjo devait passer la nuit au fort avec Quey.

« Maintenant je vais me battre avec toi », dit alors Quey quand il sembla qu'il ne restait plus personne.

L'air du soir commençait à pénétrer dans le fort, apportant à peine un peu de fraîcheur.

« Maintenant que je suis trop fatigué pour gagner ? ironisa Cudjo.

— Tu n'as jamais été trop fatigué pour gagner.

— D'accord. Tu veux lutter avec moi ? Attrape-moi d'abord ! »

Cudjo s'élança. Quey était plus rapide que lui dans les premières années de leur amitié ; il le rattrapa à la hauteur des canons et fonça tête baissée sur lui, lui enserra les jambes et le plaqua à terre.

Quelques secondes plus tard, Cudjo prenait le dessus, haletant. Quey s'efforça de le repousser.

Il savait qu'il devait frapper le sol trois fois pour demander la fin du match, mais il n'en avait pas envie. Vraiment pas. Il ne voulait pas que Cudjo se relève. Il voulait continuer à sentir son poids sur lui.

Il laissa lentement son corps se détendre et Cudjo en fit autant. Ils se buvaient du regard ; leur respiration ralentit. La caresse de l'haleine de Cudjo sur ses lèvres s'accrut, un frémissement qui menaçait d'attirer son visage vers le sien.

« Relève-toi tout de suite », ordonna James.

Quey ne savait pas depuis combien de temps son père les observait, mais il avait décelé une intonation nouvelle dans sa voix. C'était le ton contrôlé qu'il prenait quand il parlait aux domestiques et, Quey le savait bien qu'il ne l'ait jamais vu, aux esclaves avant de les frapper. Aujourd'hui s'y mêlait une sorte de crainte.

« Rentre chez toi, Cudjo », dit James.

Quey regarda son ami partir. Cudjo ne se retourna pas.

Le mois suivant, peu avant son quatorzième anniversaire, tandis qu'Effia pleurait, tempêtait et tempêtait encore, allant jusqu'à frapper une fois James au visage, Quey embarquait sur un navire en partance pour l'Angleterre.

J'ai appris que tu étais revenu de Londres. Puis-je te voir, vieux frère ?

Quey ne pouvait s'empêcher de penser au message qu'il avait reçu de Cudjo. Il contempla son bol de porridge presque intact. Fiifi avait fini le sien et en réclamait un autre.

« J'aurais peut-être dû rester à Londres », dit Quey.

Son oncle leva les yeux et lui lança un drôle de regard.

« Rester à Londres pour quoi faire ?

— C'était plus sûr là-bas, dit Quey doucement.

— Plus sûr ? Pourquoi ? Parce que les Anglais ne parcourent pas le bush à la recherche d'esclaves ? Parce qu'ils ne se salissent pas les mains pendant que nous travaillons ? Laisse-moi te dire une chose : le travail qu'ils accomplissent est le plus dangereux qui soit. »

Quey hocha la tête. Ce n'était pas ce qu'il avait voulu dire. En Angleterre, il avait eu l'occasion de voir comment les Noirs vivaient au pays des Blancs, les Indiens et les Africains qui étaient entassés par vingt ou davantage dans une seule pièce, qui mangeaient les restes que les cochons laissaient derrière eux, qui toussaient et toussaient et toussaient sans fin, à l'unisson, une symphonie de malades. Il connaissait les dangers qui existaient de l'autre côté de l'Atlantique, mais aussi celui tapi au fond de lui.

« Ne sois pas faible, Quey », dit Fiifi, en le regardant avec insistance et, pendant une seconde, Quey se demanda si son oncle l'avait compris.

Mais Fiifi s'intéressait à nouveau à son porridge.

« Tu n'as donc rien à faire ? »

Quey secoua la tête, s'efforçant de reprendre contenance. Il sourit à son oncle, le remercia pour le repas, puis partit.

Le travail n'était pas difficile. Les tâches de Quey et de ses collègues consistaient en une rencontre hebdomadaire avec Badu et ses hommes pour vérifier l'inventaire, superviser les *bomboys* qui chargeaient la cargaison dans les pirogues, et tenir au courant le gouverneur du fort des contacts de Badu avec ses autres partenaires commerciaux.

Aujourd'hui, c'était à Quey de surveiller les *bomboys*. Il fit à pied les quelques kilomètres qui le séparaient de la lisière du village et salua les jeunes Fantis qui travaillaient pour les Anglais, transférant les esclaves des villages côtiers jusqu'au fort. Ce jour-là, seuls attendaient cinq esclaves enchaînés. La plus jeune, une petite fille, s'était salie, mais personne n'y prêtait attention. Quey s'était habitué à la puanteur des excréments, pourtant la peur avait une odeur qui dominerait toujours. Elle lui vrillait les narines et lui amenait les larmes aux yeux, mais il avait appris à se retenir de pleurer longtemps auparavant.

Chaque fois qu'il voyait les *bomboys* partir avec une pirogue chargée d'esclaves, il pensait à son père attendant au fort de Cape Coast, prêt à les recevoir. En observant la pirogue s'éloigner, Quey était empli de la même honte qu'à chaque départ d'esclaves. Qu'avait ressenti son père sur cette rive ? James était mort peu de temps après l'arrivée de Quey à Londres. La traversée avait été inconfortable, pour ne pas dire épouvantable : Quey avait passé son temps à pleurer ou à vomir. Sur le bateau, une seule pensée occupait son esprit : le sort que réservait son père aux esclaves. C'était donc ainsi que son père traitait les problèmes. Les mettre dans un bateau, les pousser au large. Que ressentait James chaque fois qu'il voyait une embarcation prendre la mer ? Était-ce le même mélange de crainte, de honte et de mépris de soi que Quey éprouvait pour sa propre chair, son désir de rébellion ?

Là-bas, au village, Badu était déjà ivre. Quey le salua et tenta de l'esquiver.

Il ne fut pas assez rapide. Badu le saisit par l'épaule et demanda :

« Comment va ta mère ? Dis-lui de venir me voir, eh ? »

Quey pinça les lèvres en espérant simuler un sourire. Il essaya de ravaler son dégoût. Quand il avait accepté sa mission au village, Effia s'était emportée, le suppliant de refuser, de s'enfuir, loin, jusqu'au pays ashanti comme sa grand-mère maternelle avant lui. Si c'était ce qu'il fallait faire pour échapper à cette obligation.

Elle tripotait la pierre suspendue à son cou tout en lui parlant.

« Le malheur règne dans ce village, Quey. Baaba…

— Baaba est morte depuis longtemps, avait dit Quey, et toi et moi sommes trop vieux pour croire encore aux fantômes. »

Sa mère avait craché par terre et secoué la tête si vivement qu'il avait craint qu'elle ne se dévisse. « Tu crois savoir, mais tu ne sais rien, avait-elle dit. Le malheur est comme une ombre. Il te suit. »

« Ma mère va peut-être nous rendre visite bientôt », disait maintenant Quey, sachant qu'elle n'accepterait jamais de voir Badu.

Bien que ses parents aient passé leur vie à se disputer, la plupart du temps à son propos, il était évident qu'ils s'étaient aimés. Et, même si une partie de Quey détestait son père, une autre voulait toujours passionnément lui plaire.

Quey arriva finalement à se débarrasser de Badu et reprit sa marche. Le message de Cudjo lui revenait constamment à l'esprit.

J'ai appris que tu étais revenu de Londres. Puis-je te voir, vieux frère ?

À son retour, Quey s'était senti trop nerveux pour demander des nouvelles de Cudjo, mais il n'en avait pas eu besoin. Cudjo avait été nommé chef de son ancien village, et il commerçait toujours avec les Anglais. Quey avait inscrit le nom de Cudjo dans les registres du fort presque quotidiennement quand il était encore employé aux écritures. Il lui serait assez facile à présent de retrouver Cudjo, de bavarder comme autrefois, de lui dire qu'il avait détesté Londres comme il avait détesté son père, que tout dans la ville – le froid, l'humidité, l'absence de lumière – lui avait paru hostile, un affront personnel, destiné uniquement à le tenir à l'écart de Cudjo.

Mais à quoi bon le revoir ? Un seul regard le ramènerait-il là où il était six ans auparavant, sur le sol du fort ? Londres avait peut-être accompli ce qu'espérait son père, mais après tout, peut-être pas.

Les semaines se succédèrent sans que Quey ne réponde à Cudjo. Il se consacrait uniquement à son travail. Fiifi et Badu avaient de nombreux contacts dans le pays ashanti et plus au nord. Les Grands Hommes, les guerriers, les chefs et leurs semblables amenaient tous les jours des esclaves par dizaines. Le commerce s'était tellement développé, et les méthodes pour rafler les esclaves étaient devenues à ce point hasardeuses que de nombreuses tribus avaient pris l'habitude de marquer les visages de leurs enfants afin qu'on puisse les reconnaître. Les gens du nord, qui étaient le plus fréquemment capturés, pouvaient avoir jusqu'à vingt cicatrices sur le visage, ce qui les rendait trop laids pour être vendus. La plupart des esclaves amenés à l'avant-poste du village de Quey avaient été capturés au cours de guerres tribales, quelques-uns étaient vendus par leurs familles, et les plus rares étaient ceux que Fiifi capturait lui-même durant ses obscures missions dans le nord.

Fiifi se préparait pour une de ces expéditions. Il refusait de dire de quelle mission il s'agissait, mais Quey savait qu'elle devait être particulièrement dangereuse, car son oncle avait demandé de l'aide à un autre village fanti.

« Tu pourras garder tous les captifs sauf un, disait Fiifi à un homme. Emmène-les avec toi quand nous nous séparerons à Dunkwa. »

Quey venait d'être convoqué dans la concession. Devant lui, des guerriers s'habillaient pour le combat, mousquets, machettes et lances à la main.

Quey s'avança, cherchant à voir l'homme auquel s'adressait son oncle.

« Ah, Quey ! Enfin, tu viens me saluer, eh ? »

La voix était plus profonde que celle dont Quey avait le souvenir, et pourtant il la reconnut sur-le-champ. Sa main tremblait quand il la tendit vers son vieil ami. La poigne de Cudjo était ferme, sa peau douce. Elle le ramena au village de Cudjo, à la course d'escargots, à Richard.

« Qu'est-ce que tu fais ici ? » demanda Quey.

Il espéra que sa voix ne le trahissait pas. Il espéra avoir l'air calme et assuré.

« Ton oncle nous a promis une bonne mission aujourd'hui. J'ai accepté avec joie. »

Fiifi donna une tape sur l'épaule de Cudjo et se dirigea vers les guerriers pour leur parler.

« Tu n'as jamais répondu à mon message, dit doucement Cudjo.

— Je n'ai pas eu le temps.

— Je vois. »

Il était toujours le même, plus grand, plus large, mais le même.

« Ton oncle m'a dit que tu n'es toujours pas marié.

— Non.

— Je me suis marié au printemps dernier. Un chef doit être marié.

— Oh, bien sûr », dit Quey en anglais, distrait.

Cudjo rit. Il prit sa machette et se pencha vers Quey.

« Tu parles comme un Anglais, comme Richard, eh ? Quand j'aurais fini dans le nord avec ton oncle, je rentrerai dans mon village. Tu y seras toujours bienvenu. Viens me voir. »

Fiifi lança un dernier appel pour rassembler les hommes, et Cudjo partit en courant. En s'éloignant, il jeta un coup d'œil par-dessus son épaule et sourit à Quey. Quey ignorait combien de temps durerait leur expédition, mais il savait qu'il ne dormirait pas jusqu'au retour de son oncle. Personne ne lui avait rien dit à propos de la mission. Il avait souvent vu les guerriers s'en aller ainsi, et il n'avait jamais posé de questions, mais aujourd'hui son cœur battait fort, comme si un crapaud avait remplacé sa gorge. Il pouvait en goûter chaque battement. Pourquoi Fiifi avait-il dit à Cudjo qu'il n'était pas marié ? Cudjo avait-il posé la question ? Comment Quey serait-il accueilli dans son village ? Logerait-il dans la concession du chef ? Dans sa case, comme une troisième épouse ? Ou serait-il logé dans une case à la lisière du village, seul ? Le crapaud coassa. C'était possible. Ce n'était pas possible. C'était possible. L'esprit de Quey s'affolait à chaque battement.

Une semaine passa. Puis deux. Puis trois. Le premier jour de la quatrième semaine, on appela Quey. Fiifi était allongé contre le mur extérieur du cachot des esclaves, sa main couvrant une large blessure à son côté, d'où s'échappait un flot de sang. Un instant plus tard, un des médecins de la compagnie arriva avec une grosse aiguille et du fil et entreprit de recoudre Fiifi.

« Que s'est-il passé ? » demanda Quey.

Les hommes de Fiifi gardaient la porte, visiblement bouleversés. Ils étaient armés de machettes et de mousquets, et au moindre tremblement d'une feuille dans la forêt, ils les serraient plus étroitement entre leurs mains.

Fiifi partit d'un grand rire, semblable au dernier rugissement d'un lion agonisant. Le médecin finit de recoudre la blessure et y versa un liquide brun, qui changea le rire de Fiifi en hurlement.

« Chut ! intima l'un des soldats de Fiifi. On ne sait pas si on nous a suivis. »

Quey s'agenouilla et scruta le visage de son oncle.

« Que s'est-il passé ? »

Fiifi grinçait des dents dans le tremblement de l'air. Il leva un bras et désigna l'entrée du cachot.

Un des gardes lui tendit une lampe, puis s'écarta pour le laisser entrer. À l'intérieur, l'obscurité se propagea autour de lui, se réverbérant comme s'il était entré dans un tambour. Il leva la lampe plus haut et aperçut les esclaves.

Il ne s'attendait pas à en voir beaucoup, car la prochaine cargaison n'était pas attendue avant la semaine suivante. Il comprit aussitôt que ce n'étaient pas des esclaves amenés par les Ashantis. C'était des gens que Fiifi avait volés. Il y avait deux hommes attachés ensemble dans un coin, de grands guerriers, dont les blessures superficielles saignaient. À l'approche de Quey, ils se mirent à le huer en twi et tirèrent sur leurs chaînes, ouvrant de nouvelles plaies qui saignèrent à leur tour.

Contre le mur opposé était assise une jeune fille qui ne faisait aucun bruit. Elle leva vers Quey de grands yeux languides, et il s'agenouilla à côté d'elle pour examiner son visage. Elle avait sur la joue une large cicatrice ovale, une scarification que James avait montrée à Quey des années auparavant, avant de l'envoyer en Angleterre, une marque des Ashantis.

Quey se leva, sans quitter la fille du regard. Il se retira lentement, comprenant qui était cette fille. Dehors, son oncle s'était évanoui de douleur, et les soldats avaient relâché leurs armes, convaincus de ne pas avoir été suivis.

Quey saisit l'épaule de celui qui était le plus près de la porte et le secoua.

« Nom de Dieu, qu'est-ce que vous faites avec la fille du roi des Ashantis ? »

Le soldat baissa les yeux, hocha la tête et resta muet. Quel que soit le plan de Fiifi, il ne pouvait échouer, sinon tous les habitants du village le paieraient de leur vie.

Les nuits qui suivirent, Quey resta auprès de Fiifi pendant qu'il se rétablissait. Il apprit les circonstances de la capture, la manière dont Fiifi et ses hommes s'étaient introduits chez les Ashantis au plus profond de la nuit, renseignés par un de leurs contacts sur le moment où il y avait le moins de gardes autour de la fille, comment Fiifi avait été fendu comme une noix de coco par la pointe de la machette d'un des gardes quand il s'était approché d'elle, comment ils avaient emmené leurs prisonniers vers le sud à travers la forêt jusqu'à la Côte.

Nana Yaa était la fille aînée de Osei Bonsu, le chef suprême du royaume ashanti, un homme qui était respecté par la reine d'Angleterre elle-même pour son influence sur le commerce des esclaves dans toute la Côte-de-l'Or. Nana Yaa était un élément de marchandage politique important, et on avait tenté de la capturer depuis qu'elle était toute petite. Des guerres avaient éclaté à cause d'elle : pour s'en emparer, pour la libérer, pour l'épouser.

Quey était tellement inquiet qu'il n'osa pas demander comment Cudjo s'en était tiré. Il savait que l'informateur serait pris et torturé jusqu'à ce qu'il révèle qui avait enlevé la fille. Ce n'était qu'une question de temps avant qu'ils en subissent les conséquences.

« Mon oncle, les Ashantis ne pardonneront pas ça. Ils vont… »

Fiifi lui coupa la parole. Depuis la nuit de la capture, chaque fois que Quey tentait d'aborder le sujet de la fille, de sonder les intentions de Fiifi, l'homme portait brusquement la main à son côté et se taisait, ou il racontait une de ses fables interminables.

« Les Ashantis sont furieux contre nous depuis des années, dit-il. Depuis qu'ils ont découvert que nous échangions certains des leurs qui nous avaient été amenés par des gens du nord grâce à Badu. Badu m'a dit alors que nous commercions avec ceux qui offraient le meilleur prix. C'est ce que j'ai dit aux Ashantis quand ils l'ont découvert, ce que je t'ai dit aussi. La colère des Ashantis est prévisible, Quey, et tu as raison de dire qu'il ne faut pas la sous-estimer. Mais crois-moi, ils savent que nous sommes rusés. Ils pardonneront. »

Fiifi se tut et Quey reporta son attention sur la plus jeune fille de son oncle, une fillette de deux ans à peine, qui jouait dans la cour. Au bout d'un moment, une servante vint avec des arachides et des bananes. Elle s'approcha d'abord de Fiifi, mais il l'arrêta. D'une voix égale et le regard tranquille, il dit :

« Tu dois servir mon fils en premier. »

La fille fit ce qu'on lui demandait, s'inclina devant Quey, et tendit la main droite. Lorsqu'ils furent rassasiés, elle s'éloigna tandis que Quey admirait l'ample ondulation de ses hanches.

« Pourquoi dis-tu toujours ça ? demanda Quey une fois sûr qu'elle était partie.

— Pourquoi je dis quoi ?

— Que je suis ton fils. »

Quey avait baissé les yeux. Il parlait d'une voix à peine audible, espérant presque que le sol avalerait ses paroles.

« Tu ne m'as jamais revendiqué jusqu'à aujourd'hui. »

Fiifi fendit la coque d'une noix de coco avec ses dents, la sépara de la noix proprement dite et la recracha à leurs pieds. Il regarda en direction de la petite route de terre qui menait de sa concession à la place du village. Il donnait l'impression d'attendre quelqu'un.

« Tu es resté en Angleterre trop longtemps, Quey. Peut-être as-tu oublié qu'ici, les mères, les sœurs et leurs fils sont ce qui compte le plus. Si tu es chef, le fils de ta sœur est ton successeur parce que ta sœur est née de ta mère, mais pas ton épouse. Le fils de ta sœur est même plus important pour toi que ton fils. Mais, Quey, ta mère n'est pas ma sœur. Elle n'est pas la fille de ma mère, et quand elle a épousé un homme blanc du fort, j'ai fini par la perdre, et parce que ma mère l'avait toujours détestée, je me suis mis à la détester moi aussi.

« Et cette haine a été bénéfique, au début. Elle m'a fait travailler plus dur. Je pensais à ta mère et à tous les Blancs du fort, et je me disais que nous, mon peuple ici dans ce village, nous deviendrions plus fort que les hommes blancs. Et plus riches aussi. Et quand Badu est devenu trop cupide et trop gros pour se battre, j'ai commencé à me battre pour son compte, et même alors je haïssais ta mère et ton père. Et je haïssais ma propre mère et mon propre père pour ce qu'ils étaient à mes yeux. Je pense que j'ai même commencé à me haïr moi-même.

« La dernière fois que ta mère est venue au village, j'avais quinze ans. C'était à l'occasion des funérailles de mon père, et après le départ d'Effia, Baaba m'a dit que je ne lui devais rien, parce qu'elle n'était pas vraiment ma sœur. Et pendant longtemps c'est ce que j'ai cru, mais je suis un vieil homme aujourd'hui, plus sage, mais plus faible. Quand j'étais jeune, aucun homme ne m'aurait touché avec sa machette, mais maintenant... »

116

Fiifi eut un tremblement dans la voix en indiquant sa blessure. Puis il se gratta la gorge et continua.

« Bientôt, tout ce que j'ai contribué à bâtir dans ce village ne m'appartiendra plus. J'ai des fils mais je n'ai pas de sœur, et par conséquent tout ce que j'ai bâti sera dispersé comme le vent disperse la poussière.

« C'est moi qui ai demandé à ton gouverneur de te confier ce poste, Quey, parce que tu es celui à qui je suis censé laisser tout ça ici. J'ai aimé Effia comme une sœur autrefois, et bien que tu ne viennes pas de ma mère, tu es pour moi la personne qui se rapproche le plus d'un premier neveu. Je te donnerai tout ce que je possède. Je réparerai tout ce que ma mère a fait de mal. Demain soir, tu épouseras Nana Yaa, et même si le roi des Ashantis et ses hommes viennent frapper à ma porte, ils ne pourront pas te renier. Ils ne pourront pas te tuer ni personne dans ce village, parce qu'il est maintenant ton village comme il a été celui de ta mère. Je ferai en sorte que tu deviennes un homme très puissant, et après le départ des hommes blancs de la Côte-de-l'Or – et crois-moi, ils partiront – tu resteras important bien après que les murs du fort se seront écroulés. »

Fiifi bourra une pipe. Il tira dessus jusqu'à ce que la fumée blanche forme des petits toits au-dessus du fourneau. La saison des pluies allait commencer et bientôt l'air s'alourdirait, et les gens de la Côte-de-l'Or devraient réapprendre à se déplacer dans un climat toujours torride et humide, comme prêt à cuire ses habitants pour le dîner.

C'était ainsi qu'on vivait ici dans le bush : manger ou être mangé. Capturer ou être capturé. Se marier pour être protégé. Quey n'irait jamais dans le village de Cudjo. Il ne serait pas faible. Il faisait le commerce des esclaves, et cela imposait des sacrifices.

Ness

Il n'y avait aucune gourde bien remplie, aucune consolation spirituelle qui puisse réparer un esprit fracassé. Même l'étoile polaire était une imposture.

Tous les jours, Ness cueillait du coton sous l'œil féroce du soleil du sud. Elle était arrivée trois mois plus tôt à la plantation de Thomas Allan Stockham en Alabama. Deux semaines auparavant, elle était dans le Mississippi. L'année précédente dans un endroit qu'elle décrivait comme l'enfer.

Elle avait beau se creuser la tête, Ness n'arrivait pas à se souvenir de son âge. Sa meilleure approximation était vingt-neuf ans, mais chaque année depuis celle où elle avait été arrachée aux bras de sa mère lui avait paru durer dix ans. La mère de Ness, Esi, était une femme robuste et grave qui ne parlait jamais de choses heureuses. Même les histoires qu'elle racontait à Ness pour l'endormir parlaient du « Grand Bateau ». Ness s'endormait avec des images d'hommes jetés dans l'Atlantique comme des ancres qui n'étaient reliées à rien : ni patrie, ni peuple, ni valeur. Dans le Grand Bateau, disait Esi, ils étaient entassés dix l'un sur l'autre, et quand quelqu'un mourait au-dessus de vous, son poids pesait sur la pile comme un cuisinier pressant de l'ail. La mère de Ness, que les autres appelaient Ronchon parce qu'elle ne souriait jamais, racontait comment elle avait été maudite par une Petite Colombe, longtemps, longtemps auparavant, maudite et sans sa sœur, privée de la pierre de sa mère. Quand on avait vendu Ness en 1796, les lèvres d'Esi s'étaient figées en une ligne mince. Ness se souvenait d'avoir tendu les mains vers elle, agité les bras et les jambes, tentant de repousser le corps de l'homme qui était venu l'emmener. Et pendant tout ce temps les lèvres d'Esi n'avaient pas remué, ses mains ne s'étaient pas tendues. Elle était restée immobile, inébranlable, comme Ness l'avait toujours connue. Et, bien que Ness ait rencontré des esclaves affectueux dans d'autres plantations, des Noirs qui souriaient, vous prenaient dans leurs bras et racontaient de belles histoires, elle regretterait toujours le roc gris qu'était le cœur de sa mère. Elle associerait toujours l'amour véritable à un esprit rude.

Thomas Allan Stockham était un bon maître, dans la mesure où ça existait. Il leur accordait cinq minutes de repos toutes les trois heures, et les esclaves qui travaillaient aux champs pouvaient aller dans la véranda faire remplir leur pot à eau par les esclaves domestiques.

Ce jour de la fin juin, Ness faisait la queue en attendant l'eau à côté de Tim Tam. Le garçon avait été offert à la famille Stockham par leurs voisins, les Whitman, et Tom Allan disait souvent que Tim Tam était le plus beau cadeau qu'il ait jamais reçu, plus beau même que le chat à queue grise que son frère lui avait donné pour son cinquième anniversaire ou le chariot rouge qu'il avait reçu pour le suivant.

« Comment a été ta journée ? » demanda Tim Tam.

Ness se tourna à peine vers lui.

« Est-ce que les jours sont pas tous pareils ? »

Tim Tam rit, un grondement de tonnerre venant du nuage de son ventre et expulsé par le ciel de sa bouche.

« Je s'pose que t'as raison », dit-il.

Ness se demandait si elle s'habituerait un jour à entendre de l'anglais sortir de la bouche des Noirs. Dans le Mississippi, Esi lui avait parlé en twi jusqu'à ce que leur maître l'ait surprise. Il avait donné à Esi cinq coups de fouet pour chaque mot de twi qu'elle avait prononcé. Et quand Ness, voyant sa mère battue, avait eu trop peur pour ouvrir la bouche, il avait donné à Esi cinq coups pour chaque minute de silence de Ness. Avant les coups, sa mère l'appelait Maame, du nom de sa propre mère, mais le maître l'avait alors fouettée, jusqu'à ce qu'elle s'écrie : « *My Goodness !* » – les mots lui avaient échappé, sans doute empruntés à la cuisinière, qui avait l'habitude d'en ponctuer toutes ses phrases. Et parce que c'étaient les seuls mots anglais à jaillir de sa bouche sans effort, elle crut qu'ils contenaient quelque chose de divin, comme le cadeau de sa fille, et ce « *goodness* » était ainsi devenu, simplement, Ness.

« D'où tu viens ? » demanda Tim Tam.

Il mordillait l'extrémité d'un épi de blé qu'il recracha.

« Tu poses trop de questions », dit Ness.

Elle se détourna. C'était son tour de recevoir de l'eau des mains de Margaret, l'esclave en chef de la maison, mais la femme ne remplit qu'un quart de son pot à eau.

« On n'a pas assez aujourd'hui », dit-elle, pourtant Ness vit que les seaux dans la véranda derrière elle suffisaient pour une semaine.

Ness eut l'impression que Margaret regardait à travers elle, ou plutôt qu'elle regardait dans les cinq dernières minutes de son passé, cherchant à deviner si la conversation qu'elle venait d'avoir avec Tim Tam signifiait qu'il s'intéressait à elle.

Tim Tam s'éclaircit la voix.

« Dis, Margaret, c'est pas une bonne manière de traiter quelqu'un. »

Furieuse, Maragaret plongea sa louche dans le seau, mais Ness refusa son offre. Elle s'éloigna, laissant les deux autres en plan. Il y avait peut-être un bout de papier qui déclarait qu'elle était la propriété de Tom Allan Stockham, mais aucun papier similaire ne la soumettait aux caprices de ses compagnons d'esclavage.

« Tu dois pas être dure com'ça avec lui », dit une femme lorsque Ness fut revenue à sa place dans le champ.

La femme paraissait plus âgée qu'elle, trente-cinq ans ou davantage, et elle avait le dos courbé même quand elle se tenait droite.

« Tu es nouvelle ici, tu sais pas. Tim Tam a perdu sa femme y a pas longtemps, et depuis il s'occupe de la petite Pinky tout seul. »

Ness fixa la femme. Elle essaya de sourire, mais elle était née durant les années où Esi ne souriait jamais, et elle n'avait jamais appris comment faire. Les coins de sa bouche semblaient remonter, involontairement, puis retomber dans la seconde qui suivait, comme s'ils étaient retenus par cette tristesse qui avait autrefois pesé sur le cœur de sa mère.

« Est-ce qu'on n'a pas tous perdu quelqu'un ? » demanda-t-elle.

Ness était trop jolie pour être une esclave aux champs. C'était ce que Tom Allan avait dit le jour où il l'avait ramenée à la plantation. Il l'avait achetée de bonne foi à un de ses amis à Jackson, Mississippi, qui la considérait comme une des meilleures cueilleuses du monde, mais qu'il ne fallait l'utiliser que pour travailler aux champs. La voyant, avec sa peau claire, ses cheveux frisés qui dégringolaient le long de son dos à la rencontre de ses fesses rondes, Tom avait pensé que son ami avait fait une erreur. Il avait sorti la tenue qu'il réservait à ses esclaves domestiques, une blouse blanche boutonnée de haut en bas avec un col dégagé et des mancherons, une longue jupe noire agrémentée d'un tablier noir, et fait conduire Ness dans une pièce à l'arrière pour qu'elle puisse s'y changer. Voyant Ness ainsi apprêtée, Margaret avait porté la main à son cœur et lui avait dit d'attendre. Ness dut appuyer son oreille contre la cloison pour entendre ce que disait Margaret.

« Elle va pas pour la maison ici, avait dit Margaret à Tom Allan.

— Bien, laisse-moi la voir, Margaret. Il me semble être capable de décider seul si quelqu'un convient pour travailler dans ma propre maison, tu ne crois pas ?

— Oui, missié, avait dit Margaret. Sûr que vous l'êtes, mais c'est pas une chose que vous aurez envie de voir, c'est c'que je dis. »

Tom Allan avait éclaté de rire. Sa femme, Susan, était entrée dans la pièce en demandant la raison de cette agitation.

« Eh bien, Margaret a enfermé notre nouvelle Négresse et ne veut pas nous laisser la voir. Cesse de faire des histoires maintenant et amène-la ici. »

Si Susan était comme les autres épouses des maîtres, elle devait savoir qu'il valait mieux ouvrir l'œil lorsque son mari introduisait une nouvelle esclave dans la maison. Dans ce comté du Sud comme partout ailleurs, les yeux des hommes, et d'autres parties de leur corps, avaient parfois tendance à s'égarer.

« Oui, Margaret, amène cette fille pour que nous puissions la voir. Ne sois pas stupide. »

Margaret avait haussé les épaules en regagnant la pièce, et Ness avait écarté son oreille de la cloison.

« Bon, c'est mieux, là, que tu sortes », avait dit seulement Margaret.

Ness avait obéi. Elle s'était avancée vers ses maîtres, les épaules nues et la moitié inférieure de ses mollets nus, et Susan Stockham s'était évanouie à sa vue. Tom Allan n'avait pu que rattraper sa femme avant qu'elle ne tombe en criant à Margaret d'aller changer Ness immédiatement.

Margaret l'avait ramenée sans attendre dans la pièce à l'arrière, et était partie chercher des vêtements de travail. Ness était restée debout au milieu de la pièce, passant ses mains le long de son corps, se complaisant dans son horrible nudité. Elle savait que c'étaient les cicatrices compliquées de ses épaules qui les avaient tous alarmés, mais ce n'étaient pas les seules. Non, sa peau couturée ressemblait à un corps en soi avec la forme d'un homme l'enveloppant par-derrière, les bras accrochés autour de son cou. Les cicatrices remontaient depuis ses seins, entouraient les collines de ses épaules et s'étendaient sur toute la fière étendue de son dos. Elles frôlaient le sommet de ses fesses avant de disparaître. La peau de Ness n'était plus de la peau en réalité, mais plutôt le fantôme de son passé, matérialisé, visible. Un rappel qui lui était indifférent.

Margaret était revenue dans la pièce avec un foulard, une étoffe marron qui couvrait les épaules, une jupe rouge qui descendait jusqu'au sol. Elle avait regardé Ness les enfiler.

« C'est dommage, vraiment. Pendant une minute, j'ai cru que tu étais peut-être plus jolie que moi. »

Elle avait fait claquer deux fois sa langue et était sortie.

Et ainsi Ness travailla aux champs. Ce n'était pas une nouveauté pour elle. Dans l'enfer, elle travaillait aussi la terre. Dans l'enfer, le soleil chauffait tellement le coton qu'il vous brûlait presque la paume des mains. Cueillir ces petites touffes blanches, c'était comme tenir du feu, mais que Dieu vous garde si vous en laissiez tomber une. Le diable était constamment à l'affût. L'enfer était l'endroit où elle avait appris à être une bonne cueilleuse, et cette habileté l'avait conduite jusqu'à Tuscumbia en Alabama.

C'était son deuxième mois à la plantation Stockham. Elle vivait dans l'une des baraques des femmes, mais elle ne s'y était fait aucune amie. Tout le monde la connaissait comme celle qui avait repoussé Tim Tam, et les autres femmes, irritées qu'elle ait été l'objet de son intérêt et encore davantage qu'elle ait refusé d'être cet objet, la traitaient comme si elle n'était rien de plus qu'une bourrasque de vent, un désagrément qu'on pouvait surmonter.

Le matin, Ness préparait son seau qu'elle emportait dans le champ avec elle. Des biscuits de farine de maïs, un peu de porc salé, et avec de la chance, quelques légumes verts. Dans l'enfer, elle avait appris à manger debout. Cueillir le coton de la main droite, enfouir la nourriture dans sa bouche de la main gauche. Ce n'était pas quelque chose qu'on lui demandait de faire ici chez Tom Allan, travailler en mangeant, mais elle ne savait pas comment s'y prendre autrement.

« On dirait qu'elle se croit meilleure que nous, lança une femme, assez fort pour que Ness puisse entendre.

— Tom Allan, y doit penser même chose, dit une autre.

— Non, non. Tom Allan, elle l'intéresse plus depuis qu'elle a été mise dehors de la grande maison. »

Ness avait appris comment se montrer sourde à ces voix. Elle essayait de se souvenir du twi qu'Esi parlait. Essayait de calmer son esprit jusqu'à ce qu'il ne reste plus que la ligne mince, sévère des lèvres de sa mère, des lèvres qui prononçaient des mots d'amour dans une langue que Ness n'arrivait plus à retrouver. Des phrases et des paroles lui revenaient dans le désordre, inversées, fausses.

Elle travaillait toute la journée, écoutant les bruits du Sud. Le vrombissement têtu des moustiques, le chant des cigales, le murmure confus des commérages des esclaves. La nuit, elle regagnait ses quartiers, battait sa paillasse jusqu'à ce que la poussière s'en échappe, tournoyant autour d'elle comme pour l'étreindre. Elle la remettait à sa place et attendait le sommeil qui venait rarement, s'efforçant d'apaiser les images effroyables qui dansaient derrière ses yeux fermés.

Ce fut par une nuit semblable, au moment où elle secouait sa paillasse, que les coups se firent entendre, des poings qui cognaient contre la porte de la baraque des femmes, réguliers, insistants.

« Pitié ! cria une voix. Pitié, à l'aide ! »

Une femme du nom de Mavis ouvrit. Tim Tam se tenait sur le seuil, avec sa fille, Pinky, dans les bras. Il s'avança dans la pièce, la voix étranglée bien qu'il eût les yeux secs.

« Je crois qu'elle a ce qu'avait sa maman », dit-il.

Les femmes firent une place pour l'enfant et Tim Tam l'y déposa avant de commencer à arpenter la pièce en psalmodiant :

« Oh, mon Dieu, oh, mon Dieu, oh, mon Dieu.

— Toi ferais mieux d'aller chercher Tom Allan, qu'il appelle le docteur, dit Ruthie.

127

— Le docteur a servi à rien la dernière fois », dit Tim Tam.

Ness se tenait derrière une rangée de femmes, les épaules dressées en un seul front, prêtes à la bataille. Elle se fraya un passage jusqu'à l'enfant. Pinky était menue et anguleuse, comme si son corps était fait de brindilles rigides. Ses cheveux étaient relevés et attachés en deux grosses houppes. Pendant tout le temps où les femmes l'observèrent, aucun bruit n'émana d'elle à part une respiration saccadée.

« Y a rien qui n'aille pas avec elle », dit Ness.

Tim Tam s'arrêta soudain de marcher de long en large tandis que tout le monde se tournait vers Ness.

« Tu es ici depuis pas longtemps, dit Tim Tam. Pinky a pas prononcé un mot depuis que sa maman est morte et maintenant elle peut pas arrêter ce hoquet.

— C'est rien que des hoquets, dit Ness. Ils ont jamais fait mourir personne, aussi loin que je m'en souvienne. »

Elle regarda autour d'elle les femmes qui hochaient la tête d'un air désapprobateur, mais ne comprit pas ce qu'elle avait fait de mal.

Tim Tam la prit à part.

« Ces femmes t'ont pas dit ? »

Ness secoua la tête. Les femmes lui parlaient si rarement, et elle s'était exercée à ignorer leurs commérages. Tim Tam s'éclaircit la gorge et inclina un peu plus la tête.

« Tu vois, nous savons qui y a rien de travers sauf le hoquet, mais on essaye de la faire parler, et… »

Sa voix se brisa et Ness commença à comprendre que toute l'histoire n'était qu'un subterfuge pour amener la petite Pinky à s'exprimer. Ness s'écarta de Tim Tam et observa soigneusement le petit groupe de femmes rassemblées, les unes après les autres. Elle s'avança jusqu'au centre de la pièce où la petite Pinky était allongée sur la paillasse, les yeux fixés au plafond. La fillette dirigea son regard vers Ness et laissa échapper un nouveau hoquet.

Ness s'adressa à l'assistance.

« Seigneur, je ne sais pas quelle idiotie j'ai faite pour être ici dans cette plantation, mais toutes vous laissez cette fille tranquille. Peut-être elle veut pas parler parce qu'elle sait juste que ça vous rend dingos ou peut-être qu'elle a rien à dire, mais je pense qu'elle va pas commencer ce soir juste parce que vous êtes comme des acteurs d'un théâtre ambulant. »

Les femmes se tordirent les mains et se balancèrent sur leur jambes, et Tim Tam baissa davantage la tête.

Ness regagna sa paillasse, termina d'en battre la poussière, et s'allongea.

Tim Tam s'approcha de Pinky.

« Bon, on part, dit-il en tendant le bras vers la petite fille, mais elle se recula. J'ai dit, on part », répéta-t-il, avec le gris de la honte dans la voix, mais la petite se déroba à nouveau. Elle se dirigea vers l'endroit où reposait Ness, les paupières closes, conjurant le sommeil de venir rapidement. Ness sentit une main lui effleurer l'épaule, elle ouvrit les yeux et vit la petite fille qui l'observait, ses yeux ronds comme des lunes, implorants. Et parce que Ness comprenait ce que représentait la perte, qu'elle savait ce qu'était l'absence d'une mère, le besoin d'une mère, et même le silence, elle saisit la main de Pinky et l'attira dans le lit.

« Tu peux partir, dit-elle à Tim Tam, la tête de l'enfant reposant entre les coussins moelleux de ses seins. Je la garde ce soir. »

À partir de ce jour-là, Pinky devint inséparable de Ness. Elle avait quitté l'autre baraque des femmes pour celle de Ness. Elle dormait avec Ness, mangeait avec Ness, se promenait avec Ness, faisait la cuisine avec Ness. Mais elle ne parlait pas, et Ness ne la forçait jamais, sachant parfaitement que Pinky parlerait quand elle aurait quelque chose à dire, rirait quand quelque chose serait vraiment drôle. De son côté, elle qui n'avait pas réalisé à quel point elle manquait de compagnie était réconfortée par la calme présence de l'enfant.

Pinky était chargée de l'eau. Un jour ordinaire, elle faisait jusqu'à quarante trajets jusqu'au ruisseau qui bordait la plantation Stockham. Elle portait une planche en travers de son dos, les bras repliés pardessus tel un homme chargé d'une croix, et à chaque extrémité de la planche était suspendu un seau argenté. Une fois arrivée au ruisseau, Pinky remplissait les seaux, les rapportait à la grande maison et les vidait dans les grands baquets disposés en permanence dans la véranda des Stockham. Elle remplissait les bassines dans la maison pour que les enfants Stockham aient de l'eau fraîche pour leur bain de l'après-midi. Elle arrosait les fleurs qui ornaient la coiffeuse de Susan Stockham. Ensuite, elle se rendait à la cuisine et donnait deux seaux pleins à Margaret pour la cuisine de la journée. Elle parcourait tous les jours le même sentier frayé, allait jusqu'au ruisseau, revenait à la maison. À la fin de la journée, ses bras tremblaient si fort que Ness sentait son cœur battre sous la peau quand la fillette se faufilait dans le lit à côté d'elle le soir et qu'elle la serrait contre elle.

Le hoquet n'avait pas cessé, persistant depuis le jour où Tim Tam l'avait amenée dans la cabane de Ness dans l'espoir de la forcer à parler en l'effrayant. Chacun y allait de son remède.

« Mets la tête de la fille en bas !

— Dis-lui de retenir sa respiration et d'avaler !

— Croise deux pailles sur le dessus de sa tête ! »

C'est le dernier remède, proposé par une femme dénommée Harriet, qui parut marcher. Pinky fit trente-quatre trajets jusqu'au ruisseau sans un seul hoquet. Au retour du trente-cinquième, Ness était dans la véranda pour prendre sa ration d'eau. Les deux enfants roux des Stockham étaient sortis ce jour-là, le garçon, Tom Jr., et la fille, Mary. Ils montaient l'escalier en courant au moment où Pinky arrivait, et Tom heurta la planche, envoyant valdinguer un des seaux, éclaboussant tous ceux qui se trouvaient dans la véranda. Mary se mit à pleurer.

« Ma robe est toute mouillée ! » dit-elle.

Margaret, qui venait de servir son eau à l'une des autres esclaves, posa sa louche.

« Calmez-vous, miss Mary. »

Tom Jr., qui ne s'était jamais montré un champion de galanterie, décida d'intervenir en faveur de sa sœur.

« Dis pardon à Mary ! » dit-il à Pinky.

Tous les deux étaient du même âge, bien que Pinky ait trente centimètres de plus.

Pinky ouvrit la bouche, mais aucun mot n'en sortit.

« Elle regrette, dit vivement Ness.

— C'est pas à toi que je parle », dit Tom Jr.

Mary avait cessé de pleurer et observait Pinky.

« Tom, tu sais qu'elle ne parle pas, dit-elle. Tout va bien, Pinky.

— Elle parlera si je lui dis de parler, dit Tom Jr., repoussant sa sœur. Dis pardon à Mary », répéta-t-il.

Le soleil était haut et brûlant ce jour-là. En effet, Ness vit que les deux taches d'eau sur la robe de Mary étaient déjà sèches.

Les yeux remplis de larmes, Pinky ouvrit à nouveau la bouche et un flot continu de hoquets saccadés en sortit.

Tom Jr. secoua la tête. Il rentra dans la maison, sous le regard de toute l'assistance, et en ressortit avec la canne de Stockham. Elle était deux fois plus haute que lui, faite de bouleau non écorcé. Elle n'était pas épaisse, mais si lourde qu'il pouvait à peine la tenir à deux mains, encore moins la lever en arrière pour frapper.

« Parle, Négresse ! cria-t-il et Margaret, qui avait cessé de distribuer l'eau, se précipita dans la maison en hurlant :

— Ooh, Tom Junior, je vais quérir ton papa ! »

Pinky sanglotait et hoquetait tout à la fois, ses hoquets étouffant les mots qu'elle aurait prononcés si elle l'avait pu. Tom Jr. leva lourdement la canne de la main droite et essaya de la projeter par-dessus son épaule, mais Ness, dans son dos, en saisit l'extrémité, et tira à s'en arracher les paumes, si fort que Tom Jr. tomba en arrière.

Tom Allan apparut dans la véranda avec Margaret, qui se tenait la poitrine, haletante.

« Que se passe-t-il ? » demanda-t-il.

Tom Jr. se mit à pleurer.

« Elle allait me frapper, papa ! »

Margaret voulut prendre la parole.

« Missié Tom, vous mentez ! Vous étiez… »

Tom Allan leva la main pour la faire taire et regarda Ness. Peut-être se souvint-il des cicatrices de son dos, peut-être se souvint-il qu'à cause d'elles sa femme avait gardé le lit pendant le restant de cette journée, et que lui-même avait boudé son dîner pendant une semaine. Peut-être se demandait-il ce qu'une Négresse avait pu faire pour mériter de telles marques de fouet, de quels méfaits une Négresse comme elle pouvait se montrer capable. Et voilà qu'il trouvait son fils par terre avec de la boue sur son short et Pinky l'enfant muette en larmes. Ness était certaine qu'il voyait clair comme le jour ce qui était arrivé, mais que c'était le souvenir de ses cicatrices qui le faisait hésiter. Une Négresse avec ces cicatrices, et son fils le cul par terre. Que pouvait-il faire ?

« Je vais m'occuper de toi sans tarder », dit-il à Ness, et tout le monde se demanda ce qui allait arriver.

Ce soir-là, Ness regagna le quartier des femmes. Elle se faufila dans son lit et ferma les yeux, dans l'attente des images qui venaient le soir danser derrière ses paupières pour apaiser la nuit. À côté d'elle, Pinky fut prise de hoquets.

« Oh, Seigneur, elle recommence ! Est-ce qu'on a pas eu assez d'ennuis pour une journée ? s'exclama une des femmes. On peut pas avoir un bout de sommeil quand cette fille a le hoquet. »

Honteuse, Pinky plaqua sa main sur sa bouche comme pour ériger un mur empêchant le son de s'échapper.

« Leur donne pas d'attention, murmura Ness. Y penser fait que rendre les choses pires. »

Elle ne savait pas si elle s'adressait à Pinky ou à elle-même.

Pinky ferma les yeux de toutes ses forces tandis qu'une rafale de hoquets explosait de ses lèvres.

« Laissez-la tranquille », dit Ness en réponse au chœur de protestations, et les femmes obéirent. Les événements de la journée avaient semé en elles une petite graine de respect et de pitié à l'égard de Ness qu'elles cultivaient. Elles ignoraient les intentions de Tom Allan.

Dans la nuit, quand elles eurent toutes enfin trouvé le sommeil, Pinky se retourna et se blottit contre la peau douce du ventre de Ness. Ness serra sans s'en rendre compte l'enfant dans ses bras, et s'abandonna à ses souvenirs.

Elle est de nouveau dans l'enfer. Elle est mariée à un homme qu'on appelle Sam, qui vient du continent et ne parle pas anglais. Le maître de l'enfer, le diable en personne, avec sa peau de cuir rouge et sa tignasse grise, préfère que ses esclaves soient mariés « pour une question d'assurance » et parce que Ness est nouvelle dans l'enfer et que personne ne l'a réclamée, on la donne au nouvel esclave, Sam, pour le calmer.

Au début ils ne se parlent pas. Ness ne comprend pas sa langue étrange, et elle est intimidée, car c'est le plus bel homme qu'elle ait jamais vu, avec une peau si noire et veloutée que la regarder vous donne l'impression d'y goûter. Il a le corps massif, musclé de l'animal africain, et refuse d'être mis en cage, même avec Ness comme cadeau de bienvenue. Ness sait que le diable l'a sûrement payé très cher et attend de lui qu'il travaille dur, mais rien ni personne ne paraît capable de le dompter. Le premier jour, il se bat avec un autre esclave, crache sur le surveillant, puis est amené sur une estrade et fouetté devant tout le monde jusqu'à ce qu'il y ait assez de sang sur le sol pour y baigner un bébé.

Sam refuse d'apprendre l'anglais. Chaque soir, pour le châtier de sa langue restée noire, le diable le renvoie à leur lit de noces avec des plaies qu'il rouvre à peine cicatrisées. Une nuit, fou de rage, Sam détruit le quartier des esclaves. Leur chambre est dévastée d'une cloison à l'autre, et quand le diable apprend cette destruction, il vient en personne les punir.

« C'est moi qui l'ai fait », dit Ness.

Elle a pourtant passé la nuit prostrée dans le coin gauche de la pièce, à regarder cet homme qu'on lui a donné pour mari devenir l'animal qu'on l'a accusé d'être.

Le diable ne montre aucune pitié, bien qu'il sache qu'elle ment. Bien que Sam tente à plusieurs reprises de s'accuser. Elle est battue jusqu'à ce que la baguette se brise sur son dos comme du sucre filé et soit jetée au sol.

Quand il s'en va, Sam pleure et Ness est à peine consciente. Les mots que prononce Sam sortent de sa bouche comme une prière fiévreuse, sans que Ness comprenne ce qu'il dit. Il la soulève avec précaution et la dépose sur leur paillasse. Il quitte leur quartier et part chercher le docteur des plantes à huit kilomètres de là, qui revient avec des feuilles, des racines et des baumes dont il enduit le dos de Ness plongée dans l'inconscience. C'est la première nuit où Sam dort dans le lit avec elle, et le lendemain matin, quand la douleur se réveille et que les plaies suppurent, elle le trouve assis à ses pieds, scrutant son visage de ses grands yeux fatigués.

« Je regrette. »

Ce sont les premiers mots anglais qu'il dit, à elle et à personne d'autre.

Cette semaine-là, ils travaillent côte à côte dans les champs, et le diable, sans cesser de les surveiller, n'entreprend rien contre eux. Le soir, ils regagnent leur couche, mais ils dorment chacun de leur côté, sans jamais se toucher. Certaines nuits, ils craignent que le diable ne les observe, et ce sont les nuits où Sam serre son corps contre le sien, attendant que ralentisse le métronome de la peur qui fait battre le cœur de Ness. Son vocabulaire s'est étoffé et il ajoute à son nom « ne t'inquiète pas » et « calme ». Dans un mois, il apprendra à dire « aime ».

Un mois plus tard, une fois les blessures de leurs dos durcies, ils consomment enfin leur mariage. Il la soulève si facilement, qu'elle a l'impression d'être une de ces poupées de chiffon qu'elle fabrique pour les enfants. Elle n'a jamais connu d'homme auparavant, mais pour elle Sam n'est pas un homme. Pour elle, il est devenu quelque chose de beaucoup plus grand qu'un homme, la tour de Babel personnifiée, si proche de Dieu qu'elle risque de s'effondrer. Il fait courir sa main le long de son dos croûteux, et elle en fait autant le long du sien, et quand ils s'étreignent, les plaies se rouvrent. Ils saignent tous les deux à présent, le marié et la mariée, dans cette union à la fois sainte et sacrilège. Le souffle de Sam pénètre dans la bouche de Ness, et ils reposent côte à côte jusqu'au chant du coq, jusqu'à ce que vienne l'heure de retourner aux champs.

Ness se réveilla en sentant le doigt de Pinky s'enfoncer dans son épaule.

« Ness, Ness ! »

Ness se tourna vers l'enfant, essayant de cacher sa surprise.

« Tu faisais un mauvais rêve ? demanda Pinky.

— Non, dit Ness.

— On aurait dit que tu faisais un mauvais rêve, dit la fillette, déçue parce qu'elle avait parfois la chance que Ness lui raconte ses histoires.

— C'était terrible, répondit Ness, mais ce n'était pas un rêve. »

Le chant des coqs annonça le matin, et les femmes du quartier des esclaves se préparèrent pour la journée, tout en chuchotant sur le sort réservé à Ness.

Tom Allan n'avait jamais fouetté un esclave en public, contrairement à ce qu'il se passait dans les autres plantations. Le maître avait de l'eau dans les veines et il détestait la vue du sang. Non, quand Tom Allan voulait punir l'un de ses esclaves c'était en privé, quelque part où il pouvait fermer les yeux pendant la punition, et se coucher ensuite. Mais cette fois, les choses semblaient différentes. Ness était l'une des rares esclaves qu'il n'avait jamais réprimandée publiquement, et elle savait qu'il s'était senti embarrassé quand il avait vu son fils par terre tandis que Pinky restait muette et indemne.

Elle regagna le rang de la plantation où elle travaillait la veille ; les autres la suivirent du regard. On disait que la plantation de Tom Allan s'étendait plus loin qu'aucun des autres petits domaines du pays, et que cueillir une rangée entière de coton prenait deux bonnes journées. Tim Tam apparut subitement dans le dos de Ness. Il lui toucha l'épaule et elle se retourna.

« Ils ont dit que Pinky avait parlé hier. Je s'pose que je devrais te dire merci pour ça. Et pour l'autre chose. »

Ness l'examina et se rendit compte qu'elle l'avait toujours vu en train de mâchonner quelque chose, sa bouche constamment animée d'un mouvement circulaire.

« Tu as besoin de rien faire », dit Ness, se penchant à nouveau.

Tim Tam leva les yeux pour voir si Tom Allan était déjà arrivé sous la véranda.

« Eh bien, j'suis reconnaissant quand même », dit-il, et il avait l'air sincère.

Quand Ness releva la tête, il souriait à nouveau, ses lèvres épaisses découvrant ses dents.

« Je peux parler à M. Tom pour toi. Il fera rien.

— Je pense que j'ai besoin de personne pour se battre à ma place. Pourquoi je commencerais aujourd'hui ? Maintenant va embêter quelqu'un d'autre avec ta gratitude. Margaret, c'est sûr qu'elle serait heureuse avec ça. »

Tim Tam se renfrogna. Il fit un signe de tête à Ness et regagna sa rangée. Au bout de quelques minutes Tom Allan apparut sous la véranda. Tous les yeux observèrent Ness à la dérobée. Elle ressentit ce qui s'emparait d'elle parfois la nuit, dans le noir, à la sombre saison des moustiques, quand elle sentait la présence de quelque chose de menaçant, sans pouvoir distinguer le danger.

Depuis l'endroit où elle se tenait, Tom Allan n'était pas plus qu'une petite tache noire, et elle se demanda combien de temps il lui faudrait pour agir, s'il la convoquerait ce matin où laisserait passer plusieurs jours, la laissant dans l'expectative. C'était l'attente qui la tourmentait, qui l'avait toujours tourmentée. Sam et elle avaient passé tellement de temps à attendre, attendre, attendre.

Ness avait fait attendre Sam au-dehors pendant qu'elle accouchait. Elle avait donné naissance à Kojo durant un étrange hiver du Sud. Une neige exceptionnelle avait recouvert les plantations pendant une semaine entière, menaçant les récoltes, contrariant les propriétaires, désœuvrant les mains des esclaves.

Ness était enfermée dans la salle d'accouchement la nuit de la plus forte chute de neige, et quand la sage-femme était enfin arrivée et avait ouvert la porte, un vent froid avait envahi la pièce, charriant un tourbillon de flocons qui avaient fondu sur les tables, les chaises et le ventre de Ness.

Durant toute la grossesse, Kojo avait été le genre de bébé qui tempête contre les parois de l'utérus de sa mère, et le voyage de sortie n'avait pas été différent. Ness avait hurlé à s'en déchirer la gorge, se rappelant à chaque poussée les histoires que les autres esclaves racontaient sur sa propre naissance. Ils disaient qu'Esi n'avait dit à personne que Ness était en route ; elle était allée se réfugier derrière un arbre et s'était accroupie. Ils disaient qu'un son étrange avait précédé le premier cri du nouveau-né et, pendant des années ensuite, Ness les avait entendus discuter sur la nature de ce bruit. Un esclave pensait que c'était le battement d'ailes d'un oiseau. Un autre que c'était un esprit, venu aider Ness à sortir, avant de repartir dans un grondement. Mais un autre disait qu'il venait d'Esi elle-même. Qu'elle s'était éloignée pour être seule, pour avoir son moment de joie avec son enfant avant qu'on ne vienne lui dérober les deux, sa joie et l'enfant. Le bruit, avait dit cet esclave, était celui du rire d'Esi, et c'était pourquoi ils ne l'avaient pas reconnu.

Ness ne pouvait pas imaginer que l'on puisse rire pendant un accouchement jusqu'au moment où la sage-femme avait mis Kojo au monde et où son enfant avait poussé son premier cri, plus fort qu'elle n'en aurait cru ses petits poumons capables, où Sam, qui faisait les cent pas dehors dans la neige, avait remercié ses ancêtres en yoruba et attendu de pouvoir le tenir dans ses bras. Alors Ness avait compris.

Après la naissance de leur fils, Sam était devenu tout ce que le diable avait voulu qu'il soit. Docile, travaillant dur, il se battait rarement, ne causait pas d'ennuis. Il se rappellerait toujours la manière dont le diable avait battu Ness à cause de son acte de folie, et la première fois où il avait tenu dans ses bras Kojo, qu'on appelait Jo, il s'était juré que le garçon ne souffrirait jamais à cause de lui.

Puis Ness était allée trouver Aku et avait dit à Sam qu'il pourrait tenir cette promesse. Assise au fond de l'église le dimanche de Pâques, le seul dimanche où le diable permettait à ses esclaves de parcourir les vingt-cinq kilomètres qui les séparaient de l'église baptiste noire, à la lisière de la ville, elle avait attendu le début du sermon. Instinctivement, elle s'était mise à chanter un petit air twi que sa mère fredonnait tristement les soirs où le travail des esclaves avait été particulièrement éprouvant, quand elle avait été battue pour sa soi-disant insolence, sa paresse, ou ses échecs.

La Colombe a perdu. Oh, que faire ? La châtier, ou tu perdras aussi.

Ness ignorait ce qu'elle chantait, car Esi ne lui avait jamais dit ce que signifiaient les paroles, mais sur le banc devant elle une femme s'était retournée en murmurant quelque chose.

« Je regrette, je ne comprends pas », dit Ness.

La femme avait utilisé le langage de sa mère.

« Alors tu es une Ashantie et tu le sais même pas », dit la femme.

Elle avait un accent traînant, comme celui d'Esi autrefois, teinté de la douceur de la Côte-de-l'Or.

Elle dit qu'elle s'appelait Aku et qu'elle venait du pays ashanti. Elle avait été enfermée au fort comme la mère de Ness, avant d'être envoyée aux Caraïbes puis en Amérique.

« Je sais comment partir d'ici », dit Aku.

Le sermon était sur le point de commencer et Ness savait qu'elle n'aurait pas beaucoup de temps. Le dimanche de Pâques ne reviendrait que dans un an, et Aku ou elle aurait peut-être été vendue à ce moment-là, ou serait même morte. Les conditions de leur existence ne leur garantissaient pas de vivre. Il fallait agir vite.

Parlant à voix basse, Aku avait raconté à Ness qu'elle avait souvent conduit des Akans vers le Nord et la liberté, si souvent qu'on lui avait donné le surnom twi de *Nyame nsa*, la « main de Dieu », la « main du secours ». Ness savait que personne ne s'était jamais échappé de la plantation du diable, mais en entendant les paroles de cette femme, qui lui rappelait sa mère, qui louait le Seigneur que sa mère avait loué, Ness comprit qu'elle voulait que sa famille soit libre.

Jo avait un an quand Ness commença à élaborer des plans pour que sa famille recouvre la liberté. La femme lui assurait qu'elle avait déjà emmené des enfants vers le Nord, même des bébés qui réclamaient encore le sein de leur mère. Jo ne serait pas un problème.

Ness et Sam en parlaient toutes les nuits qu'ils passaient ensemble. « Tu ne peux pas élever un enfant en enfer », répétait sans cesse Ness, songeant à la manière dont elle avait été volée à sa propre mère. Qui savait combien de temps elle aurait auprès d'elle son merveilleux enfant avant qu'il oublie le son de sa voix, les détails de son visage, comme elle avait oublié ceux d'Esi. Et quand finalement Sam fut convaincu, ils avertirent Aku, lui dirent qu'ils étaient prêts, qu'ils attendraient son signal, un chant twi d'autrefois, s'élevant doucement de la forêt comme porté par les feuilles agitées par le vent.

Et ils attendirent. Ness et Sam travaillaient plus tard et plus dur dans les champs que les autres esclaves, de telle façon que même le diable souriait quand on mentionnait leurs noms. Ils attendirent l'automne et l'hiver, guettant les notes qui leur indiqueraient que le temps était venu, priant pour ne pas être vendus et séparés avant que la chance se présente.

Ils ne le furent pas, mais Ness se demanda souvent s'il n'aurait pas mieux valu. Le chant se fit entendre au printemps, si faible que Ness crut l'avoir imaginé, mais Sam prit rapidement Jo d'un bras et Ness de l'autre, et tous les trois se retrouvèrent hors des terres du diable pour la première fois de leur vie, aussi loin que remontaient leurs souvenirs.

Cette première nuit, ils marchèrent si longtemps, si loin, que les plantes de pieds de Ness s'ouvrirent. Elle saignait sur les feuilles, espérant que tombe la pluie afin que les chiens à leurs trousses ne puissent trouver leur trace. Au lever du soleil, ils grimpèrent dans les arbres. Ness en avait perdu l'habitude depuis l'enfance, mais elle retrouva vite les gestes. Elle attacha Jo sur son dos avec une étoffe et atteignit la branche la plus haute. Quand il pleurait, elle le pressait contre sa poitrine. Et il restait parfois si tranquille qu'elle s'inquiétait, souhaitait l'entendre pleurer à nouveau. Mais ils s'efforçaient tous au silence, un silence semblable à celui dont parlait Esi dans ses récits du Grand Bateau. Un silence semblable à la mort.

Les jours s'écoulèrent ainsi, tous les trois et Aku se cachant dans les arbres ou les hautes herbes des champs, mais bientôt Ness sentit une chaleur monter de la terre, et elle sut, comme on sent instinctivement l'air ou l'amour, que le diable était à leur poursuite.

« Peux-tu emmener Kojo, ce soir ? demanda Ness à Aku pendant que Sam s'était éloigné avec le garçon en quête d'eau. Juste pour cette nuit. Mon dos ne peut pas le porter davantage. »

Aku hocha la tête, lui lança un coup d'œil interrogateur, mais Ness savait ce qu'elle voulait et elle ne changerait pas d'avis.

Ce matin-là, les chiens arrivèrent, haletant bruyamment, attaquant à coups de griffes le tronc de l'arbre où Ness s'était réfugiée.

Il y eut un sifflement lointain, un vieil air du Sud qui monta du sol avant même qu'on puisse le rattacher à un être humain.

« Je sais que vous êtes là, quelque part, dit le diable. Et j'attends avec plaisir que vous sortiez. »

Dans son twi saccadé, Ness appela Aku, qui était un peu plus loin, avec le petit Jo.

« Ne descends pas, quoi qu'il arrive », dit Ness.

Le diable continua de s'approcher, sans cesser de chantonner. Ness savait qu'il attendrait indéfiniment et que le bébé allait pleurer, avoir faim. Elle espéra que Sam lui pardonnerait tout ce qu'elle allait leur faire subir, et elle descendit de l'arbre. Elle toucha le sol avant de se rendre compte qu'il en avait fait autant.

« Où est le garçon ? demanda le diable tandis que ses hommes les attachaient tous les deux.

— Mort », dit Ness, espérant avoir cette expression qu'avaient parfois les mères quand elles revenaient après s'être enfuies, après avoir tué leurs enfants pour leur rendre la liberté.

Le diable haussa les sourcils et eut un rire lourd.

« Dommage. Je croyais avoir peut-être quelques Nègres de confiance. C'est la preuve que non. »

Il ramena Ness et Sam en enfer.

À leur arrivée, tous les esclaves furent convoqués devant le poteau de flagellation. Il leur arracha leurs vêtements, attacha Sam si serré qu'il ne pouvait même pas remuer les doigts, et l'obligea à regarder Ness se couvrir de ces sillons qui la rendraient trop laide pour travailler dans aucune maison. À la fin, elle était tombée à terre, ses plaies couvertes de poussière. Elle était incapable de lever la tête, et le diable la lui tint et la força à regarder. Il les obligea tous à regarder : la corde, la branche de l'arbre qui pliait, la tête arrachée du corps.

C'est ainsi que ce jour-là, pendant qu'elle attendait de savoir quelle punition Tom Allan lui réservait, Ness ne pouvait s'empêcher de se rappeler cette journée. La tête de Sam, la tête de Sam inclinée sur la gauche, ballante.

Pinky monta de l'eau sur la véranda où attendait Tom Allan. Quand la petite fille se retourna, son regard rencontra celui de Ness, mais Ness ne le soutint pas longtemps. Elle continua à cueillir le coton. Elle accomplissait chaque geste de la cueillette de la même façon, depuis le jour où elle avait vu la tête de Sam, comme une prière. En se penchant, elle disait : « Dieu, pardonne-moi mes péchés. » En arrachant le coton, elle disait : « Délivre-nous du mal. » Et en le soulevant, elle disait : « Et protège mon fils, où qu'il soit. »

James

Dehors, les enfants chantaient « *Eh-say, shame-ma-mu* » et dansaient autour du feu, leurs ventres lisses, nus et luisants comme des petits ballons dans la lumière. Ils chantaient parce que la rumeur était arrivée – les Ashantis avaient eu la tête du gouverneur Charles MacCarthy. Ils la gardaient sur une pique devant le palais du roi ashanti comme une menace lancée aux Anglais : voilà ce qui arrive à ceux qui nous défient.

« Eh, les petits, vous savez que si les Ashantis ont battu les Anglais, ils s'en prendront à nous les Fantis ensuite ? » dit James.

Il s'avança vers l'une des petites filles et la chatouilla jusqu'à ce que tous les enfants se mettent à rire et demandent grâce. Il relâcha la gamine et prit l'air sévère, continuant son sermon.

« Vous serez en sécurité ici dans ce village parce que ma famille est royale. Ne l'oubliez pas.

— Oui, James », dirent-ils.

Sur la route, le père de James approchait avec un des hommes blancs du fort. Il fit signe à James de suivre dans la concession.

« Le garçon devrait-il entendre ça, Quey ? demanda l'homme blanc, jetant un coup d'œil à James.

— C'est un homme, pas un garçon. Il assumera mes responsabilités ici quand j'aurai fini. Tout ce que tu me dis, tu peux aussi le lui dire. »

L'homme blanc hocha la tête, et regarda attentivement James en parlant.

« Le père de ta mère, Osei Bonsu, est mort. Les Ashantis disent que nous avons tué leur roi pour venger la mort du gouverneur MacCarthy.

— Et vous l'avez fait ? » demanda James, plein d'assurance, sentant la colère commencer à bouillonner dans ses veines.

L'homme blanc détourna les yeux. James n'ignorait pas que c'étaient les Anglais qui avaient encouragé les guerres tribales depuis des années, sachant que tous les prisonniers leur seraient vendus comme esclaves. Sa mère disait toujours que la Côte-de-l'Or ressemblait à une marmite de soupe d'arachide. Son peuple, les Ashantis, était le bouillon, et le peuple de son père, les Fantis, était l'arachide, et les nombreuses autres nations qui avaient vu le jour au bord de l'Atlantique et se déplaçaient à travers le bush dans le nord constituaient, la viande, le poivre et les légumes. Cette marmite était déjà remplie à ras bord avant que les hommes blancs ne viennent y allumer le feu. Maintenant c'était tout ce que la population de la Côte-de-l'Or pouvait faire pour l'empêcher de déborder encore, et encore et encore. James ne serait pas surpris que les Anglais aient tué son grand-père pour faire monter la température. Depuis que sa mère avait été volée et mariée à son père, son village avait été sur des charbons ardents.

« Ta mère veut assister aux funérailles », dit Quey.

James relâcha le poing qu'il avait inconsciemment serré.

« C'est trop risqué, Quey, dit l'homme blanc. Même le statut royal de Nana Yaa ne pourrait pas te protéger. Ils savent que ton village a coopéré avec nous pendant des années. C'est tout simplement trop dangereux. »

Quey baissa la tête, et James entendit soudain la voix de sa mère dans son oreille, lui disant que son père était un homme faible qui n'avait aucun respect pour la terre qu'il foulait.

« Nous irons, dit James, et Quey se redressa. Ne pas assister aux funérailles du roi ashanti est un péché que les ancêtres ne pardonneraient jamais. »

Quey hocha lentement la tête. Il se tourna vers l'homme blanc.

« C'est le moins que l'on puisse faire », dit-il.

L'homme blanc leur serra la main à tous les deux et, le lendemain, James, sa mère et son père prirent la direction du nord pour Kumasi. Sa grand-mère Effia resterait à la maison avec les plus jeunes enfants.

James tenait le fusil sur ses genoux tandis qu'ils roulaient à travers la forêt. La dernière fois qu'il en avait tenu un c'était cinq ans auparavant, en 1819, pour son douzième anniversaire. Son père l'avait emmené dans les bois tirer sur des bandes de tissu qu'il avait nouées autour de quelques arbres à une distance certaine. Il avait dit à James qu'un homme devait apprendre à tenir un fusil de la même façon qu'il tenait une femme, avec précaution et tendresse.

Aujourd'hui, dans la carriole qui les emmenait à travers le bush, James, face à ses parents, se demandait si son père avait jamais tenu sa mère de cette façon, avec précaution et tendresse. Si la guerre avait défini la vie de la Côte-de-l'Or, elle l'avait aussi définie à l'intérieur même de sa concession.

Nana Yaa pleura pendant tout le trajet.

« Si ce n'était pas pour mon fils, nous donnerions-nous la peine d'y aller ? » demanda-t-elle.

James avait fait l'erreur de lui rapporter la discussion de son père avec l'homme blanc la veille.

« Si ce n'était pas pour moi, est-ce que tu aurais seulement eu ce fils ? murmura son père.

— Quoi ? dit sa mère. Je ne comprends rien à cet affreux fanti que tu parles. »

James leva les yeux au ciel. Ils continueraient ainsi pendant tout le reste du trajet. Il se rappelait encore leurs querelles quand il était petit. Sa mère se récriant à propos de son nom :

« James Richard Collins ? hurlait-elle. James Richard Collins ! Quelle sorte d'Akan tu es pour donner à ton fils trois noms blancs ?

— Et alors ? répliquait son père. Ne sera-t-il pas un prince pour notre peuple et pour les Blancs également ? Je lui ai donné un nom puissant. »

James savait aujourd'hui, comme alors, que ses parents ne s'étaient jamais aimés. C'était un mariage de convenance ; le devoir les maintenait ensemble, même si cela semblait à peine suffisant. Pendant la traversée de la ville de Edumfa, sa mère continua à déclarer que Quey n'aurait jamais été un homme s'il n'y avait eu Fiifi, feu le grand-oncle de James. Quantité de leurs disputes menaient à Fiifi et aux décisions qu'il avait prises pour Quey et leur famille.

Après plusieurs jours de route, ils s'arrêtèrent pour passer la nuit à Dunkwa chez David, un ami que Quey avait connu en Angleterre et qui était revenu sur la Côte-de-l'Or des années auparavant avec son épouse anglaise. Des jours, des semaines, s'écouleraient avant qu'ils n'atteignent l'intérieur des terres où reposait le corps du grand-père de James et qu'ils puissent tous célébrer son existence.

« Quey, mon vieil ami », dit David à l'arrivée de la famille de James.

Il avait un ventre rebondi comme une énorme noix de coco. Pendant une seconde, se souvenant de la façon dont il avait appris dans son enfance à trancher le fruit pour boire l'intérieur, James se demanda ce qu'un homme comme David pourrait recracher s'il était percé.

Son père et David se serrèrent la main et commencèrent à parler. James remarquait toujours que plus le temps s'était écoulé depuis la dernière entrevue des deux hommes, plus leurs voix étaient fortes et passionnées, comme si le volume essayait de compenser l'éloignement ou de revenir en arrière.

Nana Yaa fit un signe de tête à l'adresse de la femme de David, Katherine, puis s'éclaircit bruyamment la voix.

« Ma femme est très fatiguée », dit Quey, et les domestiques vinrent lui indiquer sa chambre.

James fit mine de les suivre, espérant prendre un peu de repos lui aussi, mais David l'arrêta.

« Eh, James, tu es un grand garçon. Assieds-toi. Parlons. »

À chacune de leur rencontre, David avait toujours qualifié James de grand garçon. Il se rappelait la fois où, à peine âgé de quatre ans, il avait trébuché sur quelque chose d'invisible, une araignée peut-être, et était tombé par terre, se déchirant la lèvre supérieure. Il s'était mis à crier, un cri violent sortant du fond de sa poitrine. David l'avait relevé d'une main, lui avait brossé les fesses de l'autre et l'avait assis sur une table en face de lui afin de le regarder bien en face.

« Tu es un grand garçon maintenant, James. Tu ne peux pas pleurer chaque fois qu'il t'arrive une petite chose. »

Les trois hommes prirent place autour d'un feu préparé par les domestiques, et burent du vin de palme. James trouva que son père paraissait soudain vieilli, comme si les trois jours de voyage avaient compté pour trois ans. Si le voyage durait trente jours, Quey paraîtrait alors aussi vieux que le grand-père de James avant sa mort.

« Alors, elle te donne toujours des ennuis, eh ? Même si tu l'emmènes aux funérailles de Osei Bonsu ? demanda David.

— Rien n'est jamais assez pour cette femme, dit Quey

— C'est ce qui arrive quand on se marie pour le pouvoir au lieu de se marier par amour. La Bible dit...

— Je n'ai pas besoin de savoir ce que dit la Bible. J'ai étudié la Bible moi aussi, te rappelles-tu ? En réalité, je me souviens d'être allé au catéchisme plus souvent que toi, dit Quey avec un rire bref. Je n'ai que faire de cette religion. J'ai choisi cette terre, ces gens, ces coutumes plutôt que celles des Anglais.

— Tu l'as choisie, ou on l'a choisie pour toi ? » demanda calmement David.

Quey jeta un regard furtif à James avant de détourner les yeux. C'était ce que sa mère criait toujours à Quey quand elle était vraiment en colère. « Tu es tellement mou, tu te démontes toujours ! Homme faible ! »

« Et toi, James ? Tu es assez âgé pour penser aux réjouissances du mariage. Devons-nous commencer à te chercher une femme ou en as-tu déjà une en tête ? »

David lui fit un clin d'œil et ensuite, comme si ce clin d'œil actionnait un déclic dans sa gorge, il partit d'un rire si sonore qu'il s'étrangla dans sa salive.

« Nana Yaa et moi lui avons choisi une gentille fille qu'il épousera quand le temps sera venu », dit Quey.

David acquiesça prudemment et inclina la calebasse de vin en arrière, sa pomme d'Adam montant et descendant au passage du liquide. James se rembrunit. Quand il était encore petit, son grand-oncle Fiifi, avant de mourir, avait conspiré avec Quey pour choisir la femme qu'il épouserait. Elle s'appelait Amma Atta, la fille du successeur du chef Abeeku Badu sur le trône. Leur union serait la dernière chose sur la liste des arrangements que Fiifi s'était promis d'accomplir pour Quey. Ce serait la réalisation d'une promesse que Cobbe Otcher avait faite à Effia Otcher Collins des années plus tôt ; que son sang serait mêlé au sang des membres de la famille royale des Fantis. James l'épouserait la veille de son dix-huitième anniversaire. Elle serait sa première épouse, la plus importante.

Parce que Amma avait également grandi dans le village, James l'avait toujours connue, et quand ils étaient jeunes, il avait l'habitude de jouer avec elle à l'extérieur de la concession du chef Abeeku. Mais en grandissant, Amma avait commencé à l'agacer. Des petits détails, comme la façon dont elle riait une seconde de trop après l'avoir entendu faire une plai-santerie, juste assez longtemps pour qu'il comprenne qu'elle ne le trouvait pas drôle du tout, ou sa façon d'enduire ses cheveux d'une telle quantité d'huile de coco que, si une mèche l'effleurait quand elle était à côté de lui, il continuait à empester l'huile quand ils n'étaient plus ensemble. Il avait à peine quinze ans quand il avait su qu'il ne pourrait jamais aimer une femme pareille, mais peu importait ce qu'il pensait.

Les hommes continuèrent à boire leur vin en silence pendant un moment. Dans les arbres, les oiseaux s'encourageaient à dormir. Une araignée grimpa sur le pied nu de James, et il se rappela les histoires de l'arachnide diabolique Anansi que sa mère lui racontait et qu'elle continuait de raconter à ses jeunes frères et sœurs. « Vous connaissez l'histoire d'Anansi et de l'oiseau endormi ? » leur demandait-elle, un éclair malicieux dansant dans ses yeux. Ils criaient tous « Non ! » et pouffaient dans leurs mains, ravis de leur mensonge, car ils l'avaient entendue bien des fois auparavant, apprenant alors qu'une histoire n'est rien de plus qu'un mensonge débité en toute impunité.

David inclina à nouveau la calebasse en renversant la tête en arrière afin d'en vider tout le contenu. Il rota, puis s'essuya la bouche du dos de la main.

« C'est vrai ? demanda-t-il. La rumeur selon quoi les Anglais vont bientôt abolir l'esclavage ? »

Quey haussa les épaules.

« L'année de la naissance de James, on a dit au fort que le commerce des esclaves était aboli et que nous ne pourrions plus vendre nos esclaves à l'Amérique, mais les tribus ont-elles cessé de vendre ? Cela a-t-il fait partir les Anglais ? Tu ne vois donc pas cette guerre que se livrent les Anglais et les Ashantis aujourd'hui et qu'ils continueront à se livrer longtemps après notre mort ou même celle de James ? Il y a plus en jeu que l'esclavage, mon frère. C'est à qui possédera la terre, les gens, le pouvoir. Tu ne peux pas planter un couteau dans une chèvre et dire ensuite "Maintenant je vais ôter mon couteau lentement, et il faut que les choses se passent facilement et proprement, qu'il n'y ait pas de dégâts". Il y aura toujours du sang. »

James avait entendu cent fois ce genre de discours. Les Anglais ne vendaient plus d'esclaves en Amérique, mais l'esclavage n'avait pas pris fin, et son père ne croyait pas qu'il finirait un jour. Ils troqueraient simplement une sorte de chaînes pour une autre, changeraient les chaînes réelles qui encerclaient les poignets et chevilles pour d'autres invisibles qui enchaînaient les esprits. James ne l'avait pas compris quand il était plus jeune, quand le commerce légal des esclaves avait pris fin et que l'illégal avait commencé, mais il comprenait aujourd'hui. Les Anglais n'avaient pas l'intention de quitter l'Afrique, même après l'abolition de la traite des Noirs. Ils possédaient le fort, et, bien qu'ils ne l'aient pas encore dit à haute voix, ils avaient l'intention de prendre possession de la terre aussi.

Ils se remirent en route le lendemain matin. La mère de James semblait avoir retrouvé sa bonne humeur après une nuit de repos. Il lui arrivait même de fredonner pendant le trajet. Ils traversèrent des petites villes et des villages construits avec un peu plus que du torchis et des planches. Ils purent compter sur la bienveillance des gens avec lesquels Quey avait travaillé autrefois, ou de cousins et d'arrière-cousins que Nana Yaa n'avait jamais rencontrés, de gens qui offrirent leur sol et un peu de vin de palme. James remarqua que plus ils s'enfonçaient à l'intérieur du pays, plus la peau de son père suscitait la curiosité des gens du bush. « Tu es un homme blanc ? » demanda un jour une petite fille, tendant son index et touchant la peau à peine foncée de Quey comme si elle pouvait en attraper un peu de couleur.

« Qu'est-ce que tu crois ? » répliqua Quey, dans un twi un peu rouillé mais correct.

La gamine avait pouffé, puis secoué la tête lentement avant de partir en courant pour rapporter la réponse aux autres enfants qui étaient rassemblés autour du feu, le dévisageant, trop intimidés pour l'interroger eux-mêmes.

156

Ils atteignirent Kumasi à la tombée du soir et furent accueillis pas le frère aîné de Nana Yaa, Kofi, et ses gardiens.

« *Akwaaba*, dit-il. Vous êtes bienvenus ici. »

On les conduisit au vaste palais du nouveau roi, où les domestiques avaient préparé une pièce dans un coin de l'édifice. Kofi prit place avec eux tandis qu'ils mangeaient le plat de bienvenue et les mit au courant de ce qui s'était passé en ville depuis qu'ils avaient quitté leur village.

« Pardonne-moi, sœur, mais nous ne pouvions attendre si longtemps pour l'enterrer », dit Kofi.

Nana hocha la tête. Elle avait appris que le corps serait enterré avant leur arrivée afin que le nouveau roi puisse exercer sa souveraineté. Elle avait seulement voulu arriver à temps pour les funérailles.

« Et Osei Yaw ? » demanda-t-elle.

Tout le monde s'inquiétait au sujet du nouveau roi. Parce qu'ils étaient en guerre, ils avaient dû le choisir rapidement, juste après l'enterrement du grand-père de James, et personne ne savait si ce serait bien ou non pour le peuple et la guerre qu'ils menaient.

« Il fait du bon travail comme Asantehene[1], dit Kofi. Ne t'inquiète pas, petite sœur. Il s'assurera que notre père soit honoré comme il doit l'être. »

Tandis que son oncle parlait, James remarqua que Kofi ne prêtait aucune attention à son père. Ses yeux n'avaient pas croisé une seule fois ceux de Quey, pas même par hasard. Il ressemblait au chat aveugle qui se déplaçait dans la forêt sombre guidé seulement par

---

1. Monarque absolu du peuple ashanti.

son instinct, évitant les rondins de bois et les rochers qui le menaçaient ou l'avaient déjà blessé.

Les cérémonies des funérailles commencèrent le lendemain. Nana Yaa quitta le palais longtemps avant que James et les autres hommes soient réveillés pour se joindre aux lamentations des femmes de la famille, qui annonçaient à tout le monde en ville que le jour des cérémonies était arrivé. Vers midi, ces femmes vêtues de leurs robes rouges, des feuilles de nyanya et de rafia tressées autour de leurs fronts tachés d'argile allaient parcourir les rues en se lamentant.

Pendant ce temps, James, son père, et les autres hommes enfilèrent leurs vêtements de deuil noir et rouge. Des joueurs de tambour se déployèrent d'une extrémité à l'autre du palais. Ils joueraient jusqu'à l'aube. Les hommes commencèrent à psalmodier, puis à danser le kete, l'adowa, le dansuomu. Ils danseraient jusqu'à l'aube.

La famille du roi décédé était assise en rang afin de pouvoir être saluée par tout le cortège funèbre. La file commençait par la première épouse du grand-père de James et continuait jusqu'au milieu de la place de la ville. James se tenait près de son père. Il se rappela qu'il devait garder les épaules droites et regarder les gens dans les yeux afin que tout le monde sache bien qu'il était un homme dont le sang avait l'importance requise. Tous lui serraient la main et murmuraient leurs condoléances, et James les acceptait, bien qu'il n'ait jamais vécu sur la terre des Ashantis et ait seulement connu son grand-père comme on connaît son ombre, comme une silhouette qui est là, visible mais intouchable, inconnaissable.

Au moment où se présentaient les derniers membres du cortège, le soleil était à son plus haut dans le ciel. James porta furtivement la main à ses yeux pour en chasser la sueur, et quand il les ouvrit, il vit devant lui la plus jolie fille qu'on puisse imaginer.

« Puisse le vieux roi trouver la paix dans le royaume des ancêtres, dit la fille, mais elle ne prit pas sa main.

— Quoi ? demanda James. Tu ne serres pas la main ?

— Avec mon respect, je ne serre jamais la main d'un négrier », dit-elle.

Elle le regardait droit dans les yeux en parlant et James examina attentivement son visage. Ses cheveux étaient ramassés en une houppe au sommet de sa tête, et ses mots sifflaient à travers un espace entre ses dents de devant. Bien que ses vêtements de deuil fussent étroitement drapés, ils avaient un peu glissé et James distingua le haut de ses seins. Il aurait pu la gifler pour son insolence, la dénoncer, mais la foule continuait à se presser derrière elle ; les funérailles devaient se poursuivre. James la laissa avancer, essaya de la garder à l'œil, mais peu après, il la perdit de vue.

Il la perdit mais ne put l'oublier, même quand les derniers membres du cortège défilèrent pour le saluer. James était à la fois agacé et humilié par ce qu'elle avait dit. Avait-elle serré la main de son père ? De son oncle ? Qui était-elle pour décréter ce qu'était un négrier ? Il avait passé sa vie entière à écouter ses parents se disputer pour savoir qui était supérieur, Ashanti ou Fanti, mais la question ne concernait jamais les esclaves. Les Ashantis avaient le pouvoir de capturer les esclaves. Les Fantis avaient la garantie d'en faire le commerce. Si la fille ne pouvait pas lui serrer la main, alors elle ne pourrait certainement jamais toucher la sienne propre.

Ils finirent par laisser Osei Bonsu, le vieux roi, reposer en paix ; le gong avertit la population que c'était fini, qu'ils pouvaient tous reprendre le cours normal de leur vie. Pour les membres de la famille, en revanche, cela allait se poursuivre encore pendant quarante jours. Pendant quarante autres jours, ils porteraient des vêtements de deuil, feraient le tri et la répartition des cadeaux, et se soucieraient du successeur du roi.

Les parents de James s'en iraient dans les deux jours à venir, et James savait qu'il avait peu de temps pour retrouver la fille qui avait refusé de lui serrer la main.

Il alla trouver son cousin Kwame. Kwame allait avoir vingt ans et il avait déjà été marié deux fois. C'était un homme corpulent, à la peau sombre, qui parlait fort et buvait beaucoup, mais il était gentil et loyal. James et sa famille lui avaient rendu visite autrefois quand James avait à peine sept ans. Kwame et lui avaient joué dans la salle du trône d'or de leur grand-père, une salle où des hommes avaient été tués pour être entrés sans y être priés, une salle qui leur avait été expressément interdite. Tout en jouant, James avait fait tomber une des cannes de leur grandpère. Par une de ces coïncidences qui ne peuvent être attribuées qu'à des esprits mauvais, la canne

160

avait atterri dans la lampe à huile de palme avant de prendre feu. Les deux garçons l'avaient rapidement jetée dehors. Sentant l'odeur du feu, toute la famille était venue voir ce qui s'était passé.

« Qui a fait ça ? » avait crié leur grand-père.

Il était le roi des Ashantis depuis si longtemps que sa voix ne ressemblait plus à la voix d'un homme, mais plutôt au rugissement d'un lion.

James avait aussitôt baissé la tête, attendant que Kwame le dénonce. Il était l'étranger, ne venait en ville qu'une fois tous les deux ou trois ans. Kwame était celui qui habitait ici, avec leur lion de grand-père et sa rage vive et puissante. Mais Kwame n'avait rien dit. Même quand leurs mères les avaient pris tous les deux en travers de leurs genoux et les avaient fouettés, Kwame avait continué à se taire.

« Kwame, je veux retrouver une fille, dit James.

— Eh, cousin, tu tombes bien, dit Kwame en s'esclaffant. Je connais toutes les filles qui déambulent dans cette ville. Décris-la-moi. »

James s'exécuta et, quand il eut fini, son cousin lui dit qui elle était et où il pouvait la trouver. James déambula dans la ville qu'il connaissait à peine, à la recherche de la fille qu'il n'avait rencontrée qu'une fois. Il savait que son cousin garderait le secret.

Lorsqu'il l'aperçut, elle portait un seau d'eau sur la tête et se dirigeait vers la case familiale.

Elle ne sembla pas surprise de le voir, et il sut que ce qu'il avait ressenti pendant leur brève rencontre, elle l'avait ressenti aussi.

« Est-ce que je peux t'aider ? » demanda-t-il en désignant le seau.

Elle secoua la tête, horrifiée.

« Non, je t'en prie, tu ne dois pas faire ce genre de tâche.

— Appelle-moi James.

— James, répéta-t-elle, roulant ce nom étranger dans sa bouche, le goûtant comme si elle avait un morceau de melon amer à l'arrière de la langue. James.

— Et toi ?

— Akosua Mensah. »

Ils continuèrent à marcher. Quelques passants reconnurent James et s'arrêtèrent pour le saluer ou le dévisager, mais la plupart poursuivaient leurs activités quotidiennes, allaient chercher de l'eau, ou apportaient du bois à leurs feux.

Quinze kilomètres séparaient la rivière de la case de Akosua dans le bush aux environs de la ville, et James était décidé à tout connaître d'elle.

« Pourquoi tu as refusé de me serrer la main aux funérailles du roi ? demanda-t-il.

— Je te l'ai dit. Je ne serre pas la main d'un négrier fanti.

— Et je suis un négrier ? demanda James, s'efforçant de contenir la colère qui montait dans sa voix. Si je suis un Fanti, est-ce que je ne suis pas aussi un Ashanti ? Mon grand-père n'était-il pas ton roi ? »

Elle lui sourit.

« Je suis une de treize enfants. Maintenant il n'en reste que dix. Quand j'étais petite, il y a eu la guerre entre mon village et un autre. Ils ont pris trois de mes frères. »

Ils poursuivirent leur marche en silence pendant quelques minutes. James était désolé pour elle, mais il savait aussi que toutes les pertes font partie de la vie. Même sa mère, une femme pourtant importante, avait été jadis capturée, volée à sa famille, et donnée à une autre.

« Si ton village avait gagné cette guerre, est-ce que tu n'aurais pas pris trois des frères de quelqu'un d'autre ? » demanda-t-il, ne résistant pas à l'envie de poser la question.

Akosua regarda ailleurs. Le seau sur sa tête était si stable que James se demanda ce qui pourrait le faire tomber. Peut-être un coup de vent ? Un insecte ?

« Je sais ce que tu penses, dit-elle enfin. Tout le monde en fait partie. Les Ashantis, les Fantis, les Gas. Les Anglais, les Allemands et les Américains. Et tu n'as pas tort de le penser. C'est ce qu'on nous a appris à penser. Mais je ne veux pas penser comme ça. Quand mes frères et les autres ont été pris, mon village les a pleurés tandis que nous redoublions nos efforts militaires. Et pour quel résultat ? Venger des vies en en prenant d'autres ? Ça n'a aucun sens pour moi. »

Ils s'arrêtèrent pour lui permettre de rajuster son pagne. Pour la deuxième fois de la journée, James s'efforça de ne pas fixer ses seins. Elle continua.

« J'aime mon peuple, James, dit-elle, et son nom dans sa bouche était incroyablement doux. Je suis fière d'être une Ashantie, comme je suis sûre que tu es fier d'être un Fanti, mais après avoir perdu mes frères, j'ai décidé que s'agissant de moi, Akosua, je serai ma propre nation. »

En l'écoutant parler, James sentit monter en lui quelque chose qu'il n'avait jamais connu. S'il le pouvait, il l'écouterait parler sans fin. S'il le pouvait, il rejoindrait cette nation dont elle parlait.

Ils poursuivirent leur marche. Le soleil avait encore baissé dans le ciel, et James savait qu'il lui serait impossible de rentrer chez lui avant la tombée de la nuit. Pourtant, ils ralentirent le pas, leurs pieds bougeant à peine, se déplaçant sans effort, comme si leurs corps étaient soulevés et emportés dans un vol maladroit par les moustiques qu'ils sentaient bourdonner autour d'eux.

« Tu es promise à quelqu'un ? » demanda James.

Akosua lui jeta un regard timide.

« Mon père ne croit pas qu'une fille puisse se promettre avant que son corps ait montré qu'elle était prête, et je n'ai pas encore eu mon sang. »

James songea à sa future femme au village, choisie pour lui à cause de son statut. Il ne serait jamais heureux avec elle, et son mariage serait aussi amer et sans amour que celui de ses parents. Mais il savait que ses parents n'approuveraient jamais Akosua, pas même comme troisième ou quatrième épouse. Elle ne possédait rien et ne venait de nulle part.

« Rien de nulle part. » C'étaient des mots que prononçait sa grand-mère Effia les nuits où elle semblait si triste. James ne se souvenait pas d'un jour où il ne l'avait vue entièrement vêtue de noir, pas d'une nuit où il n'avait pas entendu ses pleurs étouffés.

Quand il n'était encore qu'un petit garçon, il avait passé un week-end avec elle dans sa maison près du fort. Au milieu de la nuit, il s'était réveillé et l'avait entendue pleurer dans sa chambre. Il était allé la trouver et l'avait serrée contre lui de toute la force de ses petits bras.

« Pourquoi tu pleures, Mama ? avait-il demandé en passant ses doigts sur son visage, essayant d'attraper quelques-unes de ses larmes et de les souffler en prononçant un vœu comme le faisait parfois sa mère quand il était triste.

— Tu as entendu l'histoire de Baaba, mon petit ? » demandait-elle.

Elle le prenait sur ses genoux et le berçait.

Cette nuit-là, James l'avait entendue pour la première fois, mais ce ne fut pas la dernière.

Soudain James saisit la main d'Akosua pour l'arrêter. Le seau sur sa tête oscilla légèrement, et elle leva les bras pour le maintenir en équilibre.

« Je veux t'épouser », dit James.

Ils n'étaient qu'à quelques mètres de la case de la jeune fille. Il l'apercevait à travers les buissons. De jeunes enfants se battaient dans la boue, émergeaient barbouillés de marron. Un homme coupait les herbes hautes avec sa machette. Chaque fois que la lame heurtait le sol, elle secouait la terre. James avait l'impression de la sentir bouger sous ses pieds.

« Comment peux-tu m'épouser, James ? » dit la fille.

Elle paraissait inquiète maintenant, lançait des regards furtifs en direction de sa famille. Si elle était en retard avec l'eau, sa mère la battrait, puis crierait après elle jusqu'au matin. Personne ne croirait qu'elle était restée avec le petit-fils du roi ashanti et, s'ils le croyaient, ils n'y verraient que des ennuis.

« Quand ton sang viendra, tu dois le dire à personne. Tu dois le cacher. Je m'en vais demain, mais je reviendrai te chercher, et nous quitterons cette ville ensemble. Nous commencerons une nouvelle vie dans un petit village où personne ne nous connaît. »

Akosua avait encore les yeux tournés vers sa famille, et il savait qu'il devait lui paraître insensé, il savait tout ce qu'il lui demandait d'abandonner. Les rites de la puberté chez les Ashantis étaient un sujet sérieux. Une cérémonie d'une semaine fêtait la nouvelle féminité d'une jeune fille. Les règles qui suivaient étaient très strictes. Les femmes qui avaient leurs menstrues ne pouvaient pas entrer dans la salle du trône, ni traverser certaines rivières. Elles habitaient des maisons à part et enduisaient leurs poignets de craie blanche les jours où elles saignaient. Si quelqu'un découvrait qu'une femme taisait qu'elle avait saigné, le châtiment pouvait être terrible.

« Tu me fais confiance ? demanda James, sachant que c'était une question qu'il n'avait pas le droit de poser.

— Non, finit par répondre Akosua. La confiance est une chose que l'on doit mériter. Je ne te fais pas confiance. J'ai vu ce que le pouvoir peut faire aux hommes, et tu es issu d'une des familles les plus puissantes. »

James fut pris de vertige. Il crut qu'il allait s'effondrer.

« Mais, continua Akosua, si tu reviens pour moi, alors tu auras gagné ma confiance. »

James hocha doucement la tête, il comprenait. Il serait de retour dans son village à la fin du mois, présent à son propre mariage à la fin de l'année. La guerre continuerait, et rien, ni sa vie ni son cœur, n'était garanti. Mais en entendant les mots d'Akosua, il sut qu'il trouverait une solution.

James ne pouvait pas expliquer à Amma pourquoi il lui était impossible de dormir dans sa case. Ils étaient mariés depuis trois mois, et il était fatigué de chercher des excuses. La nuit de leur mariage, il avait prétexté qu'il était malade. Pendant toute la semaine suivante, son corps s'était chargé de l'excuser, son pénis pendant mollement entre ses jambes chaque fois qu'il allait la trouver, même les nuits où elle tressait ses cheveux comme il les aimait et passait de l'huile de coco sur ses seins et entre ses cuisses. Après cette semaine, il en avait passé une autre à prétendre qu'il était trop embarrassé pour venir la trouver, mais bientôt, ça aussi n'avait plus marché.

« Il faut que tu ailles voir l'apothicaire. Il y a des herbes que tu peux prendre pour t'aider. Si je ne suis pas enceinte bientôt, les gens vont commencer à croire qu'il y a quelque chose qui cloche chez moi », dit Amma.

Il s'en voulut. C'était vrai. Ne pas concevoir était toujours considéré comme la faute de la femme, un châtiment pour infidélité ou mauvaise conduite. Mais pendant ces quelques mois, James avait appris à bien connaître son épouse. Elle ne tarderait pas à clamer au village qu'il y avait quelque chose qui clochait chez *lui*, et la rumeur reviendrait aux oreilles de son père et de sa mère qu'il n'avait pas rempli ses devoirs de mari. Il croyait entendre sa mère. « Oh, Nyame, qu'est-ce que j'ai fait pour mériter ça ? Un faiblard de mari et ensuite un faiblard de fils ! » James savait qu'il devrait inventer quelque chose rapidement s'il voulait rester fidèle au souvenir d'Akosua.

C'était un souvenir auquel il se cramponnait. Il y avait presque un an que James avait promis à Akosua de revenir la chercher, et il n'avait encore concocté aucun plan pour honorer sa promesse. Les Ashantis gagnaient bataille après bataille contre les Anglais et les gens du village commençaient à murmurer qu'ils gagneraient peut-être contre les hommes blancs. Et ensuite ? D'autres hommes blancs viendraient-ils remplacer ceux qui étaient morts ? Qui les protégerait si les Ashantis venaient se venger des griefs commis par Abeeku Badu et Fiifi envers eux ? Ils avaient fait alliance avec les Anglais il y a longtemps, les hommes blancs l'avaient peut-être déjà oublié.

James n'avait pas oublié Akosua. Elle le visitait toutes les nuits dans son sommeil ; il voyait ses lèvres, ses yeux, ses jambes, ses fesses qui bougeaient dans le champ de ses yeux clos, dans sa case au bord de la concession, qu'il avait construite pour Amma et lui et pour ses autres futures épouses. Il n'avait pas oublié combien il avait aimé se trouver dans la ville de son grand-père, parmi les Ashantis, la chaleur du peuple de sa mère. Plus il restait dans le pays des Fantis, plus il avait envie d'en partir. De mener une vie plus simple, une vie de fermier comme le père d'Akosua, pas une vie de politicien comme son propre père qui avait travaillé pour les Anglais et les Fantis pendant des d'années, y gagnant argent et pouvoir, mais rien d'autre.

« James, tu m'écoutes ? » disait Amma.

Elle remuait une marmite de sauce aux poivrons, un pagne noué autour de la taille, le dos tellement penché en avant que ses seins nus trempaient presque dans la soupe.

« Oui, chérie, tu as raison, dit James. Demain, j'irai voir Mampanyin. »

Amma secoua la tête, satisfaite. Mampanyin était l'apothicaire la plus proche à des kilomètres à la ronde. Les épouses récentes allaient la trouver quand elles désiraient secrètement tuer les épouses anciennes. Les plus jeunes frères y allaient quand ils voulaient être choisis comme successeur à la place de leurs aînés. Du bord de la mer jusqu'aux forêts de l'arrière-pays, les gens allaient la voir quand ils avaient un problème que les prières seules ne parvenaient pas à résoudre.

James alla la consulter un jeudi. Son père et beaucoup d'autres la qualifiaient de docteur sorcière, rôle qu'elle semblait incarner physiquement. Il ne lui restait plus que quatre dents de devant, uniformément espacées, comme si elles avaient chassé toutes les autres et les avaient réunies au milieu de sa bouche, triomphantes. Elle avait le dos voûté, et marchait avec une canne faite d'un précieux bois noir, sculptée en serpent qui s'enroulait autour d'elle. Un de ses yeux regardait toujours ailleurs, et il eut beau s'escrimer à tourner la tête d'un côté puis de l'autre, James ne parvint pas à obliger cet œil à le saluer.

« Que vient faire cet homme ici ? » demanda Mampanyin dans le vide.

James s'éclaircit la voix, hésitant à parler.

Mampanyin cracha par terre, davantage de flegme que de salive.

« Qu'est-ce que cet homme veut de Mampanyin ? Il ne peut la laisser en paix ? Il ne croit même pas dans ses pouvoirs.

— Tantie Mampanyin, je viens de mon village à la demande de mon épouse. Elle voudrait que je prenne certaines herbes pour que nous puissions faire un bébé. »

Il avait répété un discours pendant le trajet – sur la façon dont il voulait rendre sa femme heureuse et être heureux avec elle – mais les mots lui manquèrent. Il entendait l'incertitude, la peur, trembler dans sa voix, et il se maudit.

« Eh, il m'appelle tantie ? Lui dont la famille vend notre peuple aux blancs étrangers. Il ose m'appeler tantie.

— C'était le travail de mon père et de mon grand-père. Pas le mien. »

Il n'ajouta pas qu'à cause de leur travail, il n'avait pas eu à gagner sa vie, qu'il pouvait vivre grâce au nom et au pouvoir de la famille.

Elle le regarda de son bon œil.

« Dans ton esprit, tu m'appelles sorcière, hein ?

— Tout le monde t'appelle sorcière.

— Dis-moi, c'est Mampanyin qui force un homme blanc à lui ouvrir les jambes ? Les hommes blancs seraient peut-être partis s'ils n'avaient pas goûté à nos femmes.

— Les hommes blancs resteront tant qu'ils pourront faire de l'argent.

— Eh, voilà que tu parles d'argent maintenant ? Mampanyin a déjà dit qu'elle sait comment ta famille fait de l'argent. En envoyant tes frères et sœurs à Aburokyire[1] pour être traités comme des animaux.

— L'Amérique n'est pas le seul endroit avec des esclaves », dit posément James.

Il avait entendu son père le dire à David un jour, quand ils parlaient des atrocités de l'Amérique du Sud qu'il avait lues dans les journaux abolitionnistes anglais.

« La façon dont ils traitent les esclaves, mon frère, avait dit David, c'est atroce. Invraisemblable. Nous n'avons pas d'esclavage comme ça ici. Pas comme ça. »

La peau de James commençait à chauffer, mais le soleil avait déjà plongé en dessous de la terre. Il aurait voulu tourner les talons et s'en aller. L'œil vagabond de Mampanyin s'était fixé sur un arbre dans le lointain, puis s'élevait vers le ciel, passait derrière l'oreille de James.

« Je ne veux pas faire le travail de ma famille. Je ne veux pas être avec les Anglais. »

Elle cracha à nouveau, puis fixa son œil errant vers lui et il se mit à transpirer. Quand elle eut fini, son œil retrouva son calme, enfin satisfait de ce qu'il avait vu en lui.

« Ton pénis ne marche pas parce que tu ne veux pas qu'il marche. Ma médecine n'est que pour ceux qui veulent. Tu parles de ce que tu ne veux pas, mais il y a quelque chose que tu veux. »

---

1. Aburokyire : l'étranger pour les Ghanéens.

Ce n'était pas une question. James ne pensait pas pouvoir lui faire confiance, et pourtant il savait qu'avec son mauvais œil, elle avait vu en lui. Réellement vu. Et puisqu'il n'avait pas été capable de faire tourner la terre, il décida de faire confiance à la sorcière docteur.

« Je veux quitter ma famille et partir chez les Ashantis. Je veux épouser Akosua Mensah et travailler comme fermier ou quelque chose de petit-petit. »

Mampanyin éclata de rire.

« Le fils du Grand Homme veut vivre petit-petit, hein ? »

Elle le laissa debout à l'extérieur et entra dans sa case. Quand elle en ressortit, elle portait deux petits pots d'argile au-dessus desquels bourdonnaient des mouches. James sentit l'odeur depuis sa place. Elle s'assit sur une chaise et commença à faire tourner son index à l'intérieur d'un des pots. Elle retira son doigt et lécha ce qu'il y avait dessus. James eut un haut-le-cœur.

« Si tu ne veux pas de ta femme, pourquoi tu l'as épousée ? demanda Mampanyin.

— On m'a demandé de l'épouser pour que nos familles puissent se réunir », dit James.

C'était évident, non ? Elle l'avait dit elle-même. Il était le fils d'un Grand Homme. Il y avait des choses qu'il devait faire. Des choses qu'on devait le voir faire afin que tout le monde sache que sa famille était toujours puissante. Ce qu'il voulait, ce qu'il désirait le plus, c'était de disparaître. Son père avait sept autres fils qui pourraient porter l'héritage Otcher-Collins. Il voulait être un homme sans nom.

« Je veux quitter ma famille sans qu'ils sachent que je les ai quittés », dit-il.

Mampanyin cracha dans le pot puis remua encore. Son bon œil se leva vers James.

« C'est possible ?

— Tantie, ils disent que tu rends possibles les choses impossibles. »

Elle rit à nouveau.

« Eh, mais ils disent ça des Ashantis, de Nyame, des hommes blancs. Je peux seulement te permettre d'atteindre le possible. Tu vois la différence ? »

Il hocha la tête, et elle sourit – le premier sourire qu'elle lui adressait depuis son arrivée. Elle lui fit signe de s'approcher et il obéit, espérant qu'elle ne lui demanderait pas de manger ce qui sentait si mauvais dans le pot. Elle lui dit de s'asseoir devant elle et il s'accroupit. Ses parents n'aimeraient pas le voir ainsi courbé de telle façon qu'elle le dominait depuis son siège comme si elle était née d'un rang supérieur au sien. Il lui sembla entendre la voix de sa mère.

« Debout. »

Mais il ne bougea pas. Mampanyin pourrait peut-être étouffer la voix de sa mère ou de son père dans sa tête.

« Tu es venu ici me demander quoi faire, mais tu sais déjà comment partir sans que personne sache que tu es parti », dit Mampanyin.

James ne dit rien. C'était vrai qu'il avait cherché des moyens de faire croire à sa famille qu'il était parti pour Asamando quand, en réalité, il voyageait ailleurs. La meilleure idée, la plus dangereuse était de rejoindre la guerre interminable Ashantis-Anglais. Tout le monde était au courant de la guerre, savait qu'elle ne finirait jamais, que les hommes blancs étaient plus faibles qu'on ne l'avait cru jadis, même dans leur grand fort de pierre.

« Les gens pensent qu'ils viennent me demander un conseil, dit Mampanyin, mais en vrai ils viennent me demander une permission. Si tu veux faire quelque chose, fais-le. Les Ashantis seront bientôt à Efutu, ça, je sais. »

Elle ne le regardait plus. Elle se concentrait sur le pot. Comment cette femme pouvait-elle savoir en quoi consistaient les plans des Ashantis ? Leur armée était la plus puissante de toute l'Afrique. On disait que quand les hommes blancs étaient arrivés à la rencontre des guerriers avec leurs poitrines nues et leurs morceaux d'étoffe noués autour des reins, ils avaient ri en disant : « On dirait les vêtements que portent nos femmes ! » Ils s'enorgueillissaient de leurs fusils et de leurs uniformes : vestes boutonnées de haut en bas et pantalons. Puis les Ashantis les avaient massacrés par centaines, ils avaient découpé les cœurs de leurs chefs militaires et les avaient mangés pour avoir de la force. Par la suite, on avait pu voir plus d'un soldat anglais pisser dans ces pantalons dont ils étaient si fiers pendant qu'ils battaient en retraite devant les hommes qu'ils avaient jadis sous-estimés.

Si tout ce qu'ils disaient sur l'armée ashantie était vrai, il était impossible qu'ils soient mal organisés au point de laisser une féticheuse fantie connaître leurs plans. James savait que son œil vagabond était allé à Efutu, dans le futur, et qu'il l'y avait vu, lui, juste comme il avait vu le désir de son cœur à ce moment-là.

Mais James n'alla pas tout de suite à Efutu. Amma l'attendait quand il rentra à la maison.

« Qu'est-ce que Mampanyin a dit ? demanda sa femme.

— Elle a dit que tu dois être patiente avec moi », dit-il, et sa femme se fâcha, mécontente.

James savait qu'elle passerait le reste de la journée à cancaner avec ses amies à son sujet.

James fut malheureux pendant une semaine. Il commença à douter de son désir de rejoindre Akosua, de vivre une petite vie. Son existence actuelle était-elle si mauvaise ? Il pouvait rester dans le village. Il pouvait continuer l'activité de son père.

James n'avait pas pris de décision quand sa grand-mère vint manger un soir.

Effia était une vieille femme, mais on voyait encore la jeunesse vibrer sous les nombreuses rides de son visage. Elle avait insisté pour vivre à Cape Coast dans la maison que son mari avait bâtie, même après que Quey fut devenu un éminent personnage dans son village. Elle disait qu'elle ne vivrait jamais plus dans le village que le diable avait construit.

Alors qu'ils mangeaient tous dehors dans la concession de Quey, James sentit le regard de sa grand-mère posé sur lui, et après que les servantes et les serviteurs de la maison furent tous venus ramasser leurs assiettes, et que le père et la mère de James se furent retirés pour la nuit, il s'aperçut que sa grand-mère ne cessait de l'observer.

« Qu'est-ce qui ne va pas, mon cher enfant ? » demanda-t-elle quand ils furent enfin seuls.

James ne répondit pas. Le fufu qu'ils avaient mangé pesait comme une pierre sur son estomac, et il eut peur d'être malade. On disait que sa grand-mère avait été si belle autrefois que le gouverneur du fort aurait entièrement détruit leur village dans le seul but de l'avoir pour lui.

Elle effleura le collier à la pierre noire qu'elle portait au cou puis tendit la main vers celle de James.

« Tu n'es pas satisfait ? » demanda-t-elle.

Et James sentit la pression des larmes s'accumuler derrière ses paupières, menaçant de déborder. Il serra la main de sa grand-mère.

« J'ai entendu ma mère traiter mon père de faible toute ma vie, mais si jamais j'étais comme lui ? » dit-il.

Il attendit que sa grand-mère réagisse mais elle resta silencieuse.

« Je veux être ma propre nation. »

Il savait qu'elle ne serait pas capable de comprendre ce qu'il disait et, pourtant, il eut l'impression qu'elle l'avait entendu. Même s'il parlait dans un murmure, elle l'entendait.

Sa grand-mère resta d'abord silencieuse, se contentant de l'observer.

« Nous sommes tous faibles la plus grande partie du temps, dit-elle enfin. Regarde le bébé. Né de sa mère, il apprend à manger par elle, comment marcher, parler, chasser, courir. Il n'invente pas de nouveaux chemins. Poursuit seulement les anciens. Nous venons tous au monde ainsi, James. Faibles et avides, prêts à tout pour apprendre à être une personne. »

Elle lui sourit.

« Mais si nous n'aimons pas la personne que nous avons appris à être, faut-il que nous restions juste assis, devant notre fufu, à ne rien faire ? Je crois, James, qu'il est peut-être possible d'agir autrement. »

Elle continua à sourire. Le soleil se couchait derrière eux, et James se laissa enfin aller à pleurer devant sa grand-mère.

Et ainsi, le lendemain, après avoir dit à sa famille qu'il retournait à Cape Coast avec Effia, James alla à Efutu. Il trouva du travail chez un docteur que sa grand-mère connaissait, qui avait travaillé pour les Anglais quand elle vivait au fort. James n'eut qu'à lui dire qu'il était le petit-fils de James Collins, pour obtenir aussitôt du travail et un endroit où loger.

Le médecin était écossais et tellement âgé qu'il pouvait à peine marcher droit, encore moins soigner les maladies sans les attraper lui-même. Il parlait couramment fanti, avait bâti lui-même sa concession à partir de rien, et était resté célibataire, même si de nombreuses femmes du coin lui avaient offert leurs jeunes filles en offrandes. Pour les gens de la ville, il était un mystère, mais ils avaient appris à l'apprécier et l'appelaient affectueusement le « Docteur Blanc ».

James était chargé de garder son cabinet propre. La case médicale du Docteur Blanc était voisine des quartiers où il vivait, et c'était assez petit, si bien qu'il n'avait pas réellement besoin d'aide. James balayait, disposait les médicaments, lavait les pansements. Parfois, le soir, il cuisinait un simple repas pour eux deux, et ils s'asseyaient dans la cour, face au ruban poussiéreux de la route, tandis que le Docteur Blanc racontait des histoires sur son époque au fort.

« Tu ressembles à ta grand-mère. Quel était le nom que lui donnaient les gens d'ici ? »

Il gratta ses beaux cheveux blancs.

« La Beauté. Effia la Beauté, c'est bien ça ? »

James hocha la tête, essayant de voir Effia à travers les yeux du docteur.

« Ton grand-père était tellement excité à l'idée de l'épouser. Je me souviens de la nuit précédant son arrivée au fort, nous avons emmené James au magasin de la compagnie au coucher du soleil et avons bu presque toute la nouvelle cargaison d'alcool. James a dû dire aux patrons en Angleterre que le navire qui avait transporté l'alcool avait sombré ou été attaqué par des pirates. Quelque chose de ce genre. Ce fut une grande nuit pour nous tous. Un instant de folie africaine. »

Un voile songeur passe sur son visage et James se demanda si le vieil homme avait vraiment connu l'aventure qu'il était venu rechercher sur la Côte-de-l'Or.

Dans un mois, James aurait ce qu'il était venu chercher. L'appel vint au milieu de la nuit. Des cris perçants, précipités, haletants, tandis que les veilleurs de nuit de Efutu allaient de case en case, criant que les Ashantis arrivaient. Les armées anglaises et fanties qui étaient en garnison demandèrent du renfort, mais à voir la panique dans les yeux des veilleurs James comprit que les Ashantis étaient plus près que les renforts pourraient jamais l'être. Dans tout le pays fanti, le Galand et le Denkyira, les villageois vivaient dans la terreur des razzias. Les soldats anglais avaient été postés par intermittence dans les villes et les villages autour de Cape Coast. Leur but était d'empêcher les Ashantis d'assaillir le fort, dans la mesure de leurs moyens, mais Efutu, à une semaine de voyage de la côte, était trop dangereusement proche.

« Courez ! » cria James au Docteur Blanc.

Le vieil homme avait allumé une lampe à huile de palme près de sa couchette. Il lisait un livre à reliure de cuir, ses lunettes perchées sur le bout de son nez.

« Ils vous tueront quand ils vous verront. Ils ne se soucieront pas que vous soyez vieux. »

Le Docteur Blanc tourna la page. Il fit à James un adieu de la main sans lever les yeux.

James secoua la tête et quitta la case. Mampanyin lui avait dit que le temps venu il saurait quoi faire, et pourtant il était pris d'une telle panique qu'il arrivait à peine à respirer. Il sentait le liquide chaud couler le long de ses jambes pendant qu'il courait. Il ne pouvait pas penser. Il ne pouvait pas penser assez vite pour concevoir le moindre plan et, sans même qu'il ait eu le temps d'en prendre conscience, les tirs éclataient autour de lui. Les oiseaux s'envolèrent, un nuage d'ailes noir, rouge, bleu et vert s'éleva dans les airs. James aurait voulu se cacher. Qu'y avait-il eu de si détestable dans son ancienne vie ? Il aurait pu apprendre à aimer Amma. Il avait passé tellement de temps à voir tout ce qu'il y avait de mauvais dans le mariage de ses parents qu'il avait cru qu'il existait sûrement quelque chose de meilleur. Et s'il s'était trompé ? Il avait confié son bonheur à une sorcière. Sa vie. Maintenant, il allait mourir.

James se réveilla dans une forêt inconnue. Il avait les jambes et les bras douloureux, et l'impression d'avoir reçu une pierre sur la tête. Il resta assis, désorienté, pendant de longues minutes. Puis il vit à côté de lui un guerrier ashanti qui s'était approché d'un pas si silencieux que James ne le remarqua qu'une fois qu'il se dressa au-dessus de lui.

« Tu n'es pas mort ? interrogea le guerrier. Tu es blessé ? »

Comment James aurait-il pu dire à ce guerrier qu'il avait mal à la tête ? Il dit non.

« Tu es le petit-fils de Osei Bonsu, hein ? Je me souviens de toi aux funérailles. Je n'oublie jamais un visage. »

James aurait aimé qu'il parle moins fort, mais il ne dit rien.

« Qu'est-ce que tu faisais à Efutu ? demanda le guerrier.

— Quelqu'un sait que je suis en vie ? demanda James, ignorant la question de l'homme.

— Non, un guerrier t'a frappé la tête avec une pierre. Tu n'as pas bougé, alors ils t'ont jeté dans le tas des morts. On avait dit de ne pas toucher au tas, mais j'ai reconnu ton visage et je t'ai sorti pour pouvoir envoyer ton corps à ta famille. Je t'ai caché ici afin que personne ne sache que j'ai touché le mort. Je ne savais pas que tu étais encore vivant.

— Écoute-moi. Je suis mort dans cette guerre », dit James.

Les yeux de l'homme s'agrandirent, pareils à la lune.

« Quoi ?

— Tu dois dire à tout le monde que je suis mort pendant cette guerre. Tu le feras ? »

Le guerrier secoua la tête. Il dit non, non et non, mais il finit par obéir. James savait qu'il le ferait. Et il sut que ce serait la dernière fois qu'il userait de son ascendance pour obliger un autre à lui obéir.

Pendant le reste du mois, James parcourut la terre des Ashantis, dormant dans les grottes, se cachant dans les arbres. Il demanda de l'aide aux gens qu'il rencontrait dans le bush, disant qu'il était un humble fermier égaré. Et quand enfin il arriva chez Akosua, après quarante jours de voyage, il la trouva qui l'attendait.

Kojo

Quelqu'un avait dévalisé la vieille *Alice*, ce qui signifiait que la police viendrait renifler autour du bateau, demandant à tous les charpentiers s'ils savaient quelque chose. La réputation de Jo était sans tache. Il avait travaillé sur les bateaux de Fells Point pendant presque deux ans et n'avait jamais causé d'ennuis à personne. Pourtant, chaque fois qu'il y avait un vol, tous les ouvriers noirs du chantier étaient rassemblés et interrogés. Jo en avait assez. Il était toujours nerveux avec la police, ou avec n'importe quel uniforme. Même autrefois quand il voyait apparaître le facteur il courait se cacher derrière un rideau. Ma Aku disait qu'il était devenu comme ça depuis leurs jours passés dans les bois, à fuir les chasseurs d'esclaves, d'une ville à une autre, jusqu'à ce qu'ils atteignent le refuge du Maryland.

« Remplace-moi, tu veux bien, Poot ? » demanda Jo à son ami, mais il savait que la police ne le raterait pas.

Ils étaient incapables de distinguer un visage noir d'un autre. Poot répondrait quand ils crieraient son nom et répondrait ensuite quand ils crieraient celui de Jo. Les policiers ne verraient pas la différence.

Jo sauta du bateau et contempla derrière lui la magnifique baie de Chesapeake, les grands et majestueux bateaux des chantiers de Fells Point. Il aimait les regarder, il était fier que ses mains aient participé à leur construction et à leur entretien, mais Ma Aku disait que c'était mauvais *juju*, que lui et les autres Nègres libres travaillent sur ces bateaux. Elle disait que c'était maléfique d'avoir construit les choses qui les avaient amenés en Amérique, les choses justement qui avaient essayé de les faire descendre au fond.

Jo longea Market Street et acheta des pieds de cochon à Jim au magasin du coin près du musée. Au moment où il en sortait, un cheval rompit l'attelage de son buggy et partit au triple galop, écrasant presque une vieille femme blanche qui avait soulevé sa jupe, afin de descendre du trottoir.

« Z'allez bien, ma'am ? » demanda Jo, courant vers elle et lui offrant son bras.

Elle resta une seconde interdite puis sourit à Jo.

« Très bien, merci », dit-elle.

Il continua. Anna serait encore en train de nettoyer la maison avec Ma Aku. Il savait qu'il devrait aller aider les deux femmes, d'autant plus qu'Anna était de nouveau enceinte et Ma Aku vieille et fatiguée avec sa toux et ses douleurs qui s'aggravaient, mais cela faisait trop longtemps qu'il ne s'était pas promené dans Baltimore, qu'il n'avait pas savouré la fraîcheur de la brise de mer, ne s'était pas réjoui de voir les Noirs, certains esclaves mais d'autres aussi libres qu'il est possible, travailler, vivre, jouer autour de lui. Jo avait été esclave jadis. Il n'était qu'un bébé alors, pourtant chaque fois qu'il rencontrait un esclave à Baltimore, il se voyait lui-même, voyait à quoi aurait ressemblé sa vie si Ma Aku ne lui avait pas offert la liberté. Ses papiers libres étaient au nom de Kojo Freeman. Freeman, « homme libre ». La moitié des anciens esclaves de Baltimore portaient ce nom. Répétez longtemps un mensonge et il deviendra vérité.

Jo connaissait le Sud uniquement d'après les histoires que lui avait racontées Ma Aku, de la même façon qu'il connaissait sa mère et son père, Ness et Sam. Comme des histoires et rien de plus. Il ne regrettait pas ce qu'il ne connaissait pas, ce qu'il ne pouvait pas sentir dans ses mains ou dans son cœur. Baltimore était palpable. Ce n'était pas des récoltes et des coups de fouet sans fin. C'était le port, les forges, les chemins de fer. C'était les pieds de cochon que mangeait Kojo, les sourires de ses sept enfants avec un numéro huit en route. C'était Anna, qui l'avait épousé quand elle avait juste seize ans et lui dix-neuf, et avait travaillé chaque jour des dix-neuf années depuis.

En pensant à nouveau à Anna, Jo décida de faire un détour chez Mathison, où elle et Ma faisaient le ménage aujourd'hui. Il acheta une fleur chez *Ol'Bess* au coin de North et de la 16e et, la fleur à la main, il sentit qu'il pouvait enfin oublier le souvenir de la police sur le bateau.

« Hé, mais c'est mon mari, Jo, qui marche dans l'allée », dit Anna quand elle le vit.

Elle balayait la galerie avec ce qui ressemblait à un balai neuf. Le manche était d'un beau marron, à peine plus sombre que la couleur de sa peau, et les poils étaient au garde-à-vous. Ma Aku leur disait souvent que sur la Côte-de-l'Or les balais n'avaient pas de manche. C'était le corps qui était le manche, qu'il bougeait et se pliait beaucoup plus facilement qu'un bâton.

« J'ai acheté quelque chose pour toi », dit Jo en lui tendant la fleur.

Elle la prit, la respira et sourit. La tige toucha son ventre à l'endroit où il commençait à tirer sur sa robe. Jo y posa la main et le caressa.

« Où est Ma ? demanda-t-il.

— Dedans, elle fait la cuisine. »

Joe embrassa sa femme et lui prit le balai des mains.

« Va l'aider maintenant », dit-il, lui pinçant les fesses en la poussant à l'intérieur.

C'étaient elles qui l'avaient affolé dix-neuf ans auparavant et qui l'attiraient encore aujourd'hui. Il les avait aperçues dans Strawberry Alley et suivies le long de quatre blocs entiers. Il était comme hypnotisé par leur façon de bouger, indépendamment du reste de son corps ; comme si elles obéissaient entièrement à l'influence d'un autre cerveau, une fesse heurtant l'autre de telle manière que cette dernière devait rebondir pour reprendre sa place.

Quand il avait sept ans, Jo avait demandé à Ma Aku ce qu'un homme était supposé faire quand il aimait une femme, et elle avait ri. Sa mama n'avait jamais été comme les autres mères. Elle était un peu bizarre, un peu absente, rêvant encore du pays où elle avait été kidnappée des années et des années plus tôt. On la trouvait parfois en contemplation devant l'eau, comme si elle allait y sauter, essayer de trouver le chemin qui la ramènerait chez elle.

« Eh bien, Kojo, sur la Côte-de-l'Or, ils disent que si tu aimes une femme tu dois aller trouver son père avec un présent. » À cette époque, Jo était tombé amoureux d'une fille appelée Mirabel et, à l'église le dimanche suivant, il avait apporté à son père une grenouille qu'il avait attrapée dans l'eau la veille au soir, et Ma Aku avait ri, ri, ri, jusqu'à ce que le pasteur et le père disent qu'elle apprenait à Jo des vieilles sorcelleries africaines et les renvoient tous les deux de la congrégation.

Avec Anna, Jo avait simplement suivi le balancement de son cul, jusqu'à ce qu'il s'immobilise. Il l'avait rattrapée et avait vu son visage. Sa peau couleur caramel et ses cheveux noirs, aussi longs et sombres que la queue d'un cheval, toujours tordus en une seule natte. Il lui avait dit qu'il s'appelait Jo, et lui avait demandé s'il pouvait marcher avec elle un bout de chemin. Elle avait dit oui, et ils avaient parcouru toute la ville de Baltimore. Ce n'est que des mois plus tard que Jo avait appris qu'Anna avait eu des ennuis avec sa mère cette nuit-là, ayant manqué à toutes ses corvées.

Les Mathison étaient une vieille famille blanche. La maison du père de M. Mathison avait été jadis un arrêt de l'Undergound Railroad, et il avait appris à son fils à toujours se montrer serviable. C'était Mme Mathison qui possédait l'argent de la famille, et quand les deux s'étaient mis ensemble ils avaient acheté une grande maison et avaient employé Anna, Ma Aku et une quantité de Noirs de Baltimore et des environs.

La maison avait deux étages et dix chambres. Il fallait des heures pour la nettoyer, et les Mathison aimaient qu'elle soit impeccable. Kojo s'était chargé d'une partie du travail ce jour-là, et tandis qu'il lavait les fenêtres du bureau, il pouvait entendre Mathison et d'autres abolitionnistes parler.

« Si la Californie rejoint l'Union comme État libre, le président Taylor aura les mains pleines de sécessionnistes du Sud, disait Mathison.

— Et le Maryland sera pris au milieu, dit une autre voix.

— C'est pourquoi nous devons tout faire pour nous assurer que le plus d'esclaves possible soient émancipés à Baltimore. »

Ils pouvaient parler ainsi pendant des heures. Au début, Jo aimait les écouter. Cela lui donnait de l'espoir, de voir tous ces Blancs influents prendre parti pour lui et les siens, mais plus les années passaient, plus il savait que même les gens bien intentionnés comme ceux de la maison Mathison ne pouvaient pas faire grand-chose.

Le ménage terminé, Jo, Anna et Ma Aku regagnèrent leur petit appartement de la 24ᵉ Rue.

« Mon dos, oh, mon dos… » dit Ma, empoignant la partie de son corps qui la faisait souffrir depuis des années.

Elle se tourna vers Jo et dit en twi :

« Ne sommes-nous pas nés fatigués ? »

C'était une vieille expression éculée pour un vieux sentiment éculé. Jo hocha la tête et tendit la main à la vieille femme pour l'aider à grimper les escaliers.

À l'intérieur, les enfants jouaient. Agnes, Beulah, Cato, Dely, Eurias, Felicity et Gracie. Comme si Anna et lui avaient décidé d'avoir un enfant pour chaque lettre de l'alphabet. Ils apprendraient à leurs enfants à lire ces lettres, les élèveraient pour devenir le genre de personnes capables d'enseigner ces lettres à d'autres gens. Maintenant tout le monde dans la maison appelait le nouveau bébé « H », comme détenteur de la place jusqu'à ce qu'il naisse et porte le nom correspondant.

Être un bon père était une dette que Jo devait à ses parents, qui ne pouvaient pas être libres. Il avait passé des nuits entières à essayer d'évoquer une image de son père. Était-il courageux ? Grand ? Gentil ? Intelligent ? Était-ce un homme bon et juste ? Quelle sorte de père aurait-il été, s'il avait eu la chance d'être un père libre ?

Maintenant Jo passait des nuits avec une oreille contre le ventre à peine gonflé de sa femme, cherchant à connaître Bébé H un peu avant son arrivée. Il avait promis à Anna qu'il serait présent pour eux, comme son propre père n'avait pas pu l'être pour lui. Et Anna qui n'avait jamais voulu que son père soit présent pour elle, sachant le genre d'homme qu'il était et le genre d'ennuis que sa présence apporterait, s'était contentée de sourire en lui tapotant le dos.

Mais Jo parlait sérieusement. Il observait ses enfants, les rares heures du soir où il avait l'occasion de les voir avant qu'ils aillent au lit ou le matin avant de partir travailler aux docks. Agnes était la plus serviable. Il ne connaissait pas d'être plus gentil, plus tendre. Elle ne ressemblait pas à Anna et certainement pas à sa mère qui portait la fatigue du monde sur le dos. Beulah était une beauté, mais elle ne le savait pas encore. Cato était doux pour un garçon et Jo essayait tous les jours de lui insuffler un peu de courage. Daly était un querelleur et Eurias trop souvent sa cible. Felicity était si timide qu'elle ne vous dirait pas son nom si vous le lui demandiez, et Gracie était une boule d'affection. Sa vie avec eux, avec Anna et Ma et les enfants, était tout ce qu'il avait jamais souhaité à l'époque où il était un gamin solitaire, allant d'un refuge à un autre, d'un boulot à un autre, essayant d'aider la femme qu'il appelait mère à accomplir la tâche maternelle qu'elle n'avait jamais désirée mais dont elle ne se plaignait jamais.

Ma Aku commença à tousser, et Agnes vint aussitôt l'aider à se mettre au lit. L'appartement comportait deux chambres : une pour Jo et Anna, séparée par un rideau, et une pour tout le monde et tout le reste. Ma Aku se laissa tomber sur le matelas avec un lourd soupir, et quelques minutes après elle toussait et ronflait à qui mieux mieux.

Gracie, le bébé, s'accrochait à la jambe de pantalon de Jo.

« Papa, papa ! »

Jo se pencha et la souleva sur un bras aussi facilement que si elle était la boîte à outils qu'il avait laissée dans le bateau. Bientôt, elle serait trop grande pour être dorlotée. Probablement au moment où arriverait le nouveau bébé.

Peu après, Agnes et Anna avaient mis tous les petits au lit, et Agnes finit par aller dormir à son tour. Jo était assis dans la chambre avec le rideau tiré quand Anna entra, caressant le renflement de son ventre qui était encore si petit que c'était à peine plus qu'une sensation.

« La police est passée au bateau aujourd'hui. Dit que quelqu'un a volé », dit Jo.

Anna enlevait ses vêtements et les pliait, puis les plaçait sur la chaise près de leur matelas. Elle porterait les mêmes demain. Elle n'avait pas eu le temps de faire la lessive cette semaine, et elle n'avait pas eu l'argent pour le faire la semaine précédente. Elle ne pouvait qu'espérer que les enfants ne sentent pas mauvais quand ils partiraient pour la Christian School.

« Ça te fait peur ? » demanda-t-elle. Jo se leva, rapide comme l'éclair, et la prit dans ses bras, l'attirant sur le lit avec lui.

« Y a rien qui me fasse peur, femme », dit-il tandis qu'elle riait et se débattait, feignant de le repousser.

Ils s'embrassèrent, et ces vêtements qu'Anna n'avaient pas encore enlevés, il suffit à Jo d'un geste pour les ôter. Il la mordilla avec délice et sentit plus qu'entendit le plaisir qui montait de son corps comme un courant, ses efforts pour retenir ses gémissements afin de ne pas réveiller les enfants, experte en la matière après tant de nuits et sept bambins. Ils firent l'amour rapidement et en silence, espérant que l'obscurité masquerait leurs mouvements si un des enfants regardait à travers le rideau, incapable de dormir. Jo saisit les fesses d'Anna avidement à deux mains. Aussi longtemps qu'il vivrait, ce serait toujours un plaisir et un cadeau de goûter à pleines mains le poids de sa chair.

Le lendemain matin, il retourna travailler sur l'*Alice*. Poot passa partager son déjeuner avec lui : un petit pain et du poisson.

« Ils sont venus ? » demanda Jo.

Plus tôt dans la matinée, il avait préparé l'étoupe pour le pont, trempant le chanvre dans du goudron de pin. Il l'avait tordu comme une corde, l'introduisant dans les coutures des bordages. Jo avait travaillé avec les mêmes outils depuis qu'il avait commencé à calfater. Avec son fer à calfat et son maillet. Il aimait le bruit qu'ils faisaient ensemble quand il introduisait l'étoupe dans les coutures, martelait doucement le fer pour la forcer à rester en place, remplir les coutures, prévenir les fuites.

« Ouais, ils sont venus. Posé juste les questions habituelles. C'était pas méchant. J'ai appris qu'ils ont trouvé l'homme qui avait fait le coup. »

Poot était né libre, avait vécu toute sa vie à Baltimore. Il travaillait sur l'*Alice* depuis environ un an et, auparavant, sur à peu près tous les bateaux du port. C'était un des meilleurs calfateurs du coin. On disait qu'il lui suffisait de coller son oreille sur la coque d'un bateau pour entendre les endroits qui nécessitaient des réparations. Jo s'était formé sous son égide, grâce à quoi il savait presque tout ce qu'il fallait savoir sur une embarcation.

Il calfata la coque, étalant le goudron brûlant sur toute la surface et la recouvrant ensuite de plaques de

cuivre. À ses débuts, Jo avait failli mourir en chauf-
fant la poix. Le feu était magnifique, si brûlant qu'on
aurait dit le souffle du diable, et Jo n'avait pas eu le
temps de s'apercevoir que les flammes avaient commencé à attaquer le bois du pont. Il avait contemplé
toute cette eau qui flottait dans la baie, puis vu le
feu qui menaçait d'emporter le bateau tout entier
avec lui, et il avait prié pour qu'arrive un miracle. Le
miracle avait été Poot. Aussi vite qu'il l'avait pu, Poot
avait éteint le feu et calmé le patron en lui disant que
si Jo ne pouvait pas rester, il ne resterait pas non plus.
Désormais, chaque fois que Jo allumait un feu sur le
bateau, il savait comment le surveiller.

Aujourd'hui, Jo venait de terminer la coque et
essuyait la sueur de ses yeux quand il vit Anna lui
faire signe depuis le quai. C'était rare qu'elle vienne à
sa rencontre après une journée de travail, parce qu'il
finissait en général avant elle, mais il fut content de la
voir.

Alors qu'il saisissait ses outils et s'avançait vers
elle, il comprit qu'il s'était passé quelque chose.

« M. Mathison demande que tu viennes à la maison
vite vite », dit-elle.

Elle tortillait un mouchoir dans ses mains, un geste
de nervosité qu'il détestait, car il avait pour effet de le
rendre nerveux lui aussi.

« Ma va bien ? demanda-t-il, prenant ses mains
dans les siennes et les secouant jusqu'à ce qu'elles
finissent par se calmer.

— Oui.

— Alors, qu'y a-t-il ?

— Je ne sais pas. »

Il la regarda sévèrement mais vit qu'elle lui disait la vérité. Elle était nerveuse parce que Mathison n'avait encore jamais demandé à voir Jo, pas une fois en sept ans depuis que Ma et elle faisaient le ménage chez lui, et elle ne savait pas ce que signifiait cette demande de sa part.

Ils parcoururent les quelques kilomètres jusqu'à la maison de Mathison d'un pas si rapide que le contenu de la boîte à outils de Jo s'entrechoquait désagréablement contre les parois de la boîte. Jo devançait un peu Anna et il entendait le trottinement de ses petits pieds s'efforçant de s'accorder au rythme de ses longues jambes.

Quand ils atteignirent la maison, Ma Aku les attendait dans la galerie, un accès de toux en guise de salut. Anna et elle conduisirent Jo dans le salon, où Mathison et une poignée d'autres hommes blancs étaient installés dans les moelleux canapés blancs, aux coussins si rebondis qu'ils ressemblaient à des petites collines, ou à des dos d'éléphants.

« Kojo ! » dit Mathison en se levant pour lui serrer la main.

Il avait entendu Ma Aku donner ce nom à Jo et avait demandé ce que ça signifiait. Quand Ma avait expliqué que c'était le nom ashanti pour un garçon né un lundi, il avait applaudi des deux mains comme s'il entendait une belle chanson et insisté pour appeler Jo par son nom complet chaque fois qu'il le voyait. « Réduire ton nom est la première étape », avait-il dit d'un air sombre. Si sombre que Jo n'avait pas jugé bon de demander ce qu'il voulait dire – la première étape de quoi ?

« Monsieur Mathison.

— S'il te plaît, assieds-toi », dit Mathison, désignant un fauteuil blanc inoccupé.

Jo se sentit soudain nerveux. Son pantalon était couvert de poix séchée, si noire qu'on aurait dit qu'il était parsemé de centaines de trous. Jo craignit que la poix ne tache le fauteuil et ne donne plus de travail à Anna et Ma Aku le lendemain quand elles reviendraient. Si elles revenaient.

« Je suis désolé de t'avoir fait faire ce long trajet jusqu'ici, mais mes collègues m'ont informé de nouvelles inquiétantes. »

Un homme blanc plus gros s'éclaircit la voix, et Jo observa son cou tressauter pendant qu'il disait : « Nous avons entendu parler d'un nouveau projet de loi proposé par le Sud et les Free Soilers, et s'il devait passer, sa mise en application exigerait d'arrêter tout esclave présumé en fuite dans le Nord et de le renvoyer dans le Sud, sans tenir compte du nombre d'années écoulées depuis qu'il s'est enfui. »

Les hommes attendaient sa réaction. Il hocha la tête.

« Je suis surtout inquiet pour toi et pour ta mère », dit M. Mathison, et Jo se tourna vers la porte où Anna était restée postée quelques instants auparavant.

Elle était probablement retournée faire le ménage maintenant, redoutant ce que M. Mathison avait à dire à Jo.

« Comme fuyards, vous pourriez avoir plus d'ennuis qu'Anna et les enfants, qui sont légalement libres. »

Jo hocha la tête. Il ne pouvait imaginer qui les recherchait, lui ou Ma Aku, après toutes ces années. Jo ne connaissait ni le nom ni même le visage de son vieux maître. Tout ce dont se souvenait Ma était que Ness l'avait appelé le diable.

« Tu devrais emmener ta famille plus loin au nord, dit M. Mathison. À New York, au Canada, même. Si cette loi passe, personne ne peut dire quel genre de chaos elle provoquera. »

« Est-ce qu'ils vont me renvoyer ? » demanda Anna.

Ils étaient assis sur leur lit tard dans la nuit, après que les enfants s'étaient couchés, et Jo put enfin lui expliquer pourquoi Mathison l'avait fait venir.

« Non, ils veulent seulement nous prévenir, c'est tout.

— Mais le vieux maître de Ma est mort. Ruthie nous l'a dit, tu te souviens ? »

Jo se souvenait. Ruthie, la cousine d'Anna, avait fait courir l'information d'une plantation à une autre, d'une planque à une autre, jusqu'à Ma Aku, que l'homme qui était son propriétaire était mort. Et ils avaient tous respiré plus facilement cette nuit-là.

« M. Mathison dit que ça ne compte pas. Sa famille peut encore la réclamer s'ils le veulent.

— Et moi et les enfants ? »

Jo haussa les épaules. Le maître d'Anna l'avait engendrée, puis les avait émancipées elle et sa mère. Elle avait de vrais certificats d'émancipation, pas des faux papiers comme Jo et Ma Aku. Les enfants étaient tous nés ici, à Baltimore, libres. Personne ne viendrait les chercher.

« C'est juste moi et Ma qui avons à nous inquiéter. Pense plus à ça. »

Quant à Ma Aku, Jo savait qu'elle ne quitterait jamais Baltimore. À moins de pouvoir revenir sur la Côte-de-l'Or, il n'y aurait aucun nouveau pays pour elle – ni le Canada ni même le paradis s'il existait sur terre. Une fois que la femme avait décidé de devenir libre, elle avait aussi décidé de demeurer libre. Quand il était enfant, Jo regardait avec émerveillement le couteau que Ma Aku gardait caché à l'intérieur de son pagne, qu'elle y avait toujours gardé depuis l'époque où elle était une esclave ashantie, puis une esclave américaine, puis, enfin, libre. En grandissant Jo avait mieux compris la femme qu'il appelait Ma. Il avait compris que la liberté demandait d'incroyables sacrifices.

Dans l'autre pièce, Beulah se mit à geindre dans son sommeil. L'enfant avait des terreurs nocturnes. Elles survenaient de manière imprévisible : tantôt une fois par mois, tantôt tous les deux jours. Certains jours, elles étaient si terribles qu'elle se réveillait au son de ses propres cris ou avec des égratignures sur les bras à force de s'être débattue dans d'invisibles batailles. À d'autres moments, elle dormait immobile, comme inanimée, des larmes coulant sur son visage, et le lendemain, quand on lui demandait de quoi elle avait rêvé, elle haussait les épaules et disait : « De rien. »

Ce jour-là, Jo vit les petites jambes de l'enfant bouger : un genou plié, un coup de pied, un genou plié, un coup de pied, successivement. Beulah courait. C'était peut-être ainsi que tout avait commencé, pensa Jo. Beulah voyait peut-être quelque chose plus clairement les nuits où elle faisait ces rêves, une fillette noire se battant dans son sommeil contre un adversaire qu'elle ne pouvait pas nommer le matin parce que le jour venu cet adversaire ressemblait au monde autour d'elle. Un mal intangible. Une injustice indicible. Beulah courait dans son sommeil, elle courait comme si elle avait volé quelque chose, alors qu'elle n'avait rien fait d'autre qu'espérer la paix, la clarté, qui venait du rêve. Oui, pensait Jo, c'était ainsi que tout avait commencé, mais quand, où, cela finirait-il ?

Jo décida que sa famille resterait à Baltimore. Anna était trop enceinte pour être forcée de quitter la ville où ils étaient tous enracinés, et on se sentait encore en sécurité à Baltimore. Les gens commentaient la loi à mots couverts. Quelques familles se préparaient à partir, faisaient leurs valises et s'en allaient vers le nord de peur qu'elle ne soit promulguée. Ol'Bess qui vendait des fleurs dans North Street s'en alla. Ainsi que Everett, John et Dothan qui travaillaient sur l'*Alice*.

« C'est une putain de honte, dit Poot le jour où trois Irlandais se présentèrent sur le bateau pour les remplacer.

— T'as jamais songé à partir, Poot ? » demanda Jo.

Poot poussa un grognement.

« M'enterreront à Baltimore, Jo. M'en fiche. Y jetteront mon corps dans la baie de Chesapeake. »

Jo savait qu'il était sincère. Poot disait que Baltimore était une ville super pour un Noir. Il y avait des portiers et des professeurs noirs, des prêcheurs et des colporteurs noirs. Un homme libre n'était pas forcé d'être un serviteur ou un chauffeur. Il pouvait fabriquer quelque chose de ses mains. Il pouvait réparer, vendre. Il pouvait construire quelque chose à partir de rien et l'envoyer ensuite sur la mer. Poot avait appris tout jeune à calfater, et il disait en riant que la seule chose qu'il aimait plus que tenir un maillet était tenir une femme. Il était marié, mais il n'avait pas d'enfant, aucun fils à qui transmettre son savoir. Les bateaux étaient sa fierté. Il ne quitterait jamais Baltimore.

Et, comme lui, la plupart de ceux qui vivaient à Baltimore tinrent bon. Ils étaient fatigués de courir et étaient habitués à attendre. Et ils voulaient voir ce qui allait arriver.

Le ventre d'Anna continua à enfler. Bébé H se manifestait tous les jours en lui bourrant le ventre de coups de pied et de poing. « H sera un boxeur, disait Cato du haut de ses dix ans, posant son oreille sur le ventre de sa mère.

— Nah, nah, disait Anna. Il n'y aura pas de violence dans *cette* maison. »

Cinq minutes plus tard, Daly donnait à Eurias un coup dans les tibias, et Anna lui flanqua une fessée telle qu'il ne put s'asseoir de la journée sans gémir.

À seize ans, Agnes commença à travailler, elle alla faire le ménage dans l'église méthodiste de Caroline Street, et Beulah prit à cœur son nouveau rôle d'aînée de la maisonnée pendant une heure le soir avant qu'Agnes rentre de son travail.

« Timmy dit que pasteur John et lui, ils iront nulle part », rapporta Agnes un jour.

C'était en août 1850 et Baltimore baignait dans une chaleur poisseuse. Agnes rentrait à la maison le soir en sueur, des gouttes perlant sur sa lèvre supérieure, son cou, son front. Timmy était le fils du pasteur, et Jo et la famille devaient écouter les récits d'Agnes sur ce que Timmy avait pensé, fait, ou dit ce jour-là.

« J'imagine donc que ça signifie que tu ne partiras pas non plus ? » dit Anna avec un sourire moqueur, et Agnes sortit vexée de la maison.

Elle dit qu'elle allait chercher du chocolat pour les petits, mais ils savaient tous qu'Anna avait touché une corde sensible.

Ma Aku rit en entendant la porte claquer.

« Cette enfant connaît rien de l'amour », dit-elle.

Son rire se transforma en toux et elle dut se pencher en avant pour la contenir.

Jo embrassa Anna sur le front et regarda Ma.

« Qu'est-ce que tu connais à l'amour, Ma ? » demanda-t-il, gagné par son rire.

Ma agita son doigt vers lui.

« Ne me demande pas ce que je connais et ce que je ne connais pas, dit-elle. Tu n'es pas le seul qui a touché ou été touché par quelqu'un. »

Ce fut au tour d'Anna de pouffer, et Jo lâcha la main qu'il serrait, se sentant un peu trahi.

« Qui, Ma ? »

Ma secoua lentement la tête.

« Qu'importe qui. »

Deux semaines plus tard, Timmy vint au chantier demander à Jo la main d'Agnes.

« Tu connais un métier, mon garçon ? demanda Jo.

— Je serai prêcheur, comme mon père », dit Timmy.

Jo grommela. Il n'était allé à l'église que deux fois : le jour où Ma Aku et lui avaient été chassés à coups de pied pour sorcellerie, et le jour où lui-même s'y était marié. Si Agnes épousait le fils de ce prêcheur, il serait obligé d'y retourner pour son mariage et qui sait combien de fois ensuite.

Le jour où ils avaient fait à pied les huit kilomètres pour rentrer chez eux depuis l'église baptiste, après que Jo avait donné la grenouille au père de Mirabel, il avait pleuré et pleuré. Ma Aku l'avait laissé continuer pendant quelques minutes puis elle lui avait saisi l'oreille, l'avait entraîné dans une ruelle, et regardé sévèrement :

« Pour quelle raison tu pleures, fils ?

— Pasteur dit que nous faisons de la sorcellerie africaine. »

Il n'était pas assez vieux pour savoir ce que cela signifiait, mais il l'était suffisamment pour savoir ce qu'était la honte et, ce jour-là, il avait eu son compte.

Ma Aku cracha derrière son épaule gauche, ce qu'elle ne faisait que lorsqu'elle était véritablement dégoûtée.

« Qui te dit de pleurer comme ça ? avait-elle demandé, et il avait haussé les épaules, essayé d'empêcher son nez de couler, car elle devenait encore plus furieuse. Je te l'ai dit, s'ils n'avaient pas choisi le dieu de l'homme blanc au lieu des dieux des Ashantis, ils ne pourraient pas me dire ces choses-là. »

Jo savait qu'il était censé acquiescer, ce qu'il fit. Elle continua.

« Le dieu de l'homme blanc est comme l'homme blanc. Il pense qu'il est le seul dieu, juste comme l'homme blanc pense qu'il est le seul homme. Mais la seule raison pour quoi il est dieu au lieu de Nyame ou Chukwu ou n'importe qui, c'est parce que nous le laissons faire. Nous ne le combattons pas. Nous ne le contestons même pas. L'homme blanc nous a dit que c'était comme ça, et nous avons dit oui, mais quand l'homme blanc nous a-t-il jamais dit qu'une chose était bonne pour nous et que cette chose était vraiment bonne ? Ils disent tu es un sorcier africain, et alors ? Et alors ? Qui leur a dit ce qu'est un sorcier ? »

Jo ne pleurait plus, et Ma Aku avait essuyé les traces de sel blanches sur ses joues avec l'ourlet de sa robe. Elle l'avait entraîné dans la rue à nouveau, le tirant par le bras sans cesser de marmonner.

À présent, Jo regardait les mains de Timmy trembler. C'était un garçon grand et maigre avec des mains douces qui n'avaient jamais été brûlées par de la poix ou abîmées par un fer à calfat. Timmy venait d'une lignée de gens libres : né et éduqué à Baltimore de parents eux-mêmes nés et éduqués à Baltimore. « Si c'est ce que Aggie veut », finit par dire Jo.

Le couple se maria le mois suivant, le matin où fut décrété le Fugitive Slave Act. Anna confectionna la robe d'Agnes la nuit à la lueur de la bougie. Jo la trouvait le matin, les yeux larmoyants, plissant les paupières pour rester éveillée en se préparant à aller chez les Mathison. Bébé H était si gros dans son ventre qu'elle ne pouvait plus marcher sans se dandiner, les pieds si gonflés qu'elle les glissait péniblement dans ses chaussons de travail, les sentant se contracter et se détendre, comme du pain trop fermenté qui déborde de son récipient.

Le mariage fut célébré dans l'église du père de Timmy, et toutes les femmes de la congrégation avaient cuisiné un repas digne d'un roi, même s'il y avait des chuchotements concernant le mariage de Timmy avec une fille dont les parents n'allaient pas à l'église, pas même à l'église rivale méthodiste de l'autre côté de la rue.

Beulah était debout à côté d'Agnes dans une robe violette, et le frère de Timmy, John Jr., se tenait près de lui. C'est le père de Timmy, le pasteur John, qui les maria. Il ne conclut pas de la façon habituelle en déclarant mariés monsieur et madame et en leur disant de s'embrasser, mais il demanda à l'assistance de tendre les mains vers Timmy et Agnes pendant qu'il récitait une bénédiction. Et au moment où il prononçait les mots : « Et le peuple de Dieu a dit », un petit garçon entra en courant par la porte de l'église en criant : « La loi est passée ! La loi est passée ! »

Et un « Amen » jaillit, étouffé et contraint de la bouche de certains. Des autres, il ne vint rien. Quelques-uns s'agitèrent sur leurs bancs et l'un d'eux s'en alla, se levant si rapidement que tout le banc oscilla, brusquement déséquilibré.

Agnes lança à Jo un regard où flottait une ombre d'anxiété, et il la fixa aussi fermement qu'il le put. Elle sentit alors sa peur se dissiper tandis qu'augmentait l'angoisse collective. Le pasteur John finit de marier le couple, et chacun mangea le repas de fête qu'Anna, Ma et les autres femmes avaient préparé.

En deux semaines, la rumeur se répandit que James Hamlet, un fugitif de Baltimore, avait été repris et condamné. Les Blancs l'annoncèrent dans le *New York Herald* et dans le *Sun* de Baltimore. Ce fut le premier, mais tout le monde savait qu'il y en aurait davantage. Des centaines de gens se mirent en route pour le Canada. Jo alla passer une semaine à Fells Point, et ce qui était jadis une mer de visages noirs sur le fond bleu-vert de la baie avait été réduit à zéro. Mathison s'était assuré que tous les membres de la famille de Jo aient leurs papiers d'émancipation, mais il en connaissait d'autres qui avaient leurs papiers, et même ceux-là avaient pris la fuite.

Mathison reparla à Jo.

« Je veux être certain que tu sais ce qui est en jeu ici. S'ils te prennent, ils t'emmèneront au tribunal, mais tu n'auras pas ton mot à dire. Ce sera la parole de l'homme blanc contre aucune parole. Fais attention d'avoir toujours tes papiers avec toi, compris ? »

Jo hocha la tête.

Il y eut des rassemblements et des protestations dans le Nord, et pas seulement parmi les Nègres. Des Blancs y participèrent, des hommes que Jo n'avait jamais vus participer à rien auparavant. Le Sud avait introduit ce combat au Nord prêt à leur ouvrir la porte, alors que nombre d'entre eux n'avaient rien à en faire. Désormais les Blancs pouvaient être condamnés à une amende pour avoir procuré à un Nègre un repas, du travail, un endroit où loger, si la loi décrétait que le Nègre était un fugitif. Et comment pouvaient-ils savoir qui était fugitif et qui ne l'était pas ? La situation était devenue intenable, et ceux qui avaient été déterminés à ménager la chèvre et le chou s'étaient retrouvés sans chèvre ni chou.

Le matin, avant que Jo et Anna partent travailler, Jo apprenait aux enfants à montrer leurs papiers. Il jouait au chef de la police fédérale, les mains posées sur les hanches, et s'avançait vers chacun d'eux, y compris la petite Gracie, disant de sa voix la plus sévère : « Où allez-vous ? » Et ils fouillaient dans les poches qu'Anna avait cousues sur leurs robes et leurs pantalons, et sans insolence, toujours en silence, fourraient ces papiers dans les mains de Jo.

La première fois, les enfants avaient éclaté de rire, persuadés qu'il s'agissait d'un jeu. Ils ignoraient la peur des gens en uniforme qui hantait Jo, ils ne savaient pas ce que cela signifiait de rester couché, sans faire de bruit, respirant à peine, sous le plancher d'une maison quaker, à écouter le martellement d'un talon de botte au-dessus de vous. Jo avait tout fait pour que ses enfants n'héritent pas de sa peur, mais maintenant il aurait voulu qu'ils en aient un tout petit peu.

« Tu t'inquiètes trop, disait Anna. N'y a personne qui cherche les enfants. Personne qui nous cherche non plus. » Le bébé était attendu d'un jour à l'autre maintenant, et Jo avait remarqué que sa femme était devenue plus nerveuse que d'habitude, s'en prenait à lui pour un rien. Elle avait envie de poisson et de citrons. Elle marchait les mains plaquées sur le bas du dos, et elle oubliait tout. Les clés un jour, le balai un autre. Jo craignait qu'elle n'oublie ses papiers. Il l'avait vue les laisser, froissés et usés, sur son côté du matelas un jour où elle était allée au marché, et il avait crié après elle. Il l'avait engueulée à l'en faire pleurer. Il s'était senti honteux, mais il savait qu'elle n'oublierait plus jamais.

Et, un jour, Anna ne rentra pas à la maison. Jo parcourut toutes les pièces, pour voir si elle avait laissé ses papiers, mais il ne les trouva nulle part, et il entendit la voix douce chuchoter « Tu t'inquiètes trop. Tu t'inquiètes trop », à son oreille. Beulah rentra avec le reste des enfants à sa suite, et Jo leur demanda s'ils avaient vu leur mère.

« Est-ce que Bébé H est arrivé, papa ? demanda Eurias.

— Peut-être », dit Jo l'air absent.

Puis arriva Ma Aku, se massant la nuque à deux mains. Il ne lui fallut pas longtemps pour examiner la pièce.

« Où est Anna ? Elle a dit qu'elle irait chercher des sardines avant de rentrer », dit Ma, mais Jo avait déjà franchi le seuil de la porte.

Il alla à l'épicerie, à la boutique du coin, au magasin de tissus. Il alla au marché aux poissons, chez le cordonnier, à l'hôpital. Au chantier, au musée, à la banque.

« Anna ? Elle est pas venue ici aujourd'hui », dirent-ils tous l'un après l'autre.

Puis, pour la première fois de sa vie, Jo alla frapper la nuit à la porte d'un Blanc. Mathison en personne lui ouvrit.

« Elle est pas à la maison depuis ce matin », dit Jo, les mots restant coincés dans sa gorge.

Il y avait longtemps qu'il n'avait pas pleuré, et il ne voulait pas se laisser aller devant un homme blanc, que cet homme l'ait aidé ou pas.

« Rentre chez toi retrouver tes enfants, Kojo. Je vais la chercher. Rentre chez toi. »

Jo hocha la tête et, en rentrant chez lui hébété, il se mit à penser à ce qu'aurait été sa vie sans sa femme, la femme qu'il avait toujours longuement et ardemment aimée. Tout le monde était au courant de ce que l'on commençait à appeler la *Bloodhound Law,* cette loi qui autorisait la chasse aux esclaves avec des chiens. Ils avaient entendu parler des chiens, des kidnappings, des procès. Ils savaient tout ça, pourtant n'avaient-ils pas gagné leur liberté ? Les jours à courir dans les forêts et à vivre sous les planchers. N'était-ce pas le prix qu'ils avaient payé ? Jo refusait d'accepter ce qu'il commençait déjà à savoir au fond de son cœur. Anna et Bébé H avaient disparu.

Jo ne pouvait rester à rien faire pendant que Mathison cherchait Anna. Mathison connaissait peut-être tous les riches blancs, mais Jo connaissait les Noirs et les pauvres immigrants blancs de Baltimore. Un soir, après avoir fini de travailler sur les bateaux, il alla leur parler, tâchant de rassembler des informations.

Mais partout, la réponse était la même. Ils avaient vu Anna ce matin, la veille, trois soirs auparavant.

Le jour où elle avait disparu, elle était allée chez Mathison jusqu'à 6 heures. Ensuite, rien. Personne ne l'avait vue.

Le nouveau mari d'Agnes, Timmy, était un bon dessinateur. Il fit de mémoire un croquis d'Anna aussi ressemblant que possible. Le matin, il apporta le portrait à Fells Point. Il alla sur tous les derniers bateaux du chantier, montrant aux gens le visage d'Anna dessiné au fusain.

« Désolé, Jo », dirent-ils tous.

Il emporta le croquis sur l'*Alice*, et bien que tous les hommes sachent déjà à quoi elle ressemblait, ils cherchèrent à lui faire plaisir, examinèrent le dessin avec soin avant de dire à Jo ce qu'il savait déjà. Eux non plus ne l'avaient pas vue.

Jo continua à garder le dessin dans sa poche pendant qu'il travaillait. Il se perdit dans le martellement du maillet contre le fer, ce rythme régulier qu'il connaissait bien. Le bruit le calmait. Puis, un jour, alors qu'il préparait l'étoupe, le croquis glissa de sa poche, et le temps de le rattraper, les bords trempaient déjà dans le goudron. Il s'efforça de l'ôter, mais il s'en mit plein les doigts, et lorsqu'il voulut essuyer la sueur qui dégoulinait dans ses yeux, il barbouilla tout son visage de goudron.

« Faut que je parte, dit Jo à Poot, agitant fébrilement la feuille de papier, espérant que le vent la sécherait.

— Tu peux pas manquer plus de jours, Jo, dit Poot. Y vont donner ton job à un de leurs Irlandais, et alors, hein ? qui va nourrir les enfants, Jo ? »

Jo courait déjà vers la terre ferme.

Sur le trajet du magasin de meubles dans Aliceanna Street, il ne cessa de montrer le portrait d'Anna à tous ceux qu'il croisait. Il ne savait pas ce qu'il avait à l'esprit quand il le tendit à la femme blanche qui sortait du magasin.

« S'il vous plaît, ma'me, dit-il. Est-ce que vous avez vu ma femme ? Je cherche ma femme. »

La femme fit un pas en arrière, les yeux agrandis par la peur, mais sans le quitter du regard, comme si elle le croyait capable de l'attaquer si elle se détournait de lui.

« Vous, n'approchez pas ! dit-elle, élevant la main.

— Je cherche ma femme. Je vous en prie, ma'me, regardez juste le dessin. Vous avez vu ma femme ? »

Elle secoua la tête, gardant la main levée.

« J'ai des enfants, dit-elle. Je vous en prie, ne me faites pas de mal. »

Écoutait-elle même un mot de ce qu'il disait ? Soudain, Jo sentit deux bras forts l'empoigner par-derrière.

« Ce Nègre vous importune ? demanda une voix.

— Non, monsieur l'agent. Merci, monsieur l'agent », dit la femme, soulagée et prenant congé.

Le policier fit pivoter Jo pour le regarder en face. Jo était tellement effrayé qu'il ne put lever les yeux, mais parvint seulement à tendre le croquis.

« S'il vous plaît, ma femme, monsieur. Elle est enceinte de huit mois et je ne l'ai pas vue depuis des jours.

— Ta femme, hein ? dit le policier, arrachant la feuille des mains de Jo. Jolie Négresse, hein ? »

Jo était toujours incapable de lever les yeux.

« Tu pourrais me laisser emporter son portrait, hein ? »

Jo secoua la tête. Il avait déjà failli le perdre une fois aujourd'hui et il ne saurait pas quoi faire s'il le perdait à nouveau.

« S'il vous plaît, monsieur. C'est le seul que j'ai. »

Puis Jo entendit un bruit de papier déchiré. Il leva la tête et vit le nez, les oreilles et les mèches de cheveux d'Anna s'envoler, bouts de papier déchiquetés emportés par le vent.

« J'en ai marre de ces fuyards de Nègres qui se croient au-dessus des lois. Si ta femme était une Négresse en fuite, alors elle a eu ce qu'elle méritait. Et toi ? Tu es un Nègre en fuite ? Je peux t'envoyer rejoindre ta femme. »

Jo soutint le regard du policier. Tout son corps semblait pris d'un tremblement. Il ne voyait pas, mais le sentait à l'intérieur de lui, un tremblement incontrôlable.

« Non, monsieur, dit-il.

— Parle plus fort, dit le policier.

— Non, monsieur. Je suis né libre, ici, à Baltimore. »

Le policier ricana.

« Rentre chez toi », dit-il.

Il tourna les talons et s'éloigna, et le tremblement qui l'avait saisi jusqu'au fond des os commença à s'estomper jusqu'à ce qu'il se retrouve assis sur le sol dur, s'efforçant de se ressaisir.

« Répète-lui ce que tu m'as raconté », dit Mathison.

Trois semaines s'étaient écoulées. Ma Aku était tombée malade et ne pouvait plus aller travailler, mais Jo passait toujours chez Mathison en rentrant à la maison pour voir s'il avait des nouvelles d'Anna.

Ce jour-là, Mathison tenait un petit Noir terrifié par les épaules. Le garçon n'était sans doute pas beaucoup plus âgé que Daly, et il était devenu presque gris de peur en entendant un homme blanc l'interpeller.

Debout, les mains tremblantes, il leva les yeux vers Jo.

« Je vois un homme blanc qui prend une femme enceinte dans sa voiture. Dit qu'elle est trop enceinte pour rentrer à pied chez elle, alors il la prend. »

Jo se pencha jusqu'à ce que ses yeux soient au niveau de ceux de l'enfant. Il le saisit par le menton et le força à le fixer, cherchant dans le regard du garçon le reflet des jours, trois semaines entières pour être précis, passés à la recherche d'Anna.

« Ils l'ont vendue, dit Jo à Mathison en se relevant.

— On n'en sait rien, Jo. Il est possible qu'ils aient dû chercher d'urgence une aide médicale. Anna était légalement libre, et elle était enceinte », répondit Mathison, mais son ton était incertain. Ils avaient fait le tour de tous les hôpitaux, interrogé les sages-femmes, y compris les docteurs sorciers. Personne n'avait vu ni Anna ni Bébé H.

« Ils les ont vendus, elle et le bébé », dit Jo, et avant qu'ils aient le temps de l'arrêter ou le remercier, l'enfant se dégagea et déguerpit de la maison de Mathison plus vite que l'éclair.

Il raconterait probablement à ses amis toute l'histoire, qu'il était allé dans la grande maison d'un homme blanc qui avait posé des questions sur une Négresse. Il se vanterait. Il dirait qu'il avait gardé la tête haute et parlé fermement, que l'homme lui avait serré la main après et lui avait donné un quarter.

« On va continuer à chercher, Jo, dit Mathison, contemplant la place vide laissée par le garçon. Ce n'est pas fini. On la retrouvera. J'irai en justice s'il le faut, Jo. Je te le promets. »

Jo ne put l'écouter davantage. Le vent entrait par la porte que l'enfant avait laissée entrouverte. Il tournait autour des gros piliers blancs qui soutenaient la maison, s'enroulait autour d'eux, s'engouffrait dans l'espace étroit du canal de l'oreille de Jo. Il lui disait que l'automne était arrivé à Baltimore et qu'il lui faudrait le passer seul, prendre soin de sa Ma souffrante et de ses six enfants sans son Anna.

Quand il arriva chez lui, les enfants l'attendaient. Agnes était là avec Timmy. Elle était enceinte, Jo le devina, mais il savait qu'elle ne voulait pas le lui dire, de peur de lui faire de la peine ou de blesser le souvenir de sa mère, qu'elle craignait que son petit morceau de joie ne soit honteux.

« Jo ? » appela Ma Aku.

Jo lui avait donné la chambre quand son état avait empiré.

Il s'approcha d'elle. Elle reposait sur le dos, fixant le plafond, les mains jointes sur la poitrine. Elle tourna la tête vers lui et parla en twi, ce qu'elle faisait fréquemment quand il était enfant mais qu'elle avait pratiquement arrêté de faire depuis qu'il avait épousé Anna.

« Elle est partie ? » demanda Ma et Jo hocha la tête.

Elle soupira.

« Il te faudra le surmonter, Jo. Nyame n'a pas fait les Ashantis faibles, et c'est ce que tu es, un Ashanti, quel que soit ce que l'homme d'ici, blanc ou noir, veuille effacer de toi. Ta mère vient de ce peuple fort et puissant. Un peuple qui ne se brise pas.

— C'est toi ma mère », dit Jo, et Ma Aku, avec grand effort, tourna tout son corps vers lui et ouvrit les bras.

Jo se glissa dans le lit avec elle et pleura, la tête enfouie contre sa poitrine, comme il ne l'avait plus jamais fait depuis son enfance. À cette époque, il pleurait à cause de Sam et Ness, et la seule chose qui le calmait était les histoires qu'on racontait sur eux, même si elles étaient désagréables. Ma Aku lui disait ainsi que Sam parlait peu, mais que c'était toujours avec affection et sagesse, et que Ness portaient les plus épouvantables cicatrices de fouet jamais vues. Jo était triste que sa lignée ait été rompue, perdue à jamais. Il ne saurait jamais véritablement qui était son peuple, et qui était leur peuple avant eux, et s'il existait des histoires sur l'endroit d'où il venait, il ne les entendrait jamais. Quand il ressentait ce regret, Ma Aku le serrait contre elle et elle remplaçait les récits sur la famille par des histoires sur les nations. Les Fantis de la côte, les Ashantis de l'intérieur des terres, les Akans.

Aujourd'hui, étendu contre cette femme, il sut qu'il appartenait à quelqu'un, et que cela lui avait suffi autrefois.

Dix ans passèrent. Ma Aku passa avec eux. Agnes eut trois enfants, Beulah était enceinte, Cato et Felicity étaient mariés. Eurias et Gracie, les plus jeunes du clan, gagnèrent leur vie dès qu'ils le purent. Ils dirent que c'était pour soulager un peu les charges de la maison, mais Jo connaissait la vérité. Ses enfants ne supportaient plus de rester dans les parages avec lui, et bien qu'il détestât l'admettre, il ne pouvait plus supporter de rester avec eux.

Le problème était Anna. Le fait qu'il la voyait partout dans Baltimore, dans les magasins, sur les routes. Il voyait partout d'amples fesses au coin d'une rue et les suivait le long de blocs entiers. Ça lui avait valu une gifle un jour. C'était l'hiver et la femme, à la peau si claire qu'on aurait dit de la crème avec une goutte de café, avait tourné à l'angle de la rue et l'avait attendu. Elle l'avait frappé si vite qu'il n'avait même pas remarqué d'où venait le coup avant qu'elle se retourne et qu'il voie le généreux frémissement de ses hanches.

Il alla à New York. Peu importait qu'il soit devenu l'un des meilleurs calfateurs de la baie de Chesapeake ; il ne pouvait plus regarder un bateau. Il ne pouvait plus prendre un ciseau ni sentir l'odeur de l'étoupe, du chanvre ou du goudron sans penser à la vie qu'il avait eue, la femme et les enfants qu'il avait eus, et il ne le supportait plus.

À New York, il travailla comme il put. La plupart du temps en tant que charpentier, plombier quand il en avait l'occasion, même s'il était souvent sous-payé. Il loua une chambre à une vieille femme noire qui cuisinait ses repas et s'occupait de son linge, sans qu'il le lui ait demandé. Les soirs, il les passait dans les bars pour Noirs.

Il y entra un jour venteux de décembre et s'assit à sa place habituelle, passant la main sur le bois poli du comptoir. Il était superbement fabriqué, et Jo s'était toujours imaginé que c'était un Noir qui l'avait réalisé, peut-être durant ses premiers jours de liberté à New York, si heureux de pouvoir faire quelque chose pour lui-même plutôt que pour quelqu'un d'autre qu'il y avait mis tout son cœur.

Le barman, un homme qui boitillait impercepti-blement, remplit son verre avant même que Jo le lui demande et le posa devant lui. L'homme assis à côté de lui feuilletait le journal du matin, froissé, mouillé par l'humidité du bar ou quelques gouttes tombées de son verre.

« La Caroline du Sud a fait sécession aujourd'hui », dit-il à la cantonade.

Et n'obtenant aucune réaction particulière, il jeta un regard aux personnes présentes.

« Il va y avoir la guerre. »

Le barman se mit à frotter le bar avec un chiffon qui sembla à Jo plus sale que le bar lui-même.

« Il n'y aura pas de guerre », dit-il calmement.

Jo avait entendu parler de guerre depuis des années. Ça ne signifiait pas grand-chose pour lui, et il essaya de ne pas se mêler à la conversation, se méfiant des sympathisants du Sud au Nord ou, pire, des nordistes blancs à l'enthousiasme débordant qui voulaient le voir se défendre plus violemment et revendiquer plus fortement ses droits à la liberté.

Mais Jo n'était pas en colère. Il ne l'était plus. Il n'aurait su dire s'il avait été en colère autrefois. C'était une émotion dont il n'avait plus besoin, qui n'aboutissait à rien et signifiait encore moins. Si Jo éprouvait quelque chose, c'était de la fatigue.

« Je vais vous dire, c'est mauvais signe. Un des États du Sud fait sécession et les autres suivront. On peut pas s'appeler les États-Unis d'Amérique si la moitié des États foutent le camp. Écoutez-moi bien, il y aura la guerre. »

Le barman leva les yeux au ciel. « J'écoute rien du tout. Et à moins que vous ayez l'argent pour un autre verre, je crois qu'il est temps pour vous d'arrêter de faire des prédictions et de vous en aller. »

L'homme grommela bruyamment en roulant le journal dans sa main. En passant, il en frappa Jo sur l'épaule, et quand Jo se retourna pour lui faire face, il lui fit un clin d'œil comme s'ils étaient tous les deux du même avis, comme s'ils savaient quelque chose que le reste du monde ignorait, mais Jo ne pouvait pas imaginer de quoi il s'agissait.

Abena

En rentrant chez elle, les nouvelles graines serrées dans sa main, Abena repensait à son âge. Une fille de vingt-cinq ans célibataire était incongrue dans son village ou dans n'importe quel village de ce continent comme du continent voisin. Mais peu d'hommes vivaient autour d'elle, et aucun d'eux ne voulait courir un risque avec la fille du Malchanceux. Les récoltes du père d'Abena n'avaient jamais poussé. Année après année, saison après saison, la terre recrachait des plantes pourries, voire rien du tout. Qui savait d'où venait cette infortune ?

Abena palpa les graines – petites, rondes et dures. Difficile d'imaginer qu'elles se transformeraient en un champ entier. Elle se demandait si elles pousseraient pour son père, cette année. Abena était sûre d'avoir hérité de cette chose qui lui valait son surnom. On l'appelait « l'homme sans nom ». On l'appelait « le Malchanceux ». Et maintenant les ennuis de son père la poursuivaient, elle. Même son meilleur ami d'enfance, Ohene Nyarko, ne voulait pas d'elle comme seconde épouse. Il ne l'aurait jamais dit bien sûr, mais elle savait ce qu'il pensait : qu'elle ne valait pas le nombre d'ignames ou de vignes que lui coûterait une nouvelle épouse. Parfois, en s'endormant dans la case que son père lui avait construite, elle se demandait si ce n'était pas elle qui était le mauvais sort, non pas la terre stérile autour d'eux, mais elle-même, sa propre personne.

« Vieil Homme, je t'ai apporté les graines que tu avais demandées », annonça Abena en entrant dans la case de ses parents. Elle était allée jusqu'au village voisin parce que son père croyait, une fois encore, que changer de graines pourrait faire tourner la chance.

« Merci », dit-il. La mère d'Abena balayait le sol, penchée en avant, une main posée au creux du dos, l'autre serrée autour des feuilles de palme, se balançant au son d'une musique qu'elle était seule à entendre.

Abena s'éclaircit la voix. « Je voudrais aller à Kumasi, dit-elle. Je voudrais y aller juste une fois avant de mourir. »

Son père leva vivement les yeux. Il était en pleine contemplation des graines, les tournant et les retournant, les portant à l'oreille comme pour les entendre, les portant à ses lèvres comme pour les goûter. « Non », dit-il d'un ton ferme.

Sa mère ne se redressa pas, mais s'arrêta de balayer. Abena n'entendit plus les palmes frotter l'argile dure.

« Il est temps que je fasse ce voyage, insista Abena, sans baisser les yeux. Il est temps que je rencontre les gens des autres villages. Je serai bientôt une vieille sans enfant, et je ne connaîtrai rien que ce village et celui d'à côté. Je veux aller voir Kumasi. Voir à quoi ressemble une grande ville, passer devant le palais du roi des Ashantis. »

En entendant les mots « roi des Ashantis » son père serra les poings, réduisant les graines dans ses mains en une fine poussière qui s'écoula entre les interstices de ses doigts.

« Voir le palais du roi des Ashantis pour quoi faire ? hurla-t-il.

— Ne suis-je pas une Ashantie ? » demanda-t-elle, le mettant au défi de lui dire la vérité, d'expliquer la note de fanti dans son accent, le teint clair de sa peau. « Est-ce que mes ancêtres ne viennent pas de Kumasi ? Tu m'as enfermée ici comme une prisonnière avec ta malchance. Le Malchanceux, ils te nomment, mais tu devrais t'appeler le Honteux, ou le Peureux, ou le Menteur. Lequel de ces noms, Vieil Homme ? »

Son père la gifla violemment, écrasant les dernières graines contre sa joue gauche. Elle porta la main sur son visage endolori. Il ne l'avait jamais frappée. Tous les autres enfants du village avaient été battus pour une faute aussi bénigne qu'avoir renversé de l'eau ou aussi grave qu'avoir couché avec quelqu'un avant le mariage. Mais ses parents ne l'avaient jamais frappée. Au contraire, ils la traitaient comme une égale, lui demandaient son avis et discutaient de leurs projets avec elle. La seule chose qu'ils lui avaient toujours interdite était d'aller à Kumasi, la ville du roi des Ashantis, ou de gagner le pays fanti. Et, bien qu'elle ne montrât aucun intérêt pour la Côte-de-l'Or, ni aucun respect pour les Fantis, sa fierté d'être une Ashantie était grande. Elle augmentait chaque jour

218

avec le récit des exploits des guerriers ashantis contre les Anglais, au même rythme que leur force et leur espoir d'établir un royaume libre.

D'aussi loin que remontaient ses souvenirs, ses parents trouvaient toujours une excuse nouvelle. Elle était trop jeune. Son sang n'était pas encore venu. Elle n'était pas mariée. Abena avait fini par croire que ses parents avaient tué quelqu'un à Kumasi ou étaient recherchés par les gardes du roi, peut-être même par le roi en personne. Peu lui importait.

Elle essuya les graines réduites en poudre sur son visage et serra le poing, mais avant qu'elle puisse en faire quoi que ce soit, sa mère s'approcha dans son dos et lui saisit le bras.

« Ça suffit », dit-elle.

Le Vieil Homme sortit de la case en courbant la tête et, quand l'air frais du dehors frappa sa nuque dénudée, Abena se mit à pleurer.

« Assieds-toi, dit sa mère en désignant le tabouret que son père venait de quitter. Abena lui obéit et regarda sa mère, une femme de soixante-cinq ans, qui ne paraissait pas plus âgée qu'elle, encore si belle que les garçons du village murmuraient et sifflaient quand elle se penchait pour soulever de l'eau. « Ton père et moi ne sommes pas les bienvenus à Kumasi. » Elle parlait comme on s'adresse à une vieille femme dont les souvenirs, ces résistantes chrysalides, s'étaient transformés en papillons et envolés, pour ne jamais revenir. « Je suis de Kumasi, et quand j'étais jeune, j'ai provoqué mes parents en me mariant avec ton père. Il est venu me chercher. Il est venu depuis le fond du pays fanti. »

Abena secoua la tête. « Pourquoi tes parents étaient-ils contre ce mariage ? »

Akosua posa une main sur celle d'Abena et la caressa. « Ton père était… » Elle s'interrompit, cherchant ses mots. Abena savait que sa mère ne souhaitait pas lui confier un secret qui ne lui appartenait pas. « Il était le fils d'un Grand Homme, le petit-fils de deux très Grands Hommes, et il voulait avoir une vie pour lui et non une vie que l'on aurait choisie à sa place. Il voulait que ses enfants puissent en faire autant. C'est tout ce que je peux dire. Va à Kumasi. Ton père ne t'en empêchera pas. »

Sa mère sortit de la case à la recherche de son mari, et Abena resta à fixer les murs d'argile rouge autour d'elle. Son père aurait dû être un Grand Homme, mais voilà ce qu'il avait choisi : un cercle d'argile rouge, un toit de chaume, une case si petite qu'elle ne contenait que quelques souches d'arbres en guise de tabourets. Au-dehors, la terre stérile d'une ferme qui n'avait jamais mérité le nom de ferme. La décision de son père avait signifié la honte pour Abena, la honte de ne pas être mariée, la honte d'être sans enfant. Elle irait à Kumasi.

Dans la soirée, quand elle fut certaine que ses parents étaient endormis, Abena se glissa jusqu'à la concession d'Ohene Nyarko. Sa première épouse, Mefia, faisait bouillir de l'eau à l'extérieur de sa case, transpirant dans la vapeur de l'air et de la marmite.

« Sœur Mefia, ton mari est là ? » demanda Abena, et Mefia leva les yeux et désigna la porte.

Les récoltes d'Ohene Nyarko étaient toujours abondantes d'une année sur l'autre. Bien que leur village s'étendît à peine sur deux cents hectares, bien que personne ne portât le titre de chef ou de Grand Homme, tant leur territoire et leur statut étaient petits, Ohene était respecté. Un homme qui aurait pu réussir ailleurs, s'il n'était pas né ici.

« Ta femme me déteste, dit Abena.

— Elle croit que je couche encore avec toi », dit Ohene Nyarko, les yeux brillants de malice. Abena l'aurait volontiers frappé.

Elle se reprit, se rappelant ce qui s'était passé entre eux. Ils n'étaient que des enfants alors. Inséparables et espiègles. Ohene avait découvert que le bâton qu'il avait entre les jambes pouvait jouer des tours. Tandis que le père et la mère d'Abena étaient sortis quémander une part de la nourriture des anciens, comme ils le faisaient chaque semaine, Ohene avait montré ces tours à Abena.

« Tu vois ? » avait-il dit alors qu'ils l'observaient se dresser quand elle le touchait. Tous les deux avaient déjà vu ce phénomène ; Ohene les jours où son père passait de la case de l'une de ses femmes à la suivante, et Abena avant d'avoir sa propre case. Mais ils ignoraient qu'Ohene pouvait en faire autant.

« Quel effet ça fait ? » avait-elle demandé.

Il avait haussé les épaules, souri, et elle avait compris que ce devait être agréable. Elle était née de parents qui la laissaient donner son avis, revendiquer ce dont elle avait envie, même si c'était réservé aux garçons. Maintenant c'était ça qu'elle voulait.

« Couche-toi sur moi ! » avait-elle ordonné, se souvenant de ce que faisaient ses parents. Tout le monde au village s'était toujours moqué d'eux, disant que le Malchanceux était trop pauvre pour avoir une seconde épouse, mais Abena connaissait la vérité. Durant ces nuits, quand elle dormait du côté opposé de leur petite case, feignant de ne pas écouter, elle entendait son père chuchoter : « Akosua, tu es la seule pour moi ! »

« Nous ne pouvons pas le faire avant notre mariage ! » avait dit Ohene, embarrassé. Tous les enfants connaissaient des histoires sur les gens qui couchaient ensemble avant leur cérémonie de mariage : la plus extravagante disait que le pénis de l'homme devenait un arbre pendant qu'il était à l'intérieur de la femme, que les branches se développaient dans son ventre et l'empêchaient de sortir ; la plus simple, la plus véridique parlait de bannissement, d'amendes et de honte.

Ce soir-là, Abena était finalement parvenue à convaincre Ohene, et il avait tâtonné, jusqu'à pénétrer d'un coup et lui faire mal, s'enfonçant à l'intérieur : une fois, deux fois, puis rien. Il n'y avait eu ni sourds gémissements ni cris plaintifs comme ceux qu'ils avaient entendus s'échapper de la bouche de leurs pères. Il était ressorti simplement de la même manière qu'il était entré.

À cette époque, elle était la plus forte. Elle ne vacillait pas et pouvait lui faire faire n'importe quoi. Aujourd'hui, Abena contemplait Ohene Nyarko, debout devant elle avec ses larges épaules et son sourire narquois, attendant qu'elle prononce la requête qui, il le savait, lui brûlait les lèvres.

« J'ai besoin que tu m'emmènes à Kumasi », dit-elle. Elle ne pouvait en aucune façon voyager seule, sans mari, et elle savait que son père ne l'y conduirait pas.

Ohene Nyarko partit d'un grand rire sonore.

« *Darling*, je ne peux pas t'emmener à Kumasi en ce moment. C'est un voyage de plus de deux semaines et les pluies vont bientôt être là. Il faut que je m'occupe de ma ferme.

— Tes fils se chargent de la plus grande partie du travail, de toute manière », dit-elle. Elle détestait qu'il l'appelle « *darling* », utilisant toujours le mot anglais, comme elle le lui avait appris quand ils étaient enfants après avoir entendu son père l'employer un jour et lui avoir demandé ce que cela signifiait. Elle détestait qu'Ohene Nyarko l'appelle « sa chérie » quand sa femme était dehors en train de préparer le repas du soir et que ses fils étaient aux champs. C'était injuste qu'il la laisse plongée dans la honte comme il l'avait fait depuis tant d'années, surtout quand la vue de ses champs lui indiquait qu'il serait bientôt assez riche pour avoir une seconde épouse.

« Eh, mais qui va surveiller mes fils ? Un fantôme ? Je ne peux pas t'épouser si les ignames ne poussent pas.

— Si tu ne m'as pas déjà épousée, tu ne m'épouseras jamais », murmura Abena, surprise de sentir subitement un nœud lui serrer la gorge. Elle détestait aussi l'entendre parler en plaisantant de leur éventuel mariage.

Ohene Nyarko fit claquer sa langue et l'attira contre lui. « Ne pleure pas. Je t'emmènerai voir la capitale des Ashantis, d'accord ? Ne pleure pas, *darling*. »

Ohene Nyarko était un homme de parole et, à la fin de la semaine, ils partirent tous les deux pour Kumasi, la capitale de l'Asantehene, le roi des Ashantis.

Tout parut nouveau à Abena. Les concessions étaient de vraies concessions en pierre avec cinq ou six cases chacune, et non pas une ou deux au maximum. Des cases si hautes qu'elles faisaient resurgir l'image des géants de trois mètres habitant les contes que lui racontait sa mère. Des géants qui fondaient sur la terre battue des cases pour s'emparer des petits enfants lorsqu'ils n'étaient pas sages. Abena imaginait les familles de géants qui vivaient en ville, allaient chercher l'eau, allumaient des feux pour faire bouillir les méchants enfants dans leur soupe.

Kumasi s'étendait devant eux à perte de vue. Abena ne s'était jamais trouvée dans un endroit dont elle ne connaissait pas tous les habitants. Elle n'était jamais allée dans une ferme dont elle ne pouvait mesurer l'étendue d'un coup d'œil, tant les familles de son village étaient modestes. Ici, les terres cultivées étaient riches et généreuses, grouillantes d'hommes au travail. Les gens vendaient leurs marchandises au centre-ville, des choses qu'elle n'avait jamais vues auparavant, vestiges des jours anciens où le commerce était florissant avec les Anglais et les Hollandais.

Dans l'après-midi, ils passèrent devant le palais de l'Asantehene. Il était si grand qu'elle imagina qu'il pouvait contenir plus de cent personnes : épouses, enfants, esclaves et autres.

« On peut voir le Trône d'Or ? » demanda Abena, et Ohene Nyarko lui fit visiter la salle où il était enfermé, protégé par une paroi de verre afin que personne ne puisse le toucher.

C'était le trône qui renfermait le *sunsum*, l'âme de la nation ashantie tout entière. Recouvert d'or pur, il était descendu du ciel et avait atterri sur les genoux du premier Asantehene, Osei Tutu. Personne n'était autorisé à s'y asseoir, pas même le roi. Malgré elle, Abena sentit des larmes faire surface. Elle en avait toute sa vie entendu parler par les anciens du village sans l'avoir jamais vu de ses propres yeux.

Leur visite terminée, ils sortirent du palais par les portes dorées. Au même moment, entra un homme à peine plus âgé que le père d'Abena, drapé d'un kente et appuyé sur une canne. Il s'arrêta, fixant intensément le visage d'Abena.

« Tu es un fantôme ? demanda-t-il, en criant presque. C'est toi, James ? On dit que tu es mort à la guerre, mais je savais que c'était impossible ! » Il tendit la main droite et effleura la joue d'Abena, s'attardant si longtemps et avec une telle familiarité qu'Ohene Nyarko dut finalement lui écarter la main.

« Vieil Homme, tu ne vois donc pas que c'est une femme ? Il n'y a pas de James ici. »

L'homme secoua la tête comme pour y voir plus clair, mais quand il regarda Abena à nouveau, il sembla seulement troublé. « Pardonne-moi », dit-il avant de s'éloigner en clopinant.

Une fois qu'il fut parti, Ohene Nyarko entraîna Abena et franchit les portes avec elle, jusqu'à ce qu'ils se retrouvent dans le brouhaha de la ville.

« Ce vieux était probablement à moitié aveugle, marmonna-t-il, en la prenant par le coude.

— Chut, fit Abena, bien qu'il n'y eût aucun risque que l'homme puisse les entendre. Il fait probablement partie de la famille royale. »

Ohene ricana. « S'il est de la famille royale, alors tu l'es aussi. » Il rit bruyamment.

Ils continuèrent à marcher. Ohene Nyarko voulait acheter de nouveaux outils pour sa ferme à des gens de Kumasi avant de rentrer, mais Abena ne supportait pas l'idée de perdre son temps avec des personnes qu'elle ne connaissait pas alors qu'elle pouvait profiter de Kumasi, aussi se séparèrent-ils, promettant de se retrouver avant la tombée de la nuit.

Elle marcha jusqu'à ce que la peau durcie de ses plantes de pied commencent à la brûler, alors elle s'arrêta un moment, se reposant à l'ombre d'un palmier.

« Excuse-moi, Ma. Je voudrais te parler du christianisme. »

Abena leva les yeux. L'homme était musclé et de peau très sombre, il parlait un twi primitif, ou qu'il n'avait pas pratiqué depuis des années. Elle le dévisagea, mais ses traits n'évoquaient aucune des nombreuses tribus qu'elle connaissait.

« Quel est ton nom ? demanda-t-elle. Tu viens de quel peuple ? »

226

L'homme sourit et secoua la tête. « Ça n'a pas d'importance mon nom ou ma tribu. Viens, je vais te montrer le travail que nous faisons ici. » Et comme elle était curieuse, Abena le suivit.

Il l'emmena aux abords d'un terrain vague, une friche dans l'attente d'une future construction qui achèverait le cercle de la ville. Abena ne distingua pas grand-chose au début, puis d'autres hommes à la peau sombre, aux traits imprécis, arrivèrent dans la clairière, apportant des souches en guise de tabourets. Apparut alors un homme blanc. Le premier Blanc qu'Abena eût jamais vu. Elle avait souvent entendu chuchoter que son père avait du sang de Blanc dans les veines, mais à ses yeux il était simplement une version plus claire d'elle-même.

C'était cet homme dont parlaient les villageois, l'homme qui était arrivé sur la Côte-de-l'Or, à la recherche des esclaves et de l'or, prêt à tout pour s'en emparer. Qu'il vole, mente, promette de s'allier avec les Fantis et de donner le pouvoir aux Ashantis, l'homme blanc trouvait toujours un moyen d'arriver à ses fins. Mais le commerce des esclaves avait pris fin un jour, et deux guerres anglo-ashanties avaient eu lieu. L'homme blanc, qu'ils appelaient Abro Ni, le mauvais, à cause de tous les ennuis qu'il avait apportés, n'était plus le bienvenu.

Pourtant il était là, face à Abena, assis sur la souche d'un arbre abattu, parlant à ces Noirs sans tribus.

« Qui est-ce ? demanda-t-elle à l'homme assis à côté d'elle.

— L'homme blanc ? C'est le missionnaire. »

Le missionnaire la regardait à présent, souriant et lui faisant signe d'approcher. Mais le soleil entamait sa descente, plongeant sous la frondaison des palmiers qui bordaient la ville à l'ouest, et Ohene Nyarko l'attendait.

« Je dois partir, dit-elle, s'apprêtant déjà à se retirer.

— S'il te plaît », dit l'homme à la peau foncée. Derrière lui, le missionnaire s'était levé, prêt à la rattraper.

« Nous essayons de construire des églises dans le pays ashanti. Je t'en prie, viens nous trouver si jamais tu as besoin de nous. »

Abena hocha la tête, mais elle courait déjà. Quand elle arriva au lieu de rendez-vous, Ohene Nyarko était en train d'acheter des ignames grillées à une fille du bush. Une fille qui, comme Abena, était venue d'un petit village ashanti dans l'espoir de voir des choses nouvelles, de changer de condition.

« Eh, femme de Kumasi », dit Ohene Nyarko. La fille avait hissé sa jarre remplie d'ignames sur sa tête et s'en allait, ses hanches ondulant doucement.

« Tu es en retard.

— J'ai vu un homme blanc, dit-elle, appuyant sa paume contre le mur d'une concession voisine, s'efforçant de reprendre son souffle. Un homme d'Église. »

Ohene cracha par terre, siffla entre ses dents. « Ces Européens ! Ils ne peuvent pas laisser les Ashantis tranquilles chez eux ? Ne les a-t-on pas vaincus lors de la dernière guerre ? On se fiche de ce qu'ils essayent de nous refourguer ! Qu'ils aillent refiler leur religion aux Fantis avant qu'on les mette en pièces. »

Abena hocha la tête d'un air absent. Les hommes de son village parlaient souvent du conflit entre les Ashantis et les Anglais, affirmant que les Fantis étaient des sympathisants et qu'aucun Blanc ne pouvait pénétrer dans leur pays et leur dire qu'ils n'en étaient plus propriétaires. C'étaient des villageois, des paysans qui n'avaient jamais connu la guerre, et dont la plupart n'avaient jamais vu le rivage de la Côte-de-l'Or qu'ils tenaient tant à protéger.

Une nuit, Papa Kwabena, l'un des anciens du village, s'était mis à parler du commerce des esclaves. « Vous savez, j'avais un cousin dans le nord qui a été enlevé dans sa case au milieu de la nuit. *Pfuitt !* Et on ne sait pas par qui. Par un guerrier ashanti ? Un Fanti ? On sait pas. Personne sait où ils l'ont emmené !

— Au fort », avait répondu le père d'Abena, et tout le monde s'était tourné vers lui. Le Malchanceux. Qui s'asseyait toujours à l'arrière durant les réunions du village, tenant sa fille sur ses genoux comme si c'était un fils. Ils le permettaient parce qu'ils avaient pitié de lui.

« Quel fort ? avait demandé Papa Kwabena.

— Il y a un fort sur la côte du pays fanti, on l'appelle le fort de Cape Coast. C'est là qu'ils gardaient les esclaves avant de les expédier à Aburokyire : l'Amérique, la Jamaïque. Les marchands ashantis y amenaient leurs captifs. Des intermédiaires fantis, éwés ou gas les gardaient, puis les vendaient à des Anglais ou à des Hollandais ou à celui qui offrait le meilleur prix. Tout le monde était responsable. Nous l'étions tous... Nous le sommes tous. »

Les hommes hochaient la tête. Ils ignoraient ce qu'était un fort, ce qu'était l'Amérique, mais ils ne voulaient pas avoir l'air stupides devant le Malchanceux.

Ohene Nyarko recracha un morceau brûlé d'igname et posa la main sur l'épaule d'Abena. « Tu vas bien ? demanda-t-il.

— Je pensais à mon père. »

Un sourire apparut sur le visage d'Ohene Nyarko.

« Oh, le Malchanceux. Que dirait-il s'il te voyait ici avec moi en ce moment, eh ? Son précieux "fils" Abena, qui fait quelque chose qu'il lui a interdit. » Il rit. « Bon, je vais te ramener chez lui à présent. »

Ils firent la route rapidement et sans problème, Ohene Nyarko et son grand corps traçant le chemin à travers un territoire qui recelait des dangers auxquels Abena n'osait songer. À la fin de la deuxième semaine, ils virent se détacher sur l'horizon les contours de leur village, aussi petit soit-il.

« On pourrait se reposer un peu ici », dit Ohene Nyarko, désignant un endroit devant eux.

Abena vit que d'autres s'y étaient déjà arrêtés. Quelques arbres tombés formaient une petite cabane, et le sol avait été dégagé pour faire de la place.

« Pourquoi ne pas continuer ? » demanda Abena. Sa mère et son père commençaient à lui manquer. Elle leur avait toujours tout dit depuis le jour où elle avait prononcé ses premiers mots, et elle était impatiente de leur raconter son aventure, même si elle savait que son père serait encore fâché. Il voudrait l'entendre. Ses parents vieillissaient, ils n'avaient plus le temps d'entretenir des sentiments d'animosité.

Ohene Nyarko était déjà en train de poser ses affaires. « Il reste encore un jour de voyage, dit-il, et je suis trop fatigué, *darling*.

— Ne m'appelle pas comme ça », dit Abena, posant à son tour ses effets à terre et s'installant dans la petite cabane.

« Mais c'est ce que tu es. »

Elle ne voulait pas le dire. Au contraire, elle voulait forcer les mots à rester dans sa bouche mais elle les sentit monter dans sa gorge, se presser au bord de ses lèvres. « Alors pourquoi tu ne m'épouses pas ? »

Ohene Nyarko s'assit près d'elle. « Nous en avons déjà parlé. Je t'épouserai quand j'aurai rentré ma prochaine grosse récolte. Mes parents disaient toujours que je ne devais pas me marier avec une femme dont je ne connaissais pas le clan. Ils disaient que tu n'apporterais rien que le déshonneur à mes enfants, si nous réussissions à avoir des enfants, mais ils ne parlent plus à ma place désormais. Ce que disent les villageois m'est égal. Qu'on ait considéré ta mère stérile jusqu'à ce que tu naisses, ça m'est égal. Que tu sois la fille d'un homme sans nom m'est égal. Je t'épouserai dès que ma terre me dira que je suis prêt à t'épouser. »

Abena était incapable de le regarder. Elle contemplait l'écorce des palmiers, les losanges arrondis qui se chevauchaient. Tous différents, tous pareils.

Ohene Nyarko lui prit le menton et le tourna vers lui. « Tu dois être patiente, dit-il.

— J'ai été patiente quand tu as épousé ta première femme. Mes parents sont si vieux que leur dos a commencé à se courber. Bientôt ils vont tomber comme ces arbres, et alors quoi ? »

Elle ne savait pas si c'était la pensée d'être seule avec ses parents ou le fait de sa solitude présente, mais avant qu'elle puisse les retenir, les larmes se répandirent sur son visage.

Ohene Nyarko posa les mains sur ses deux joues et essuya ses larmes avec ses pouces, mais elles coulaient plus vite qu'il ne pouvait les sécher, alors il se servit de ses lèvres, embrassant la trace salée qui avait commencé à se former.

Bientôt les lèvres d'Abena rencontrèrent les siennes. Ce n'étaient pas les lèvres de ses souvenirs d'enfance, minces et toujours sèches parce qu'il refusait de les huiler. Elles étaient plus épaisses, un piège tendu pour les siennes, pour sa langue.

Bientôt ils se retrouvèrent étendus dans l'ombre de la cabane. Abena ôta son pagne et entendit Ohene Nyarko retenir sa respiration en retirant le sien. Ils restèrent seulement à se regarder au début, prenant conscience de leurs corps, les comparant avec ce qu'ils avaient connu auparavant.

Il tendit la main pour l'attirer à lui, et elle tressaillit, se rappelant la dernière fois où il l'avait touchée. Du temps où elle était couchée sur le sol de la case de ses parents, contemplant le toit de chaume, se demandant s'il n'y avait que ça, la douleur qui l'emportait tellement sur le plaisir qu'elle ne comprenait pas pourquoi on le faisait dans toutes les cases du village, chez les Ashantis, dans le monde entier.

Maintenant Ohene Nyarko lui pressait les bras contre la terre rouge. Elle lui mordit l'épaule. Il grogna et la lâcha, jusqu'à ce qu'elle l'attire à nouveau contre elle. Il se mit à remuer comme s'il connaissait les scènes qu'elle s'était déjà imaginées. Elle le laissa venir en elle. Elle s'abandonna, oublia tout sauf lui.

Quand ils eurent fini, en sueur, recrus, reprenant leur souffle, elle posa sa tête sur la poitrine d'Ohene Nyarko, cet oreiller haletant dont le cœur battait à son oreille.

Une fois déjà, il avait fallu une journée entière à Abena pour aller puiser l'eau nécessaire à la ferme de son père : se rendre à la rivière, plonger le seau dans l'eau, revenir et remplir leur citerne. À la fin, il faisait presque nuit, et quelle que soit la quantité d'eau qu'elle rapportait, ce n'était jamais suffisant. Le lendemain matin, les plantes étaient toutes sèches, fanées, leurs feuilles brunes recouvrant la terre devant leur case.

Elle n'avait que cinq ans alors. Elle ne comprenait pas que les choses puissent mourir, en dépit de tant d'efforts pour les maintenir en vie. Tout ce qu'elle savait c'était que, tous les matins, son père allait surveiller ses plantes, priait pour elles et, que chaque saison, quand l'inévitable se produisait, son père, un homme qu'elle n'avait jamais vu pleurer, qui accueillait chaque coup du sort comme une nouvelle opportunité, levait haut la tête et recommençait. Ce jour-là, elle avait pleuré à sa place.

Il l'avait trouvée dans la case et s'était assis à côté d'elle. « Pourquoi pleures-tu ? » avait-il demandé.

Elle avait répondu entre deux sanglots :

« Les plantes sont toutes mortes, et j'aurais pu l'empêcher !

— Abena, lui avait-il demandé, qu'aurais-tu fait différemment si tu avais su que les plantes allaient mourir ? »

Elle avait réfléchi un moment, s'était essuyé le nez du revers de la main et avait répondu : « J'aurais apporté plus d'eau. »

Son père avait hoché la tête.

« Alors la prochaine fois apporte davantage d'eau, mais ne pleure pas pour cette fois-ci. Il ne doit pas y avoir de place pour le regret dans ta vie. Si au moment de faire quelque chose, tout te paraît clair, si tu es certaine, alors pourquoi regretter plus tard ? »

Elle hochait la tête en l'écoutant, bien qu'elle ne comprît pas ses mots, car elle savait, même alors, qu'il parlait surtout pour lui-même.

Mais aujourd'hui, laissant sa tête bouger au rythme de la respiration et du cœur d'Ohene Nyarko, sentant leur sueur mêlée ruisseler entre eux, elle se souvint de ces mots et ne regretta rien.

L'année où Abena alla à Kumasi, toutes les récoltes furent mauvaises au village. Il en fut de même l'année suivante. Et pendant encore quatre ans. Les villageois commencèrent à partir. Certains étaient tellement désespérés qu'ils allèrent jusqu'à s'installer dans le nord tant redouté, traversant la Volta à la recherche de terres que personne n'avait réclamées, de terres qui ne les avaient pas rejetés.

Le père d'Abena était si vieux qu'il ne pouvait plus déplier ni son dos ni ses mains. Il ne pouvait plus s'occuper de la ferme. Abena prit sa place, vit la terre dévastée cracher la mort année après année. Les villageois ne mangeaient plus. Ils disaient que c'était un acte de pénitence mais ils savaient qu'ils n'avaient pas le choix.

Même les terres autrefois riches d'Ohene Nyarko étaient devenues stériles, et sa promesse d'épouser Abena après la prochaine bonne récolte s'était éloignée.

Ils continuaient à se voir. La première année, avant de savoir ce qu'apporterait la récolte, ils le faisaient sans vergogne. « Abena, fais attention », disait sa mère les matins où Ohene Nyarko quittait subrepticement la case d'Abena. « C'est un mauvais *juju*. » Mais Abena n'écoutait pas. Et si les gens l'apprenaient ? Et si elle tombait enceinte ? Et alors ! Bientôt elle serait la femme d'Ohene Nyarko, pas juste sa plus vieille amie devenue sa maîtresse.

Mais cette année-là, les plantations d'Ohene Nyarko furent les premières à dépérir, et les gens se grattèrent la tête, se demandant pourquoi. Jusqu'à ce que les leurs meurent aussi, et qu'ils se disent qu'il devait y avoir une sorcière parmi eux. Les déboires, dont ils pensaient le Malchanceux responsable, avaient-ils été différés pendant très longtemps ? Ce fut une femme nommée Aba qui la première vit Ohene Nyarko sur le sentier de la case d'Abena à la fin de la deuxième mauvaise année.

« C'est Abena ! » cria-t-elle à la réunion du village qui s'ensuivit, entrant en trombe dans la salle pleine d'anciens, la main pressée sur sa généreuse poitrine.

« Elle a apporté le malheur à Ohene Nyarko, et ce malheur se répand sur nous tous ! »

Les anciens écoutèrent ce qu'avaient à dire Ohene Nyarko et Abena, et pendant les huit heures suivantes, débattirent de ce qu'il convenait de faire. Il paraissait raisonnable qu'Ohene Nyarko ait promis d'épouser Abena après la prochaine bonne récolte. Ils n'y voyaient pas d'inconvénient, mais on ne pouvait pas laisser la fornication continuer impunément, au risque que les enfants grandissent en pensant que ces comportements étaient acceptables, au risque que les plus superstitieux parmi la population continuent à blâmer Abena des carences de la terre. Ils ne savaient qu'une chose : cette femme devait être aussi infertile que la terre pour être incapable de concevoir, et ils savaient aussi que s'ils la bannissaient du village maintenant, Ohene Nyarko serait tellement furieux qu'il ne les aiderait pas à redonner vie à la terre une fois qu'elle serait partie. Ils finirent par prendre une décision et l'annoncèrent à tous. Abena serait exclue du village quand elle aurait un enfant ou après sept mauvaises années. Si une bonne récolte survenait avant l'un ou l'autre de ces événements, ils la laisseraient rester.

« Ton mari est-il là ? » demanda Abena à la femme d'Ohene Nyarko le troisième jour de la sixième mauvaise année. Elle avait parcouru la courte distance entre leurs cases sous des trombes d'eau, mais la pluie avait cessé quand elle était arrivée.

Mefia ne lui adressa ni un regard ni un mot. La première épouse d'Ohene Nyarko n'avait plus parlé à Abena depuis le soir où elle s'était querellée avec son mari, le suppliant de mettre fin à son histoire, de mettre fin au déshonneur de leur famille. Néanmoins Abena s'efforçait d'être gentille avec elle chaque fois qu'elle le pouvait.

Enfin, après un silence trop embarrassant pour le supporter plus longtemps, elle entra dans la case d'Ohene Nyarko. Quand elle le vit, il était en train d'emplir un petit sac de tissu kente.

« Où vas-tu ? demanda-t-elle, depuis l'embrasure de la porte.

— Je vais à Osu. Ils disent que quelqu'un là-bas a apporté une nouvelle plante. Ils disent qu'elle poussera bien ici.

— Et qu'est-ce que je ferai pendant que tu seras à Osu ? Ils vont probablement me jeter dehors dès que tu seras parti. »

Ohene Nyarko posa ses affaires et souleva Abena dans ses bras pour avoir son visage au niveau du sien.

« Alors ils auront affaire à moi quand je reviendrai. »

Il la reposa à terre. Dehors, ses enfants écorçaient des twapea[1] pour en faire des bâtons à mâcher qu'ils apporteraient à Kumasi et échangeraient contre de la nourriture. Abena savait qu'Ohene Nyarko avait

---

1. Twapea : noix de cola amère.

honte – non que ses enfants aient trouvé quelque
chose d'utile à faire, mais qu'ils le fassent parce qu'il
était incapable de les nourrir.

Ils firent l'amour rapidement ce jour-là, et Ohene
Nyarko partit peu après. Abena trouva ses parents
assis devant un feu, à faire griller des arachides.

« Ohene Nyarko dit qu'il y a une nouvelle plante
à Osu qui pousse très bien. Il est parti en chercher et
va nous en rapporter. »

Sa mère hocha la tête. Son père haussa les épaules.
Abena savait qu'elle leur avait fait honte. Quand la
proclamation de son futur exil avait été prononcée,
ses parents s'étaient rendus auprès des anciens pour
tenter de les raisonner, de les faire changer d'avis.
Alors, et encore maintenant, le Malchanceux était
l'homme le plus vieux du village. On lui devait la
déférence, même s'il ne méritait pas le titre d'ancien
parce qu'il n'était pas originaire du village.

« Nous n'avons qu'un seul enfant », avait dit le
vieil homme, mais les anciens s'étaient contentés de
détourner la tête.

« Qu'est-ce que tu as fait ? demanda sa mère à
Abena ce soir-là pendant le dîner, pleurant dans ses
mains avant de les lever au ciel. Qu'ai-je fait pour
mériter une fille pareille ? »

Mais à cette époque deux mauvaises années seulement s'étaient écoulées, et Abena leur avait assuré
que les plantes allaient pousser et qu'Ohene Nyarko
l'épouserait. Aujourd'hui leur seule consolation était
qu'Abena semblait avoir hérité de la soi-disant stéri-
lité de sa mère, ou de la malédiction de la famille du

Vieil Homme, ou de n'importe quoi pouvant l'empêcher d'avoir des enfants.

« Rien ne poussera jamais ici, dit le Vieil Homme.
Le village est fini. Personne ne peut continuer à vivre
ainsi. Personne ne peut supporter de vivre un an à
manger des arachides et de l'écorce. Ils croient qu'ils
n'exilent que toi, mais en réalité la terre nous a tous
condamnés à l'exil. Tu verras. Ce n'est qu'une question de temps. »

Ohene Nyarko revint une semaine plus tard avec
les nouvelles graines. La plante s'appelait cacao, et il
dit qu'elle allait tout changer. Il dit que les Akuapems
dans la région de l'Est profitaient déjà de la culture
de la nouvelle plante, la vendaient aux hommes
blancs de l'outre-mer à des cours qui rappelaient le
commerce ancien.

« Vous pouvez pas savoir ce que m'ont coûté ces
petites graines ! » dit Ohene Nyarko, les tenant dans
le creux de sa paume pour que tous puissent les voir,
les toucher et les sentir. « Mais cela vaudra la peine
pour le village. Croyez-moi. On cessera de nous
appeler la Côte-de-l'Or, on nous appellera la Côte-
du-Cacao ! »

Et il avait raison. Au bout de quelques mois, les
cacaoyers d'Ohene Nyarko s'étaient développés, portant leurs fruits dorés, vert et orange. Les villageois
n'avaient jamais rien vu de semblable, et ils étaient
tellement curieux, tellement impatients de toucher
et d'ouvrir les cosses avant qu'elles soient mûres
qu'Ohene Nyarko et ses fils dormaient dehors pour
monter la garde.

« Mais est-ce que ça va nous nourrir ? » se demandaient les villageois après avoir été repoussés par les cris des enfants ou par Ohene Nyarko en personne.

Abena le vit de moins en moins durant ces premiers mois où il cultivait son cacao, mais son absence l'encourageait. Plus il travaillait dur à la ferme, plus tôt la récolte serait bonne, et plus tôt ils pourraient se marier. Les jours où elle le voyait, il ne parlait que de cacao et du prix qu'il avait payé. Ses mains sentaient cette nouvelle odeur, douce, sourde et terreuse, et après l'avoir quitté, elle continuait à la sentir aux endroits où il l'avait touchée, sur les cercles bruns de ses tétons ou derrière les oreilles. La plante les affectait tous.

Finalement, Ohene Nyarko déclara que l'heure de la récolte était venue, et tous les hommes et les femmes du village vinrent faire ce qu'il leur avait appris, ce que lui avaient appris les paysans de la région de l'Est. Ils brisèrent le fruit du cacaoyer pour découvrir la pulpe blanche qui entourait les petites fèves violettes et les déposèrent sur un lit de feuilles de bananiers avant de les recouvrir d'une autre couche de feuilles. Ensuite, Ohene Nyarko les renvoya chez eux.

« On ne peut pas se nourrir avec ça », murmurèrent les villageois en regagnant leurs habitations. Quelques familles avaient déjà commencé à fermer leurs cases, découragées par le contenu des cosses de cacao. Mais les autres revinrent au bout de cinq jours pour étaler les fèves fermentées au soleil et les faire sécher. Tous les villageois avaient apporté leurs sacs de kente et, une fois séchées, les fèves y furent introduites.

« Et maintenant ? se demandèrent-ils en regardant Ohene Nyarko entreposer les sacs dans sa case.

— Maintenant, nous nous reposons, annonça-t-il au groupe qui attendait au-dehors. Demain j'irai au marché et je vendrai ce que je pourrai. »

Ce jour-là, il passa la nuit dans la case d'Abena, aussi ouvertement et effrontément que s'ils avaient été mariés depuis quarante ans ou davantage, ce qui donna à Abena l'espoir qu'ils le seraient bientôt. Mais l'homme qui était à côté d'elle sur le sol n'était pas l'homme plein d'assurance qui avait promis une complète réhabilitation du village. Dans ses bras, l'homme qu'elle connaissait depuis qu'ils avaient porté une étoffe autour de leurs reins tremblait.

« Et si ça ne marche pas ? Et si je n'arrive pas à les vendre ? demanda-t-il, la tête enfouie dans sa poitrine.

— Chut ! Arrête de dire ces paroles ! dit-elle. Elles vont se vendre. Il faut qu'elles se vendent. »

Mais il tremblait et pleurait tellement qu'elle ne l'entendit pas dire : « J'ai peur de ça aussi. » Elle n'aurait pas compris de toute façon, même si elle l'avait entendu.

Il était parti quand elle se réveilla le lendemain matin. Les villageois avaient trouvé et tué une jeune chèvre efflanquée en préparation de son retour, fait cuire la viande dure le mieux qu'ils le pouvaient pendant des jours dans l'espoir de l'attendrir. Les jeunes enfants, se croyant malins et rapides, tentaient d'arracher des petits morceaux à peine cuits de

241

l'animal quand leurs mères ne regardaient pas, mais les femmes, dotées d'un sixième sens pour déceler les méfaits des petits, leur tapaient sur les doigts. Les agrippant par les poignets, elle les tenaient au-dessus du feu jusqu'à ce qu'ils crient et jurent de ne pas recommencer.

Ohene Nyarko ne revint pas le soir même ni le suivant. Il revint l'après-midi du troisième jour. Derrière lui, attachées à une corde, il y avait quatre chèvres grasses et entêtées, bêlant comme si elle sentait le couteau du boucher. Les sacs qu'il avait emportés, pleins de fèves de cacao, leur revenaient remplis d'ignames et de noix de kola, d'huile de palme fraîche, et d'une bonne quantité de vin de palme.

Les villageois organisèrent une fête comme ils n'en avaient pas eu depuis des années, avec des danses, des cris, des poitrines brimbalant en cadence. Les vieux et les vieilles dansèrent l'adowa, ondulant légèrement des hanches, soulevant leurs mains et les retournant, comme prêts à recevoir des dons de la terre et à les lui rendre.

Leurs estomacs semblaient avoir rétréci, vite comblés par la nourriture qu'ils avalaient, et ils remplirent ce qui restait d'espace avec du vin de palme sucré.

Le Malchanceux et Akosua étaient si heureux de voir la fin des années de disette qu'ils se serraient l'un contre l'autre, regardant les autres danser, les enfants tambouriner leur ventre plein au rythme de la musique.

Tandis que la célébration battait son plein, Abena observa Ohene Nyarko. Il contemplait les gens de ce village qu'ils aimaient tous si farouchement, son visage empli de fierté et de quelque chose d'indéfinissable.

« Tu as réussi », dit-elle en s'approchant de lui. Il était resté à une certaine distance pendant toute la soirée, et elle crut qu'il ne voulait pas attirer l'attention sur eux au milieu de la fête, qu'il ne voulait pas que les villageois commencent à s'interroger sur l'exil d'Abena. Or c'était l'unique pensée qui occupait son esprit. Elle n'en avait encore parlé à personne, mais elle avait quatre jours de retard. Et, bien qu'elle ait déjà eu quatre jours de retard dans sa vie, et imaginait qu'elle mourrait peut-être avec quatre jours de retard, elle se demandait si *le moment* n'était pas arrivé cette fois.

Elle voulait entendre Ohene Nyarko crier sur les toits son amour pour elle. Dire, maintenant que le village était nourri, qu'il avait fait la fête : « Je vais t'épouser. Et pas demain, aujourd'hui. Ce jour même. La fête sera pour nous. »

Au lieu de quoi, il lui dit : « Bonsoir, Abena. Tu as eu assez à manger ?

— Oui, merci. »

Il hocha la tête et but une gorgée de vin de palme à même la calebasse.

« Tu as réussi, Ohene Nyarko », répéta-t-elle. Elle fit un geste vers son épaule, mais sa main ne rencontra que du vide. Il évitait son regard. « Pourquoi recules-tu ? » demanda-t-elle en s'écartant.

« Quoi ?

— Ne dis pas "quoi" comme si j'étais folle. J'ai essayé de te toucher et tu t'es reculé.

— Calme-toi, Abena. Ne fais pas une scène. »

Elle ne fit pas de scène. Elle pivota sur elle-même et se mit à marcher, elle dépassa les gens qui dansaient, dépassa ses parents en pleurs, marcha jusqu'à sa case et se coucha sur le sol, une main pressée sur son cœur et l'autre sur son ventre.

Ce fut ainsi que les anciens la trouvèrent le lendemain quand ils vinrent lui annoncer qu'elle pouvait rester au village. Les mauvais jours avaient pris fin avant sa septième année d'adultère et elle n'avait pas encore conçu d'enfant. Et, dirent-ils, la récolte d'Ohene Nyarko avait été si profitable qu'aujourd'hui il pouvait enfin honorer sa promesse.

« Il ne m'épousera pas », dit Abena couchée par terre, roulant d'un côté à l'autre, une main sur son ventre, l'autre sur son cœur, agrippant les deux endroits qui la faisaient souffrir.

Les anciens se grattèrent la tête et se regardèrent. Était-elle devenue folle après toutes ces années d'attente ?

« Qu'est-ce que ça veut dire ? demanda l'un deux.

— Il ne m'épousera pas », répéta-t-elle, puis elle roula sur le côté, ne leur offrant rien de plus que la vue de son dos.

Les anciens se précipitèrent jusqu'à la case d'Ohene Nyarko. Il préparait déjà la saison suivante, arrangeait et triait les graines afin d'en remettre une partie aux autres fermiers du village.

« Alors elle vous a parlé », dit-il. Il ne les regarda pas, continua seulement à s'occuper des graines. Un tas pour les Sarpongs, un pour les Gyasis, un pour les Asares, un autre pour les Kankams.

« C'est quoi cette histoire, Ohene Nyarko ? »

Il avait préparé tous les tas. Dans l'après-midi, les chefs de chaque famille viendraient les prendre, les répandraient dans leur petite parcelle et attendraient que ces drôles de nouveaux arbres poussent et se développent, et que le village retrouve, ou même surpasse, sa prospérité d'antan.

« Pour avoir les plants de cacaoyer, j'ai dû promettre à un homme d'Osu d'épouser sa fille. Il me faudra utiliser tout ce qui me reste de marchandises pour payer le prix de la mariée. Je ne peux pas épouser Abena cette saison. Elle devra attendre. »

Dans sa case, où elle s'était finalement levée du sol dur et avait brossé ses genoux et son dos, Abena sut qu'elle n'attendrait pas.

« Je m'en vais, Vieil Homme, dit Abena. Je ne peux pas rester ici et me rendre ridicule. J'ai assez souffert. »

Son père barra la sortie de la case de son corps. Il était si vieux, si frêle, qu'Abena eut l'impression qu'il suffirait de le toucher pour qu'il s'écroule, que le chemin se dégage, et qu'elle puisse continuer sa route.

« Tu ne peux pas partir déjà, dit-il. Pas si tôt. »

Il franchit lentement la porte à reculons, s'assurant qu'elle allait rester. La voyant immobile, il prit sa bêche, se dirigea vers un endroit au bord de leur terrain, et se mit à creuser.

« Qu'est-ce que tu fais ? » demanda Abena. Le Malchanceux transpirait. Il creusait si lentement.

Abena eut pitié de lui. Elle prit la bêche et se mit à creuser à sa place.

« Qu'est-ce que tu cherches ? »

Son père se mit à genoux et commença à ratisser la terre avec ses deux mains, la retenant un moment avant de la filtrer entre ses doigts. Quand il s'arrêta, il ne restait au creux de ses paumes qu'un collier à pierre noire.

Abena tomba à genoux à côté de lui et regarda le collier. Il avait des reflets d'or et était froid au toucher.

Son père souffla lourdement, tentant de reprendre sa respiration. « Il appartenait à ma grand-mère, ton arrière-grand-mère Effia. Elle le tenait de sa mère.

— Effia », répéta Abena. C'était la première fois qu'elle entendait le nom d'une de ses ancêtres, et elle en savoura le goût sur sa langue. Elle aurait voulu le répéter, le répéter sans cesse. Effia. Effia.

« Mon père était un marchand d'esclaves, un homme très riche. J'ai décidé de quitter le pays fanti, parce que je ne voulais pas participer à l'activité de ma famille. Je voulais travailler pour mon propre compte. Je sais que les gens m'appellent le Malchanceux, mais une saison après l'autre je suis heureux de posséder cette terre, de faire un travail honorable, et de ne pas continuer la tâche honteuse de ma famille. Quand les villageois d'ici m'ont donné ce petit bout de terre, j'ai été si heureux que j'y ai enterré cette pierre en guise de remerciement.

« Je ne t'empêcherai pas de partir si tu le décides, mais, s'il te plaît, emporte-la avec toi. Qu'elle te soit aussi bénéfique qu'à moi. »

Abena passa le collier autour de son cou et serra son père dans ses bras. Dans l'embrasure de la case, sa mère les observait tous les deux à genoux dans le champ. Abena se leva et alla l'embrasser aussi.

Le lendemain matin, Abena prit la route de Kumasi. Quand elle arriva à l'église du missionnaire, elle toucha la pierre suspendue à son cou et remercia ses ancêtres.

DEUXIÈME PARTIE

H

Il fallut trois policiers pour jeter H à terre, quatre pour l'enchaîner.

« J'ai rien fait ! » hurla-t-il quand ils le poussèrent dans la cellule, mais il ne s'adressait qu'au vide qu'ils avaient laissé derrière eux. Il n'avait jamais vu personne partir aussi précipitamment ; il savait qu'il leur avait fait peur.

Il cogna les barreaux, certain de pouvoir les plier ou les briser s'il essayait.

« Arrête ça avant qu'ils te tuent », dit son compagnon de cellule.

H reconnut un homme qu'il avait déjà croisé en ville. Peut-être avait-il travaillé avec lui comme métayer dans une des fermes du comté ?

« Y a personne qui peut me tuer », dit H. Il continuait à secouer les barreaux, certain d'entendre le métal céder peu à peu entre ses doigts quand il sentit une main sur son épaule. Il se retourna si vivement que l'autre n'eut pas le temps de penser ni de faire un mouvement avant que H le prenne à la gorge et le soulève du sol. H mesurait plus d'un mètre quatre-vingts, et il hissa l'homme si haut que sa tête effleura le plafond. Si H avait continué, il serait passé à travers. « Me touch' plus, dit H.

— Tu crois que ces Blancs y vont pas te tuer ? articula difficlement le type.

— Qu'est-ce que j'ai fait ? » demanda H en le reposant.

Son codétenu tomba à genoux, reprenant longuement son souffle.

« Disent que tu r'luquais une femme blanche.

— Qui dit ça ?

— La police. Les ai entendus discuter c'qu'ils allaient dire avant qu'ils partent à ta recherche. »

H s'assit près de l'homme. « Qui ils disent que je reluquais ?

— Cora Hobbs.

— Je zieutais pas la fille Hobbs », gronda H, sa rage reprenant de plus belle. Si des bruits couraient sur lui et une Blanche, il aurait espéré qu'il s'agisse d'une fille plus jolie que celle de son ancien patron.

« Fils, regarde-toi, reprit son compagnon de cellule, le toisant à présent avec un mépris tel que H se trouva soudain, inexplicablement, pris de peur devant ce petit homme, plus vieux que lui. Ça compte pas si tu le faisais ou pas. Tout ce qui leur suffit, c'est dire que tu le faisais. Y z'ont rien d'autre à faire. Tu crois parce que t'es grand et baraqué tu es en sécurité ? Non, les Blancs y peuvent pas supporter ta vue. À te voir te balader libre comme l'air. Personne veut voir un Noir comme toi se pavaner fier comme un paon. Comme si t'avais pas peur une seconde. » Il appuya le tête contre le mur de la cellule et ferma les yeux un instant. « Quel âge t'avais à la fin de la guerre ? »

H essaya de compter, mais il n'avait jamais été bon en calcul, et la guerre civile était si ancienne que les chiffres remontaient trop loin pour que H les atteigne. « Pas sûr. À peu près treize ans, je dirais.

— Mmmh. Tu vois, c'est bien ça ce que j'pensais. Tu étais jeune. L'esclavage, pour toi, c'était pas plus qu'une poussière dans l'oeil, hein ? Si personne t'a raconté, je vais te le dire, moi. La guerre elle est peut-être passée, mais elle est pas terminée. »

L'homme ferma les yeux à nouveau. Il laissa sa tête rouler en arrière contre le mur, d'un côté puis de l'autre. Il avait l'air fatigué. H se demanda depuis combien de temps il était dans cette cellule.

« Je m'appelle H, dit-il enfin, comme une offre de paix.

— H, c'est pas tant un nom, dit son compagnon, les yeux toujours fermés.

— J'en ai pas d'autre. »

L'homme s'endormit bientôt. H l'écouta ronfler, regarda sa poitrine s'élever et s'abaisser. À la fin de la guerre, H avait quitté la plantation de son ancien maître. Il était parti à pied depuis la Géorgie et avait gagné l'Alabama. Il voulait connaître de nouveaux horizons, entendre de nouveaux sons qui s'accorde-raient à sa liberté nouvelle. Il était si heureux d'être libre. Tous ceux qu'il connaissait étaient si heureux d'être libres. Mais ça n'avait pas duré longtemps.

Il avait passé les quatre jours suivants dans la prison du comté. Le deuxième jour, les gardes avaient emmené son compagnon de cellule il ne savait où. Quand ils étaient revenus chercher H, ils avaient refusé de lui dire de quoi il était accusé, seulement qu'il devait payer 10 dollars d'amende avant la fin de la soirée.

« J'ai que 5 dollars de côté », avait dit H. Il lui avait fallu presque dix ans de cueillette pour économiser cette somme.

« Peut-être que ta famille peut t'aider », avait dit le shérif, mais il s'éloignait déjà, s'approchait du suivant.

« J'ai pas de famille », avait dit H à la cantonade. Il était venu seul à pied de Géorgie. Il était habitué à être seul, mais l'Alabama avait transformé sa solitude en une forme de présence physique. Il pouvait la prendre dans sa main quand il allait se coucher le soir. Elle était dans le manche de sa houe, dans les touffes de coton qui flottaient dans l'air.

C'est à l'âge de dix-huit ans qu'il avait rencontré sa compagne, Ethe. Il était alors devenu si costaud que personne n'osait jamais le contrarier. Il pouvait entrer dans une pièce et aussitôt elle se vidait tandis qu'hommes et femmes lui faisaient place. Mais Ethe était toujours restée ferme devant lui. Elle était la femme la plus déterminée qu'il ait jamais rencontrée, et sa relation avec elle avait été la plus longue qu'il ait eue avec quiconque. Il aurait pu lui demander son aide maintenant, mais elle ne lui avait plus adressé la parole depuis le jour où il l'avait appelée par le nom d'une autre femme. Il avait eu tort de la tromper, encore plus de mentir. Non, il ne pouvait pas lui dire de venir à présent, avec cette honte suspendue au-dessus de sa tête. Il avait entendu parler de femmes noires qui venaient à la prison attendre leurs maris ou leurs fils et que les policiers emmenaient dans une pièce à l'écart, où on leur faisait savoir qu'il y avait d'autres moyens de s'acquitter d'une peine. Non, avait décidé H, il valait mieux qu'Ethe reste à l'écart de lui.

Au lever du jour, le lendemain, par une chaleur torride de juillet en 1880, H avait été enchaîné à dix autres hommes et vendu par l'État d'Alabama pour travailler dans les mines de charbon non loin de Birmingham.

« Suivant ! » cria le contremaître de la mine. L'adjoint du shérif poussa H devant lui. Il avait déjà examiné chacun des dix hommes auxquels H était enchaîné pendant le voyage en train. Il n'était pas sûr qu'on puisse tous les appeler des hommes. Il avait vu un garçon d'à peine douze ans qui tremblait dans un coin du wagon. Quand ils l'avaient poussé devant le contremaître, il s'était pissé dessus et des larmes inondaient ses joues, si bien qu'on avait l'impression qu'il allait fondre dans la flaque mouillée à ses pieds. Le gamin était si jeune qu'il n'avait probablement jamais vu un fouet comme celui que le chef avait posé sur son bureau, il en avait seulement entendu parler dans les histoires terrifiantes que racontaient ses parents.

« C'est un costaud, hein ? » dit le policier en pinçant les épaules de H, pour que le contremaître constate à quel point elles étaient fermes. Il était le plus grand, le plus fort de la pièce. Et il avait passé toute la durée du voyage à chercher à se défaire de ses chaînes.

Le contremaître émit un sifflement. Il se leva de sa chaise et fit le tour de H. Au moment où il toucha son bras, H plongea sur lui. Il n'avait pas pu briser ses chaînes, mais il savait que si ses mains l'atteignaient, il ne lui faudrait qu'une seconde pour lui tordre le cou.

« Ho, ho ! dit le contremaître. Va falloir lui apprendre à bien se tenir à celui-là. Vous en demandez combien ?

— Vingt dollars par mois, dit l'adjoint du shérif.

— Allons, vous savez qu'on paye pas plus de 18, même pour un homme de première classe.

— Vous l'avez dit vous-même que c'est un costaud. Celui-là durera un bout de temps. Mourra pas à la mine comme les autres.

— Vous pouvez pas faire ça ! cria H. Je suis libre ! Je suis un homme libre !

— Tiens donc », dit le contremaître. Il contempla H tranquillement et tira un couteau de sa veste. Il aiguisa la lame sur une pierre qu'il gardait sur son bureau. « Un négro libre, ça existe pas. » Il s'avança lentement vers H, approcha le couteau aiguisé de son cou, afin qu'il puisse en sentir le tranchant froid et aigu commencer à entamer sa peau.

Il se tourna vers le shérif adjoint. « Ce sera dix-neuf dollars pour lui », dit-il. Puis passa lentement la lame le long du cou de H. Un trait rouge apparut, net et droit, comme pour souligner les paroles du chef. « Il est peut-être costaud, mais il saignera comme les autres. »

H n'avait jamais imaginé, durant toutes ces années à travailler dans les plantations, qu'il pût exister autre chose que de la terre et de l'eau, des insectes et des racines en dessous du sol. Maintenant il y découvrait une ville souterraine. Plus grande, plus étendue qu'aucun comté où il avait vécu ou travaillé, cette cité était presque entièrement occupée par des hommes et des garçons noirs. Elle possédait des galeries en guise de rues, et des chambres en guise de maisons. Et dans chaque chambre, partout, il y avait du charbon.

La première demi-tonne de charbon était la plus dure à pelleter. H passa des heures, des jours entiers, à genoux. Au bout d'un mois, il avait l'impression que la pelle était devenue une extension de son bras et, de fait, son dos s'était mis à forcir au niveau des omoplates, se développant, semblait-il, pour s'adapter à ce nouveau poids.

Avec son bras-pelle, H était chaque jour transporté avec les autres hommes à soixante mètres sous terre. Une fois à l'intérieur de la ville souterraine, ils parcouraient cinq, huit, onze kilomètres jusqu'au filon qu'ils devaient attaquer dans la journée. H était grand mais agile. Il pouvait se coucher sur le côté et se tortiller, pénétrer dans les recoins et les fissures. Il pouvait ramper sur les mains et les genoux dans des tunnels encombrés de débris d'explosions jusqu'à atteindre la chambre voulue.

Une fois dans la chambre, il pelletait jusqu'à deux tonnes de charbon, toujours penché au ras du sol, sur les genoux, à plat ventre, sur le côté. Et quand les autres prisonniers et lui quittaient la mine, ils étaient tous recouverts d'une couche de poussière noire, les bras brûlants, littéralement en feu. Parfois H se disait que cette brûlure allait enflammer le charbon, et qu'ils en mourraient tous. Mais, il le savait, ce n'était pas seulement cette douleur qui pouvait tuer un homme dans la mine. Plus d'une fois, un gardien avait fouetté un mineur parce qu'il n'avait pas atteint son quota de dix tonnes. H avait vu un homme de troisième classe pelleter 5,36 tonnes de charbon, pesées à la fin de la journée par le chef de la mine. Et quand ce dernier avait constaté qu'il manquait 77,5 kilos, il avait plaqué l'homme contre la paroi, debout les mains levées, et l'avait fouetté à mort. Les gardiens blancs ne l'avaient pas enlevé avant le lendemain soir, laissant la poussière recouvrir son cadavre, en avertissement pour les autres prisonniers. À d'autres occasions, des gradins s'étaient effondrés, les ensevelissant vivants. Trop souvent, des coups de grisou anéantissaient hommes et enfants par centaines. Un jour, H travaillait près d'un homme auquel il avait été enchaîné la veille ; le lendemain, on le retrouvait mort d'on ne savait quoi.

H avait souvent rêvé de partir à Birmingham. Il avait été cueilleur de coton depuis la fin de la guerre et avait entendu dire que là-bas un Noir pouvait être indépendant. C'était donc là qu'il avait voulu vivre. Mais quel genre de vie était aujourd'hui la sienne ? Au moins, quand il était esclave, son maître avait besoin de le maintenir en vie s'il voulait en avoir pour son argent. Aujourd'hui, si H mourait, ils se borneraient à louer un autre homme. Une mule valait plus que lui.

Il n'arrivait même plus à se rappeler qu'il avait été libre, et il ne savait pas si c'était la liberté qu'il regrettait ou sa mémoire perdue. Parfois, en regagnant le dortoir qu'il partageait avec cinquante hommes, tous enchaînés les uns aux autres sur de longues banquettes de bois, de telle façon qu'ils ne pouvaient remuer dans leur sommeil sans bouger tous ensemble, il essayait de se remémorer ses souvenirs. Il se forçait à penser à tout ce qui pouvait encore lui revenir à l'esprit : surtout Ethe. Son corps épanoui, son regard quand il l'avait appelée par un autre nom, sa peur de la perdre, son désespoir. Par moments dans son sommeil, les chaînes frottaient contre ses chevilles, lui rappelant le contact des mains d'Ethe, ce qui le surprenait toujours, car le métal n'avait rien à voir avec la peau.

Les prisonniers qui travaillaient à la mine étaient presque tous comme lui. Noirs, un jour esclaves, un autre libres, aujourd'hui esclaves à nouveau. Timothy, un homme sur la même chaîne que lui, avait été arrêté devant la maison qu'il avait construite après la guerre. Un chien avait hurlé dans un champ voisin pendant toute la nuit, et Timothy était sorti pour dire au chien de se taire. Le lendemain matin, la police l'avait arrêté pour avoir fait du tapage. Il y avait aussi Salomon, un prisonnier arrêté pour avoir volé 5 cents. Condamné à vingt ans.

De temps en temps, un des gardiens amenait un Blanc de troisième catégorie. Le nouveau était enchaîné à un Noir et, pendant les premières minutes, le Blanc n'arrêtait pas de se plaindre. Il disait qu'il valait mieux que les Nègres. Il suppliait ses frères blancs, les gardiens, d'avoir pitié de lui, de lui épargner cette honte. Il jurait et pleurait et faisait des histoires. Alors on l'envoyait dans la mine, et l'homme blanc apprenait vite que s'il voulait survivre il devrait faire confiance à un homme noir.

Un jour, H avait été attaché à un pauvre bougre blanc, un dénommé Thomas, dont les bras s'étaient mis à trembler si fort qu'il ne parvenait pas à soulever sa pelle. C'était sa première semaine, mais il avait déjà appris que si vous n'atteigniez pas votre quota, votre compagnon et vous étiez fouettés, parfois à mort. H avait vu les bras tremblants de Thomas soulever à peine quelques kilos de charbon avant de céder, puis l'homme s'était effondré sur le sol en pleurs, bégayant qu'il ne voulait pas mourir là avec des Nègres pour témoins.

Sans dire un mot, H s'était emparé de la pelle de Thomas. Avec sa propre pelle dans une main, celle de Thomas dans l'autre, il avait rempli leurs deux quotas, sous le regard du contremaître.

« Jamais vu un homme pelleter à deux mains », avait dit ensuite ce dernier, une nuance de respect dans la voix, et H s'était contenté de hocher la tête. Le chef avait alors donné un coup de pied à Thomas qui pleurnichait assis par terre. « Ce Nègre vient de te sauver la peau », avait-il dit. Thomas avait regardé H, sans rien dire.

Cette nuit-là, enchaîné à deux hommes sur une couchette, une autre à soixante centimètres au-dessus de la tête, H se rendit compte qu'il ne pouvait plus remuer les bras.

« Qu'est-ce que t'as ? demanda Joecy en remarquant l'immobilité inhabituelle de H.

— Je sens plus mes bras », mumura H, effrayé.

Joecy hocha la tête.

« Je veux pas mourir, Joecy. Je veux pas mourir. Je veux pas mourir. » Il ne pouvait s'arrêter de répéter ces quelques mots. Il s'aperçut qu'il pleurait en même temps et qu'il ne pouvait pas s'arrêter non plus. La poussière de charbon sous ses paupières se mit à couler le long de son visage, et il continua tout bas : « Je veux pas mourir. Je veux pas mourir.

— Tais-toi, maintenant », dit Joecy, serrant H contre lui du mieux qu'il pouvait avec les chaînes qui s'entrechoquaient et cliquetaient quand il remuait. « Y a personne qui va mourir ce soir. Pas ce soir. » Les deux hommes regardèrent autour d'eux si le bruit avait réveillé les autres. Tout le monde avait appris comment H avait sauvé le pauvre type blanc, mais ils savaient aussi que rien ne prouvait que le chef se montrerait clément. Le lendemain, H devrait encore se charger de sa part.

Le lendemain, H fut affecté à l'équipe du matin, de nouveau avec Thomas. Il se réveilla avec les autres alors que la lune brillait encore dans le ciel, une mince ligne courbée en arc comme le sourire oblique aux dents blanches d'une nuit à la peau noire. Ils se rendirent tous au réfectoire pour avaler une tasse de café et une tranche de viande. On leur distribua à tous leur déjeuner dans un sac qu'ils emportèrent avec eux, et ils furent descendus à soixante mètres sous la surface, dans le ventre de la mine. De là, Thomas et H continuèrent à descendre trois kilomètres plus bas jusqu'à la chambre où ils devaient travailler ce jour-là. En général, il y avait seulement deux hommes dans une chambre, mais celle-ci était particulièrement difficile, et le chef de la mine avait associé H et Thomas à Joecy et son pauvre bougre de troisième classe, un certain Bull qui ne devait pas son surnom de taureau à sa carrure, massive, trapue et impressionnante, mais parce que les hommes du Ku Klux Klan lui avaient brûlé le visage un soir – « marqué », disaient-ils – afin que tout le monde sache qu'il était mauvais.

H avait accompli tous les gestes de la matinée, ses bras douloureux collés à ses côtés tandis qu'il refusait le café et la viande, incapable de prendre le sac du déjeuner, se faufilant dans l'ascenseur de la mine. Il avait traversé les premières heures sans se faire remarquer, s'efforçant d'économiser son énergie pour le moment où il devrait commencer à travailler.

Joecy était haveur ce jour-là. De petite taille, pas plus d'un mètre soixante, il devinait la constitution de la roche comme personne. Joecy était un homme de première classe que tous respectaient, aussi dur à la tâche à la huitième année de sa peine qu'il l'avait été à la première. Il racontait souvent qu'il allait être libéré et qu'il travaillerait à la mine comme salarié, ainsi que certains autres Noirs l'avaient fait. On ne pouvait pas fouetter un mineur libre.

Ce jour-là, l'espace ouvert dans la roche était d'environ trente centimètres de haut. H avait vu des hommes se glisser dans des fissures aussi étroites que celle-là, trembler et souffrir d'hyperventilation au point d'être obligés de sortir. Il avait vu un homme ramper jusqu'au milieu du passage puis s'arrêter, trop effrayé pour avancer ou reculer, trop effrayé pour respirer. Ils avaient appelé Joecy pour essayer de le sortir de là, mais lorsqu'il était arrivé, l'homme était déjà mort.

Joecy ne battit même pas des paupières devant l'étroitesse de l'espace. Il inséra son corps mince sous la roche et, à plat dos, se mit à tailler le dessous de la veine. Une fois l'opération terminée, il pratiqua un trou dans la roche, l'écoutant, comme il disait, pour trouver l'endroit qui ne risquait pas de s'écrouler sur lui et de le tuer. Le trou percé, il plaça la dynamite et l'alluma. Le charbon vola en éclats, Thomas et Bull prirent leurs pics et se mirent à briser la roche en morceaux d'une taille raisonnable, afin de pouvoir commencer à charger la berline.

H tenta de lever sa pelle, mais ses bras refusaient de bouger. Il essaya à nouveau, concentrant toute la puissance et l'énergie de son esprit sur son épaule, son avant-bras, ses doigts. En vain.

Au début, Bull et Thomas se contentèrent de le regarder, mais subitement H vit Joecy pelleter son tas à sa place, et puis Bull. Et finalement, après ce qui lui sembla durer des heures, Thomas s'y mit à son tour, jusqu'à ce qu'ils aient tous pelleté leur tas plus celui de H.

« Merci pour ton aide hier », dit Thomas une fois qu'ils eurent fini.

Les bras de H étaient toujours aussi douloureux et pendaient à ses côtés, comme s'ils étaient de pierre, paralysés, plaqués à son corps par une attraction inconnue. Il fit un signe de tête à Thomas. Il rêvait souvent de tuer des Blancs de la même manière qu'ils tuaient les Noirs. Il rêvait de cordes et de fouets, d'arbres et de puits miniers.

« Hé, pourquoi on t'appelle H ?

— Sais pas », dit H. D'habitude, il ne pensait à rien d'autre qu'à s'échapper de la mine. Il examinait la cité souterraine et se demandait s'il y avait un endroit, quelque part, où il trouverait un moyen de s'enfuir, de se retrouver de l'autre côté.

« Bah. Quelqu'un a bien dû te donner un nom.

— Mon ancien maître disait que c'était comme ça que ma mama m'appelait. On lui avait demandé qu'elle me donne un nom normal avant que je naisse, mais elle avait refusé. Elle s'est suicidée. Le maître a dit qu'on a dû lui découper le ventre pour me faire sortir avant qu'elle meure. »

Thomas se tut, il hocha seulement la tête pour lui redire merci. Un an plus tard, quand Thomas mourut de tuberculose, H ne put se souvenir de son nom, seulement de l'expression de son visage lorsqu'il avait pris sa pelle à sa place.

C'était ainsi qu'allait la vie à la mine. Il ne savait pas où Bull se trouvait à présent. Ils étaient si nombreux à être transférés à un endroit ou à un autre, engagés par une nouvelle compagnie ou absorbés par une autre. C'était facile de se faire des amis, impossible de les conserver. La dernière fois que H en avait entendu parler, Joecy avait fini sa peine, et tous les prisonniers racontaient que leur ancien ami était maintenant un de ces mineurs libres dont ils avaient tous entendu parler sans jamais espérer devenir l'un d'eux un jour.

Il pelleta sa dernière demi-tonne de charbon en tant que prisonnier en 1889. Il avait travaillé à Rock

Slope pendant presque toute son incarcération, et son travail assidu, joint à son habileté, lui avait valu une année de remise de peine. Le jour où la cage du puits le ramena à la lumière et où le gardien de la prison ôta les fers de ses pieds, H regarda longuement le soleil, emmagasinant ses rayons, au cas où un mauvais tour le renverrait dans la cité souterraine. Il continua à fixer le soleil jusqu'à ce que l'astre se transforme en une douzaine de taches jaunes dans ses yeux.

Il songea à retourner chez lui, mais il ignorait où était ce chez-lui. Plus rien n'existait pour lui dans les anciennes plantations où il avait travaillé, et il n'avait aucune vraie famille. La première nuit de cette deuxième libération, il marcha aussi loin qu'il le put, marcha jusqu'à ce qu'il n'y ait plus de mine en vue, plus d'odeur de charbon collée à ses narines. Il entra dans le premier bar où il vit des Noirs et, avec le peu d'argent qu'il avait, commanda une boisson.

Il avait pris une douche le matin, essayé d'effacer les traces laissées par le frottement des chaînes sur ses chevilles, la poussière noire sous ses ongles. Il s'était regardé dans le miroir, s'assurant que personne ne pourrait soupçonner qu'il avait mis les pieds dans une mine.

Buvant lentement son verre, H remarqua une femme. Tout ce qui lui vint à l'esprit fut que sa peau était de la couleur des tiges de coton. De ce noir qui lui avait tant manqué, lui qui n'avait connu pendant presque dix ans que celui du charbon.

« Excusez-moi, miss. Pouvez-vous me dire où je suis ? demanda-t-il. Il n'avait pas parlé à une femme depuis le jour où il avait appelé Ethe d'un autre nom.

« — Z'avez pas vu la pancarte 'vant d'entrer ? demanda-t-elle en souriant.

— Je crois que non.

— Z' êtes dans le bar de Pete, monsieur…

— H, c'est mon nom.

— Monsieur H. »

Ils discutèrent pendant une heure. Elle s'appelait Dinah et vivait à Mobile mais elle était venue rendre visite à une cousine ici à Birmingham, une femme très pieuse qui n'aurait pas aimé voir sa parente en train de boire. H commençait à se mettre dans la tête qu'il allait la demander en mariage quand un autre homme entra et vint se joindre à eux.

« T'as l'air d'un costaud, hein ? » dit l'homme.

H hocha la tête.

« J'suppose, oui.

— Comment t'as fait pour devenir si fort ? »

H haussa les épaules.

« Fais voir, dit l'autre. Relève ta manche. Montre-nous tes muscles. »

H se mit à rire, mais il regarda Dinah, dont les yeux pétillants indiquaient qu'elle ne serait sans doute pas fâchée d'y jeter un coup d'œil. Il releva donc sa manche.

Au début, les deux hochèrent la tête d'un air approbateur, mais l'homme s'approcha. « C'est quoi ça ? » dit-il en tirant sur la couture de l'emmanchure jusqu'à ce qu'elle cède et que se déchire un pan de la chemise bon marché de H.

« Hou là là ! » s'écria Dinah, se couvrant la bouche d'une main.

H tendit le cou en arrière pour regarder son dos, puis il se souvint et comprit que ce n'était pas la peine. Vingt-cinq ans s'étaient écoulés depuis l'abolition de l'esclavage, et les hommes libres n'étaient pas censés avoir des cicatrices récentes sur leur dos, preuves qu'ils avaient été fouettés.

« Je le savais ! dit l'homme. Je savais que c'était un de ces prisonniers des mines là-bas. Ça pouvait rien être d'autre ! Dinah, perds pas ton temps à parler à ce négro. »

Elle obéit. Elle s'éloigna, avec l'homme à l'autre bout du bar. H rabaissa sa manche et comprit qu'il ne pourrait pas retourner dans le monde libre, marqué comme il l'était.

Il partit à Pratt City, la ville où vivaient d'anciens détenus, blancs et noirs confondus. Des mineurs prisonniers qui étaient devenus des mineurs libres. Le premier soir, il interrogea les gens qu'il croisait. Quelques minutes suffirent pour trouver Joecy, en compagnie de sa femme et de ses enfants, tous venus le rejoindre à Pratt City.

« Vous avez donc personne ? » demanda l'épouse de Joecy, tandis qu'elle faisait frire du bacon, cherchant du mieux qu'elle pouvait à compenser les dix années, voire plus, où il n'avait pas avalé un bon repas.

« J'avais une femme, elle s'appelait Ethe, il y a très longtemps, mais je pense pas qu'elle a envie d'avoir de mes nouvelles maintenant. »

La femme lui adressa un regard désolé. Elle devait penser connaître toute l'histoire d'Ethe, puisqu'elle aussi avait épousé un homme avant qu'un Blanc ne l'emprisonne.

« Lil Joe ! appela la femme, avec insistance, jusqu'à ce qu'un enfant arrive. Voici notre fils, Lil Joe, dit-elle. Il sait écrire. »

H contempla le gamin. Sans doute pas plus de onze ans. Il avait de gros genoux et le regard vif. Il ressemblait à son père, mais il était aussi différent. Peut-être ne ferait-il pas partie de ceux qui étaient obligés de travailler avec leur corps. Peut-être deviendrait-il une nouvelle sorte d'homme noir, capable d'utiliser son esprit.

« Il va écrire à votre femme, dit-elle.

— Non. » Il revoyait Ethe s'enfuyant la dernière fois, s'enfuyant comme si un fantôme la poursuivait. « C'est inutile. »

La femme fit claquer sa langue deux ou trois fois. « Je vais rien entendre de pareil, dit-elle. Quelqu'un doit être averti que vous êtes libre à présent. Quelqu'un sur cette terre doit au moins savoir ça.

— Avec tout vot' respect, m'ame, je l'sais moi, et c'est tout ce qu'il m'a jamais fallu. »

La femme de Joecy le fixa longuement et intensément avec pitié et colère. Mais cela était égal à H. Il ne céda pas, c'est donc elle qui rendit les armes.

Le lendemain matin, H accompagna Joecy à la mine pour demander du travail comme mineur libre.

Le patron s'appelait M. John. Il demanda à H d'ôter sa chemise. Il examina les muscles de son dos et de ses bras, et siffla.

« Tout homme qui réussit à travailler dix ans à Rock Slope et à rester en vie pour le raconter mérite d'être considéré avec prudence. Tu as fait un pacte avec le diable, dis-moi ? demanda M. John, fixant H de ses yeux bleus perçants.

— C'est seulement quelqu'un qui travaille dur, monsieur, dit Joecy. Bon travailleur et intelligent aussi.

— Tu réponds de lui, Joecy ? demanda M. John.

— C'est le meilleur, à part moi », dit Joecy.

H repartit avec un pic dans les mains.

La vie à Pratt City n'était pas facile, mais elle était meilleure que tout ce qu'il avait connu ailleurs. Les Blancs et leurs familles voisinaient avec des familles noires. Les deux couleurs faisaient partie des mêmes syndicats, défendaient les mêmes causes. La mine leur avait appris qu'ils devaient se soutenir les uns les autres s'ils voulaient survivre, et ils avaient conservé cet état d'esprit quand ils avaient fondé le camp parce qu'ils savaient que personne hormis un camarade mineur, un camarade ancien prisonnier, ne savait ce que représentait le fait d'avoir vécu à Birmingham et d'essayer de faire quelque chose d'un passé qu'ils auraient préféré oublier.

Le travail qu'accomplissait H était le même, sauf qu'il était maintenant payé pour le faire. Un salaire correct, car il avait été autrefois un homme de première classe, engagé par les compagnies minières auprès de la prison d'État pour 19 dollars par mois. À présent, cet argent tombait dans sa poche, parfois jusqu'à 40 dollars pour un seul mois. Il se souvenait du peu qu'il avait pu économiser comme métayer pendant deux ans à la plantation Hobbs et il savait qu'étrangement, obscurément, le travail à la mine était l'une des meilleures choses qui lui soient arrivées. Il y avait appris un nouveau métier, un métier valable, et ses mains n'auraient plus jamais besoin de cueillir du coton ou de labourer la terre.

Joecy et sa femme, Jane, avaient été assez accueillants pour laisser H s'installer chez eux, mais il s'était lassé de vivre chez les autres et leurs familles. Pendant son premier mois à Pratt City, en sortant de la mine, il se rendait donc directement au bout de terrain adjacent à la maison de Joecy. Il avait entrepris d'y construire sa propre maison.

Il s'y trouvait un soir, à clouer des planches, quand Joecy vint le voir.

« Pourquoi tu t'inscris pas au syndicat ? lui demanda-t-il. On aurait besoin d'un gars avec ton sang-froid. »

Un autre camarade de la mine lui avait donné du bois de construction et le seul moment qu'il pouvait consacrer à bâtir sa maison était entre 8 heures du soir et 3 heures du matin. Le reste du temps, quand il ne dormait pas, il était au fond de la mine.

« Suis plus comme ça, maintenant », dit H. Bien qu'il n'ait gardé aucune cicatrice au cou de l'entaille de la lame du contremaître, il y portait la main de temps en temps se souvenant qu'un Blanc pouvait encore le tuer pour rien.

« Oh ! t'es plus comme ça, eh ? Allons, H. Nous luttons pour des choses qui peuvent aussi t'être utiles. C'est pas comme si t'avais quelqu'un pour te tenir compagnie ici dans cette maison que tu construis. Le syndicat pourrait te faire du bien. »

H s'était assis au fond de la salle, les bras croisés, le jour de sa première réunion. Au premier rang, un docteur leur parlait de maladies pulmonaires.

« La poussière minérale qui vous couvre de la tête aux pieds quand vous quittez la mine, eh bien, elle pénètre aussi à l'intérieur de votre corps. Elle vous rend malades. Un temps de travail plus court, une meilleure ventilation, voilà les choses pour lesquelles vous devez vous battre. »

Il lui avait fallu un mois, mais ce n'était pas les discours de Joecy qui étaient parvenus à convaincre H de s'inscrire. La vérité était qu'il avait peur de mourir à la mine et sa liberté n'avait pas effacé cette crainte. Chaque fois qu'il descendait au fond du puits, il se représentait sa propre mort. Des hommes attrapaient des maladies dont il n'avait jamais entendu parler auparavant. Maintenant qu'il était libre, il pouvait obtenir que le danger ait un prix.

« Gagner plus d'argent, dit-il, c'est pour ça qu'on devrait se battre. »

Un murmure s'éleva dans la salle tandis que l'assistance tendait le cou pour voir qui avait parlé. « H les Deux Pelles est ici » ; « C'est bien les Deux Pelles ? » Il était resté si longtemps sans assister à un meeting.

« Y a aucun moyen de pas respirer la poussière, doc, dit H. Merde, la plupart des hommes dans cette pièce sont à mi-chemin vers la mort. On devrait être mieux payés avant de disparaître. »

Derrière H, la porte de la salle se mit à grincer et un garçon qui avait eu la jambe arrachée entra en boitillant. Il n'avait probablement pas plus de quatorze ans, mais H se représenta aussitôt tout le déroulement de son existence. Peut-être avait-il débuté comme haveur, courbé au-dessus d'un monceau de charbon, s'efforçant de le détacher du schiste et de la roche. Ensuite, les contremaîtres l'avaient peut-être promu au rôle de herscheur, affecté à la manœuvre des berlines, parce qu'ils l'avaient vu un jour courir dehors et savaient qu'il était rapide. Le garçon devait courir à côté des wagonnets et coincer dans les roues une pièce de bois pour les ralentir, mais un des wagonnets n'avait peut-être pas ralenti. Ou déraillé et emporté la jambe du garçon et tout son avenir avec elle. Et ce qui avait le plus attristé le garçon après son amputation, c'était peut-être qu'il ne pourrait jamais être un mineur de première classe comme son père.

Le regard du médecin passa du garçon invalide à H, et vice versa.

« L'argent, c'est bien, je dis pas le contraire. Mais le travail à la mine peut devenir beaucoup moins dangereux qu'il ne l'est. Les vies valent la peine qu'on se batte pour elles. » Il s'éclaircit la voix, puis continua à décrire les symptômes du poumon noir.

En rentrant chez lui, ce soir-là, H songea au garçon estropié dont il avait si aisément imaginé l'histoire. Il était si facile pour une vie de prendre un chemin plutôt qu'un autre. Il se souvenait d'avoir raconté à ses compagnons de cellule que rien ne pourrait le tuer et, à présent, en regardant autour de lui, il se rendait compte à quel point il était mortel. Qu'aurait été sa vie s'il avait été moins arrogant plus jeune ? S'il n'avait pas été arrêté ? S'il avait mieux traité sa femme ? Il aurait des enfants aujourd'hui. Il aurait une petite ferme et une existence bien remplie.

Brusquement, H eut l'impression de ne plus pouvoir respirer, comme si une décennie entière de poussière remontait dans ses poumons et dans sa gorge, et l'étouffait. Il se plia en deux et se mit à tousser, tousser, tousser… Quand il eut fini, il chancela jusqu'à la maison de Joecy et frappa à la porte.

Lil Joe lui ouvrit, les yeux tout ensommeillés. « Mon papa n'est pas encore rentré de la réunion, oncle H, dit-il.

— Je suis pas ici pour voir ton papa, fiston. Je… j'ai besoin que tu écrives une lettre pour moi. Tu peux faire ça ? »

Lil Joe hocha la tête. Il rentra dans la maison et revint avec ce qu'il lui fallait. Il écrivit sous la dictée de H.

Chaire Ethe. C'est H. Je suis libre maintnant et vis à Pratt City.

H posta la lettre dès le lendemain matin.

« Ce que nous devons faire, c'est d'appeler à la grève », dit un Blanc du syndicat.

H était assis au premier rang de l'église où se tenaient les réunions syndicales. La liste des problèmes était sans fin, et la grève était la première solution. Il écouta attentivement le murmure d'assentiment qui montait de la salle, semblable à un bourdonnement étouffé.

« Qui va s'intéresser à notre grève ? » demanda-t-il. Il commençait à participer davantage aux réunions.

« Eh bien, on va leur dire que nous ne travaillerons pas avant qu'ils augmentent nos salaires ou rendent le travail plus sûr. Il faudra qu'ils écoutent », dit l'homme blanc.

H grommela. « Quand un homme blanc a jamais écouté un homme noir ?

— Je suis ici en ce moment, il me semble. Et j'écoute, répliqua l'autre.

— T'es un ancien prisonnier.

— Toi aussi. »

H regarda autour de lui. Il y avait là une cinquantaine d'hommes, dont plus de la moitié étaient noirs.

« Qu'est-ce que t'as fait de mal ? » demanda H, soutenant le regard du Blanc.

L'homme refusa de parler au début. Il gardait la tête baissée et se raclait la gorge sans arrêt, au point que H se demanda s'il avait quelque chose dans la bouche. Les mots finirent par sortir. « J'ai tué un homme.

— Tué un homme, hein ? Tu sais pourquoi ils ont coffré mon ami Joecy ? Il n'a pas changé de trottoir quand une femme blanche est passée près de lui. Pour ça, il a écopé de neuf ans. Pour avoir tué un homme, tu as eu pareil. On était pas des prisonniers comme toi.

— Mais il faut qu'on travaille ensemble à présent, dit le Blanc. Comme dans la mine. On peut pas faire d'une façon en bas, et d'une autre en haut. »

Personne ne dit mot. Ils s'étaient tous tournés vers H, attendant ce qu'il allait dire ou faire. Tout le monde avait entendu parler de cette histoire de la deuxième pelle.

Il finit par hocher la tête, et le lendemain la grève commença.

Seuls cinquante hommes se présentèrent le premier jour. Ils remirent à leurs chefs une liste de leurs demandes : un meilleur salaire, de meilleurs soins pour les malades, et une baisse du temps de travail. Les Blancs syndiqués avaient rédigé la liste, et le petit garçon de Joecy, Lil Joe, l'avait lue à voix haute à tous les membres noirs pour qu'ils soient sûrs qu'elle disait bien ce qu'ils pensaient. Les chefs avaient répondu que les mineurs libres pouvaient facilement être remplacés par des prisonniers et, une semaine plus tard, une voiture pleine de détenus noirs était apparue. Ils étaient âgés de moins de seize ans et semblaient si effrayés que H décida de renoncer à faire grève si l'on cessait d'arrêter des gens pour remplacer les mineurs. À la fin de la semaine, le seul accord conclu entre les deux parties fut que personne ne serait tué.

Néanmoins, on fit venir davantage de détenus. H se demanda s'il y avait un seul Noir dans le Sud qui n'avait pas été mis en prison à un moment donné, tant ils étaient nombreux à remplir la mine. Même les travailleurs libres qui n'étaient pas en grève furent remplacés, aussi furent-ils bientôt nombreux à se joindre à la lutte. H passa des heures chez Joecy et Jane à fabriquer des pancartes avec Lil Joe.

« Qu'est-ce qu'il dit, là ? demanda-t-il en désignant le panneau peint avec du goudron à côté de Lil Joe.

— Il dit "meilleurs salaires".

— Et celui-là ?

— Il dit "plus de tuberculose".

— Où tu as appris à lire comme ça ? » demanda H. Il s'était tellement attaché à Lil Joe que la seule vue du fils de son ami lui donnait envie d'avoir un enfant à lui.

L'odeur du goudron qu'utilisait Little Joe pour peindre ses pancartes s'accrochait aux poils de ses narines. H toussa un peu et une trace noire de mucus apparut aux coins de sa bouche.

« J'ai été un peu à l'école à Huntsville avant qu'ils attrapent mon papa. Quand ils l'ont arrêté, ils ont dit que lui et toute ma famille, on devenait trop arrogants. Ils ont dit que c'était pour ça que mon papa n'avait pas changé de trottoir quand il avait croisé une femme blanche.

— Et toi, qu'est-ce que tu penses ? » demanda H.

Lil Joe haussa les épaules.

Le lendemain, Joecy et H emportèrent les pancartes sur le site de la grève. Cent cinquante hommes se tenaient debout dans le froid. Ils regardèrent tous le nouveau contingent de détenus passer devant eux, attendant d'être descendus au fond des mines.

« Relâchez les gosses ! » hurla H. Un garçon avait pissé de peur en attendant la cage, et H se rappela soudain celui qui était enchaîné à lui durant leur voyage en train, qui s'était mouillé et n'arrêtait pas de pleurer quand ils s'étaient tenus devant le contremaître de la mine « C'est des gosses. Laissez-les partir !

— Arrêtez vos conneries et reprenez le boulot ! » répondit une voix.

Soudain le garçon qui s'était mouillé se mit à courir. Il n'était qu'une image brouillée dans le coin de l'œil de H quand un coup de feu retentit.

Alors les grévistes franchirent les barrières, submergeant les quelques chefs blancs qui montaient la garde. Ils démolirent les puits, renversèrent le charbon entassé dans les wagons, avant de les briser. H saisit un Blanc à la gorge et le tint en suspens au-dessus du vaste cratère.

« Un jour le monde saura ce que vous avez fait ici », dit-il à l'homme dont la peur se lisait dans ses yeux bleus exorbités tandis que H resserrait son étreinte.

H eut envie de lâcher l'homme au fond de la mine, au fond de la cité souterraine, mais il s'arrêta. Il n'était pas le malfaiteur qu'on l'avait accusé d'être.

Il fallut encore six mois de grève pour amener les chefs à céder. Tout le monde serait payé 50 cents de plus. Le garçon qui s'était enfui fut la seule victime de la lutte. L'augmentation de salaire était une victoire limitée, mais une victoire qu'ils étaient tous prêts à accepter. Le lendemain de la mort du garçon, les grévistes nettoyèrent les dégâts qu'ils avaient provoqués. Ils prirent leurs pelles, trouvèrent le gamin qui avait été abattu et l'enterrèrent dans le cimetière des pauvres. H n'était pas certain de ce que les autres pensaient quand ils le mirent en terre là, parmi les tombes de centaines de prisonniers morts au même endroit, anonymes, mais il savait que lui ressentait de la gratitude.

Après l'annonce de l'augmentation de salaire durant la réunion syndicale, H rentra à la maison avec Joecy. Il raccompagna son ami chez lui, puis se dirigea vers la maison voisine, la sienne. Quand il arriva, il vit que la porte d'entrée était grande ouverte. Une odeur inhabituelle lui parvint de l'intérieur. Il avait encore son pic avec lui, couvert de terre et de charbon. Il le leva au-dessus de sa tête, persuadé que le contremaître de la mine était venu l'attendre. Il se glissa silencieusement à l'intérieur, prêt à toute éventualité.

C'était Ethe. Un tablier noué autour de la taille et un foulard sur la tête. Elle tourna le dos au fourneau, sur lequel elle était en train de faire cuire des légumes, et lui fit face.

« Tu pourrais peut-être reposer ce machin », dit-elle.

H regarda ses mains. Il tenait le pic légèrement levé au-dessus de sa tête, il le ramena à son côté puis le posa par terre

« J'ai reçu ta lettre », dit Ethe, et H opina. Ils restèrent tous les deux plantés là, à se dévisager avant qu'Ethe retrouve sa voix.

« J'ai dû demander à Miss Benton, plus haut dans la rue, de me la lire. Au début, je l'ai juste laissée sur ma table. Tous les jours, je passais devant, et je me demandais ce que je devais faire. J'ai attendu deux mois comme ça. »

Le lard au fond de la casserole commençait à ris-
soler. H ne savait pas si Ethe y prêtait attention,
parce qu'elle ne regardait que lui et que lui aussi ne
regardait qu'elle.

« Il faut que tu comprennes, H. Le jour où tu
m'as appelée du nom de cette femme, j'ai pensé :
Est-ce que j'en ai pas assez supporté ? Est-ce qu'on
m'a pas déjà pris tout ce que j'avais ? Ma liberté.
Ma famille. Mon corps. Et maintenant je ne peux
même plus avoir mon nom ? Est-ce que je ne mérite
pas d'être Ethe, pour toi au moins. Ma maman m'a
donné ce nom. J'ai passé six bonnes années avec elle
avant qu'ils me vendent en Louisiane pour travailler
à cultiver ces maudites cannes à sucre. Tout ce que
j'avais d'elle alors était mon nom. C'était aussi tout
ce que j'avais à moi. Et tu ne voulais même pas me le
donner. »

De la fumée s'élevait au-dessus de la casserole. Elle
montait de plus en plus haut jusqu'à former un nuage
autour de la tête d'Ethe, effleurant ses lèvres.

« Je suis restée longtemps comme ça, pas prête à te
pardonner, et quand je l'ai été, les Blancs étaient déjà
en train de te faire payer quelque chose que t'avais
pas fait, je le savais, mais personne ne me disait comment je pourrais t'en faire sortir. Et qu'est-ce que
j'étais supposée faire là alors, H ? Dis-moi. Qu'est-ce
que j'étais supposée faire ? »

Ethe lui tourna le dos pour s'occuper de la casserole. Elle en gratta le fond, et ce qu'elle en sortit était
plus noir que tout ce que H avait jamais vu.

Il s'avança vers elle, la prit dans ses bras, savoura
tout le poids de son corps contre lui. Ce n'était pas

le même poids que le charbon, cette montagne de roche noire qu'il avait passé presque un tiers de sa vie à soulever. Ethe ne s'abandonna pas facilement. Elle ne se laissa pas aller contre lui jusqu'à ce que la casserole soit parfaitement propre.

Akua

Chaque fois qu'Akua laissait tomber un quart d'igname dans l'huile de palme bouillante, le bruit la faisait sursauter. C'était un son vorace, celui de l'huile avalant tout ce qu'on lui donnait.

L'oreille d'Akua se développait. Elle avait appris à distinguer des sons qu'elle n'avait jamais entendus auparavant. Elle avait grandi à l'école de la mission, où on vous enseignait de confier à Dieu tous vos soucis, vos ennuis et vos peurs. Quand elle était arrivée à Edweso, quand elle avait vu et entendu un homme blanc être avalé vivant par le feu, elle avait épousseté ses genoux, s'était agenouillée et avait apporté cette image et ce son à Dieu, mais Dieu avait refusé de les garder. Il lui rendait sa peur toutes les nuits, dans d'horribles cauchemars où le feu consumait tout, où il courait tout au long de la côte du pays fanti jusqu'à l'intérieur ashanti. Dans ses rêves, le feu prenait la forme d'une femme serrant deux bébés sur son cœur. La femme feu emportait ces deux petites filles dans la forêt à l'intérieur des terres, et ensuite les bébés disparaissaient. La tristesse de la femme feu projetait des lueurs orange, rouges et des traces de bleu qui se répandaient partout dans tous les arbres et buissons alentour.

Akua ne se souvenait pas de la première fois où elle avait vu le feu, mais elle se rappelait celle où elle en avait rêvé. C'était en 1895, seize ans après que sa mère, Abena, avait emmené son ventre gonflé chez les missionnaires à Kumasi, quinze ans après sa mort. Puis le feu dans le rêve d'Akua s'était réduit à un bref éclair d'ocre. Aujourd'hui, la femme feu était déchaînée.

L'oreille d'Akua se développait, si bien que la nuit elle dormait à plat dos ou à plat ventre, jamais sur le côté, de peur d'écraser ce nouveau poids. Elle était sûre que les rêves entraient par son oreille grandissante, qu'ils s'accrochaient aux grésillements des fritures dans la journée et se logeaient dans son esprit la nuit, alors elle restait sur le dos toute la nuit pour les laisser entrer. Car même si elle redoutait ces nouveaux bruits, elle savait qu'elle devait les écouter.

Akua comprit qu'elle avait fait à nouveau ce rêve quand elle se réveilla en hurlant. Le cri s'était échappé de sa bouche comme un souffle, comme la fumée d'une pipe. Son mari, Asamoah se réveilla à son côté et, saisissant la machette qu'il gardait près du lit, s'assura que les enfants étaient bien là sur le sol, vérifia la porte au cas où un intrus serait entré puis regarda enfin sa femme.

« Qu'est-ce que tu as ? » demanda-t-il.

Akua se mit à trembler de froid. « C'est mon rêve », dit-elle.

Elle se rendit compte qu'elle pleurait quand Asamoah la prit dans ses bras.

« Toi et les autres chefs n'auriez pas dû brûler cet homme blanc », dit-elle, blottie contre la poitrine de son mari. Il la repoussa.

« Tu parles au nom de l'homme blanc ? » demanda-t-il.

Elle secoua vivement la tête. Elle savait depuis qu'elle l'avait pris pour mari qu'il craignait que son séjour parmi les missionnaires ne l'ait rendue plus faible, moins ashantie en quelque sorte.

« Ce n'est pas ça, dit-elle. C'est le feu. Je rêve tout le temps du feu. »

Asamoah fit claquer sa langue. Il avait passé toute sa vie à Edweso. Il portait sur la joue la marque des Ashantis, et la nation était toute sa fierté.

« Que m'importe le feu alors qu'ils ont exilé le roi des Ashantis ? »

Akua ne trouva pas de réponse. Pendant des années, le roi Prempeh Ier s'était opposé à ce que les Anglais s'emparent du royaume ashanti, décrétant que le peuple ashanti resterait souverain. C'est pour cette raison qu'il avait été arrêté et exilé, et la colère qui couvait dans la nation s'était brusquement accrue. Akua savait que ses rêves ne l'empêcheraient pas de s'accumuler dans le cœur de son mari. Et ainsi elle décida de les garder pour elle, de dormir à plat ventre ou sur le dos, afin qu'Asamoah n'entende plus jamais ses cris.

Akua passait ses journées dans la concession avec sa belle-mère, Nana Serwah, et ses enfants, Abee et Ama Serwah. Elle commençait la journée en balayant, une tâche qui lui avait toujours plu pour sa nature paisible et répétitive. C'était aussi son travail à l'école de la mission, mais là-bas, le missionnaire riait en l'observant, étonné : « Comment peut-on balayer la terre sur un sol de terre ? » Akua se demandait à quoi ressemblait le sol du pays d'où il venait.

Après avoir balayé, Akua aidait les autres femmes à faire la cuisine. Abee n'avait que quatre ans, mais elle aimait tenir le pilon géant et faire semblant d'aider. « Maman, regarde ! » disait-elle, serrant le long bâton contre son petit corps. Il la dominait, et son poids menaçait de la faire basculer. La cadette, Ama Serwah, observait : ses grands yeux brillants allaient du sommet du pilon *fufu* à sa sœur chancelante avant de revenir à sa mère.

« Tu es très forte ! » disait Akua.

Nana Serwah faisait alors claquer sa langue :

« Elle va tomber et se faire mal. » Elle retirait le pilon des mains d'Abee en secouant la tête. Akua savait que Nana Serwah n'avait pas une bonne opinion d'elle, qu'elle disait souvent qu'une femme dont l'éducation avait été confiée à des Blancs ne saurait jamais élever elle-même ses enfants. C'était en général le moment où Nana Serwah envoyait Akua au marché pour acheter divers ingrédients destinés aux plats qu'elles confectionneraient plus tard pour Asamoah et les autres hommes qui passaient leurs journées à l'extérieur, à palabrer, à se concerter.

Akua aimait se rendre au marché. Elle pouvait enfin penser, sans être soumise aux regards scrutateurs des femmes et des vieillards, qui restaient à la concession et se moquaient d'elle parce qu'elle passait son temps à fixer un point sur le mur d'une case. « Elle n'est pas normale », disaient-ils tout haut, se demandant sans doute pourquoi Asamoah avait choisi de l'épouser. Mais elle ne regardait pas seulement dans le vide ; elle écoutait tous les sons que le monde avait à offrir, tous les gens qui habitaient ces espaces que les autres ne parvenaient pas à voir. Son esprit vagabondait.

En cheminant vers le marché, elle s'arrêtait souvent à l'endroit où les villageois avaient brûlé l'homme blanc. Un homme sans nom, un vagabond lui aussi, qui s'était trouvé dans le mauvais village au mauvais moment. Il avait d'abord semblé inoffensif, étendu sous un arbre, le visage abrité du soleil par un livre, mais Kofi Poku, un enfant de trois ans, était arrivé en trébuchant devant Akua, qui s'apprêtait à demander à l'homme s'il était perdu ou avait besoin d'aide, et pointant son petit index il avait crié : « *Obroni !* »

Akua avait dressé l'oreille à ce mot. C'était à Kumasi qu'elle l'avait entendu pour la première fois. Un enfant qui ne fréquentait pas l'école de la mission avait appelé le missionnaire « *obroni* » et l'homme était devenu rouge comme un soleil brûlant et était parti. Akua n'avait que six ans alors. Pour elle, ce mot n'avait jamais signifié autre chose que « homme blanc ». Elle n'avait pas compris pourquoi le missionnaire avait été tellement bouleversé, et dans de tels moments, elle aurait voulu se rappeler sa mère. Peut-être aurait-elle obtenu les réponses. Ce soir-là, elle s'était rendue en secret à l'orée du village dans la case d'un féticheur dont on disait qu'il était là depuis l'arrivée des premiers Blancs sur la Côte-de-l'Or.

« Réfléchis », avait dit l'homme, lorsqu'elle lui avait raconté ce qui était arrivé. À l'école de la mission, les Blancs s'appelaient Maître, Révérend ou Miss. Après la mort d'Abena, Akua avait été confiée au missionnaire. Il était le seul à avoir accepté de la prendre. « Cela n'avait pas commencé comme *obroni*. Cela avait commencé en deux mots. *Abro Ni.* »

« Méchant homme ? » demanda Akua.

Le féticheur hocha la tête. « Chez les Akans, est un méchant homme celui qui fait du mal. Chez les Ewes du Sud-Est on l'appelle "Chien Rusé", celui qui feint d'être gentil et vous mord ensuite.

— Le missionnaire n'est pas méchant », avait dit Akua.

Le féticheur avait des noix dans ses poches. C'était ainsi qu'Akua avait fait sa connaissance. Après la mort de sa mère, elle était restée à pleurer dans la rue. Elle ne s'était pas rendu compte tout de suite qu'elle l'avait perdue. Elle pleurait chaque fois qu'elle la quittait, pour aller au marché ou à la mer. Pleurer alors était naturel, mais cette fois l'absence avait duré toute la matinée, et sa mère n'était pas réapparue pour la consoler, la serrer contre elle, embrasser son visage. Le féticheur l'avait vue pleurer ce jour-là et lui avait donné une noix de kola. La mâcher l'avait apaisée, pour un moment.

Maintenant, il lui en donnait une autre et disait : « Pourquoi le missionnaire n'est pas méchant ?

— C'est un homme de Dieu.

— Et les hommes de Dieu ne sont pas méchants ? »

Akua avait hoché la tête.

« Est-ce que je suis méchant ? » avait demandé le féticheur, et Akua n'avait su que répondre. Le premier jour où elle l'avait rencontré, quand il lui avait donné la noix de kola, le missionnaire était sorti et l'avait vue avec lui. Il l'avait saisie par la main et lui avait dit de ne pas parler aux féticheurs. On l'appelait féticheur parce que c'en était un, et qu'il n'avait pas renoncé à prier ses ancêtres, à danser ou ramasser des plantes, des pierres, des os et du sang avec lesquels fabriquer ses offrandes de sorcier. Il n'avait pas été baptisé. Elle savait qu'il était censé être méchant, que les ennuis s'abattraient sur elle si le missionnaire apprenait qu'elle continuait à le voir, et pourtant elle reconnaissait que sa bonté, son amour, n'étaient pas semblables à ceux des gens de l'école. Plus chaleureux et plus vrais en quelque sorte.

« Non, tu n'es pas méchant, dit-elle.

— Tu ne peux décider qu'un homme est méchant que d'après ses actes, Akua. L'homme blanc a mérité son nom ici. Souviens-t'en. »

Elle s'en souvenait. Elle se souvenait même du moment où Kofi Poku avait désigné l'homme qui dormait sous l'arbre et crié « *Obroni !* ». Elle se souvenait de la foule qui s'était rassemblée, de la rage qui avait grossi dans le village pendant des mois et avait soudain explosé. Les hommes avaient réveillé le Blanc et l'avait attaché à l'arbre. Ils avaient fait un feu et l'avaient brûlé vif. Pendant tout ce temps, il hurlait en anglais : « Pitié, si quelqu'un me comprend, délivrez-moi ! Je ne suis qu'un voyageur. Je ne suis pas du gouvernement ! Je ne suis pas du gouvernement ! »

Akua n'était pas la seule dans la foule à comprendre l'anglais. Elle n'avait pas été la seule dans la foule à n'avoir rien fait pour l'aider.

Quand Akua regagna la concession, tout le monde était en ébullition. Elle perçut dans l'air une confusion grandissante, pleine de bruit et lourde de peur, au milieu de la fumée des fritures et du bourdonnement des mouches. Nana Serwah était en sueur, ses mains ridées roulant les boules de *fufu* sans perdre une minute pour servir la foule des hommes présents à la réunion. Elle leva les yeux et aperçut Akua.

« Akua, qu'est-ce qui te prend ? Pourquoi tu restes là sans bouger ? Viens nous aider. Il faut nourrir ces hommes avant la prochaine réunion. »

Akua sortit avec peine du rêve dans lequel elle était plongée et s'assit près de sa belle-mère, formant des petits ronds réguliers de purée de manioc qu'elle passait à sa voisine qui, elle, emplissait les bols de soupe.

Les hommes vociféraient si fort qu'il était impossible de comprendre la moindre de leurs paroles. Leurs paroles étaient indistinctes. Indignation. Rage. Akua aperçut son mari. Elle savait que sa place était auprès de sa belle-mère, des autres femmes, des vieillards, et qu'elle ne devait même pas l'interroger du regard.

« Que se passe-t-il ? » demanda Akua dans un murmure à Nana Serwah, qui se rinçait les mains dans une calebasse pleine d'eau posée à côté d'elle, avant de les essuyer à son pagne.

Elle répondit à voix basse, remuant à peine les lèvres. « Le gouverneur anglais, Frederick Hodgson, était à Kumasi aujourd'hui. Il dit qu'ils garderont le roi Prempeh Ier en exil. »

Akua siffla entre ses dents. C'était ce qu'ils avaient tous redouté.

« C'est pire que ça, continua sa belle-mère. Il dit que nous devons lui donner le Trône d'Or pour qu'il puisse s'y asseoir ou en faire cadeau à sa reine. »

Les mains d'Akua se mirent à trembler, la spatule racla contre les parois de la casserole écrasant les boules de *fufu*. C'était donc pire que tout ce qu'ils avaient craint, pire qu'une autre guerre, pire que des centaines de morts supplémentaires. Ils étaient un peuple de guerriers, la guerre était leur domaine. Mais si un Blanc s'emparait du Trône d'Or, l'esprit des Ashantis mourrait, et ça, ils ne pouvaient pas le supporter.

Nana Serwah étendit le bras et lui caressa la main. C'était un des rares gestes de gentillesse de la mère d'Asamoah envers elle depuis son mariage. Elles savaient toutes les deux ce qui allait advenir et ce que cela signifiait.

Dès la semaine suivante une réunion se tint à Kumasi avec les chefs ashantis. Les récits qui s'ensuivirent rapportèrent que les hommes s'étaient montrés trop timorés, en désaccord sur ce qu'il fallait dire aux Anglais, sur ce qu'il fallait faire. Ce fut Yaa Asantewa, la reine mère d'Edweso, qui se leva et exigea qu'ils combattent, disant que si les hommes ne le faisaient pas, les femmes le feraient.

Au matin, la plupart des hommes étaient déjà partis. Asamoah embrassa ses filles, puis embrassa Akua, la serrant dans ses bras un court moment. Elle le regarda s'habiller. Elle le regarda partir. Vingt autres villageois s'en allèrent avec lui. Quelques hommes restèrent, assis au milieu de la concession, à attendre leur repas.

Le mari de Nana Serwah, le beau-père d'Akua, avait gardé une machette à poignée incrustée d'or auprès de lui chaque nuit de son existence, et après sa mort Nana Serwah l'avait conservée à l'endroit où il avait coutume de dormir. Une machette à la place d'un corps. Lorsque l'appel aux armes de la reine mère atteignit Edweso, Nana Serwah retira la machette du lit et l'apporta à la concession. Et tous les hommes qui n'étaient pas encore partis combattre regardèrent avec curiosité cette vieille femme qui brandissait cette arme impressionnante. Et ainsi débuta la guerre.

Le missionnaire gardait une longue baguette flexible sur son bureau.

« Tu n'iras plus en classe avec les autres enfants », lui avait-il dit. Quelques jours seulement s'étaient écoulés depuis qu'un garçon avait appelé le missionnaire *obroni*, mais Akua s'en souvenait à peine. Le matin même, elle venait d'apprendre à écrire son nom anglais : Deborah. C'était le nom le plus long de tous ceux des enfants de la classe, et Akua s'était beaucoup appliquée pour l'écrire. « À partir de maintenant, avait dit le missionnaire, c'est moi qui t'apprendrai tes leçons. Tu comprends ?

— Oui », avait-elle répondu. Il avait dû savoir qu'elle avait réussi à écrire son nom. Elle recevait un traitement spécial.

« Assieds-toi », avait dit le missionnaire.

Elle s'était assise.

Il avait saisi la baguette sur son bureau et l'avait pointée vers elle. Son extrémité n'était qu'à quelques centimètres de son nez. En louchant, elle la voyait distinctement. C'est à ce moment seulement que la peur s'était emparée d'elle.

« Tu es une pécheresse et une païenne », avait-il dit. Akua avait hoché la tête. L'instituteur leur avait déjà dit la même chose. « Ta mère n'avait pas de mari quand elle est venue me voir, enceinte, demandant du secours. Je l'ai aidée parce que c'est ce que Dieu aurait voulu que je fasse. Mais c'était une pécheresse et une païenne, comme toi. »

À nouveau Akua avait acquiescé. La peur commençait à s'installer dans son ventre, lui donnant la nausée.

« Tous ceux qui vivent sur le continent noir doivent abandonner leurs croyances païennes et se tourner vers Dieu. Sois reconnaissante que les Anglais soient là pour te montrer comment mener une vie morale et pieuse. »

Cette fois, Akua n'avait pas hoché la tête. Elle n'aurait su décrire le regard que le missionnaire lui adressa. Mais quand il lui avait dit de se lever et de se pencher en avant, quand, après l'avoir fouettée cinq fois, il lui avait ordonné de se repentir de ses péchés et de répéter « Dieu bénisse la reine », quand elle avait eu enfin la permission de partir, et s'était sentie enfin libérée de sa peur, un seul mot lui était alors venu à l'esprit : « Affamé. » Le missionnaire lui avait paru affamé, comme s'il pouvait, comme s'il allait la dévorer.

Chaque jour Akua réveillait ses filles quand le soleil n'était pas encore levé. Elle nouait son pagne, puis partait avec elles sur les routes de terre où Nana Serwah, Akos, Mambee et toutes les autres femmes d'Edweso avaient déjà commencé à se rassembler. Avec sa voix puissante, Akua entonnait :

> *Awurade Nyame kum dom*
> *Oboo adee Nyame kum dom*
> *Ennee yerekokum dom afa adee*
> *Oboo adee Nyame kum dom*
> *Soso be hunu, megyede be hunu.*[1]

Elles chantaient tout au long des rues. C'était la cadette d'Akua, Ama Serwah, qui chantait le plus fort et le plus faux, ses mots réduits à une sorte de charabia jusqu'à sa partie préférée, moment où elle se mettait à hurler plus qu'autre chose : « DIEU CRÉATEUR, DÉFAIS LES TROUPES ENNEMIES ! » Parfois les femmes la plaçaient au premier rang, et ses petites

---

1. Chant guerrier : « Dieu créateur, défais les troupes ennemies, Dieu créateur, défais les troupes ennemies. Aujourd'hui nous allons défaire les troupes et prendre le butin. Dieu créateur, défais les troupes ennemies. Soso le reconnaîtra et les fruits encore verts du palmier aussi. »

jambes martelaient vaillamment le sol, puis Akua la portait le restant du chemin.

Après le chant, Akua se lavait et lavait les enfants, s'enduisait le corps d'argile blanche, symbole de son soutien aux efforts de guerre, mangeait et chantait à nouveau. Elles faisaient à tour de rôle la cuisine pour les hommes, de manière à ce qu'il y ait toujours quelque chose à leur porter. La nuit, Akua dormait seule, rêvant encore du feu. Hurlant à nouveau, maintenant qu'Asamoah n'était plus là.

Akua et Asamoah étaient mariés depuis cinq ans. Il était commerçant, établi à Kumasi. Il l'avait aperçue un jour à l'école de la mission et s'était arrêté pour lui parler. Et ensuite il s'était arrêté tous les jours sans exception. Deux semaines plus tard, il était venu lui demander si elle voulait l'épouser et vivre avec lui à Edweso, car il savait qu'elle était orpheline sans autre endroit où habiter.

Akua ne trouvait rien de particulièrement remarquable chez Asamoah. Il n'était pas beau comme Akwasi, l'homme qui venait à l'église tous les dimanches et qui restait timidement à l'arrière feignant de ne pas remarquer les mères qui lui jetaient leurs filles dans les bras. Asamoah ne semblait pas doué d'une grande intelligence de l'esprit, car toute sa vie avait été consacrée à l'intelligence du corps : à ce qu'il savait saisir, fabriquer ou dérober pour l'emporter au marché. Elle l'avait vu un jour vendre deux étoffes de kente pour le prix d'une parce qu'il ne savait pas calculer correctement le prix. Asamoah n'était pas le meilleur choix, mais c'était un homme sûr et Akua avait accepté volontiers sa proposition. Jusque-là, elle avait cru qu'elle serait obligée de rester avec le missionnaire pour toujours, à jouer à son étrange jeu élève/professeur, païenne/sauveur. Avec Asamoah, son existence pourrait être différente de ce qu'elle avait toujours imaginé.

« Je te l'interdis, avait dit le missionnaire quand elle lui en avait fait part.

— Vous ne pouvez pas l'interdire », avait répliqué Akua.

Maintenant qu'elle avait un projet, un espoir de s'en sortir, elle se sentait pleine de courage.

« Tu... tu es une pécheresse, avait murmuré le missionnaire, la tête dans les mains. Tu es une pécheresse, avait-il répété plus haut. Tu dois demander à Dieu de pardonner tes péchés. »

Akua n'avait pas répondu. Pendant presque dix années, elle avait répondu à la faim du missionnaire. Maintenant elle voulait s'occuper de la sienne.

« Demande à Dieu de pardonner tes péchés ! » avait crié le missionnaire, lui jetant sa baguette à la tête.

La baguette avait atteint Akua à l'épaule gauche. Elle l'avait regardée tomber sur le sol, puis était sortie calmement. Dans son dos, elle entendait le missionnaire crier : « Ce n'est pas un homme de Dieu, ce n'est pas un homme de Dieu ! » Mais Akua ne se souciait pas de Dieu. Elle avait seize ans, et le féticheur était mort un an seulement auparavant. Elle avait l'habitude d'aller le trouver chaque fois qu'elle pouvait s'échapper de la mission. Elle lui disait que plus elle en apprenait sur le Dieu du missionnaire, plus elle se posait de questions. D'importantes questions, comme, par exemple, si Dieu était si grand, si puissant, pourquoi avait-il besoin de l'homme blanc pour venir à eux ? Pourquoi ne pouvait-il pas leur parler lui-même, leur révéler sa présence comme au temps décrit dans le Livre, avec des buissons enflammés et des morts qui marchaient ? Pourquoi sa mère avait-elle été se réfugier chez ces missionnaires, ces hommes blancs, parmi tant d'autres ? Pourquoi n'avait-elle aucune famille, pas d'amis ? Chaque fois qu'elle posait cette question au missionnaire, il refusait de lui répondre. Le féticheur lui avait dit que c'était peut-être le Dieu chrétien qui *était* une question, un grand cercle tourbillonnant de pourquoi. Cette réponse n'avait jamais satisfait Akua, et lorsque le féticheur était mort, Dieu non plus ne l'avait pas satisfaite. Asamoah était réel. Tangible. Ses bras étaient aussi épais que des ignames et sa peau aussi brune. Si Dieu était pourquoi, Asamoah était oui et encore oui.

Maintenant qu'elles étaient en guerre, Akua remarqua que Nana Serwah était plus aimable que jamais auparavant avec elle. On annonçait chaque jour qu'untel était mort, ou un autre. Elles retenaient leur souffle, convaincues qu'avant longtemps le nom qui sortirait de la bouche du messager serait celui d'Asamoah.

Edweso était désertée. L'absence des hommes était palpable. Il arrivait à Akua de se dire que presque rien n'avait changé, mais elle voyait alors les champs vides, les ignames qui pourrissaient, les femmes en pleurs. Et ses rêves empiraient. La femme feu hurlait sa fureur d'avoir perdu ses enfants. Elle s'adressait parfois à Akua, comme si elle l'appelait. Elle lui paraissait familière, et Akua aurait voulu l'interroger. Elle voulait savoir si la femme feu connaissait l'homme blanc qui avait été brûlé. Si tous ceux qui avaient été touchés par le feu appartenaient au même monde. Si c'était elle que la femme appelait. Mais elle ne disait rien. Elle se réveillait en criant. Au milieu de ce chaos, Akua s'était retrouvée enceinte. De six mois au moins à présent, d'après la forme et le poids de son ventre.

Un jour, alors que la fin de la guerre approchait et qu'Akua faisait bouillir des ignames pour les envoyer aux guerriers, elle fut surprise à fixer le feu sans pouvoir en détacher les yeux.

« Encore ? dit Nana Serwah. Je croyais qu'on en avait fini avec ta paresse. Tu crois que nos hommes sont en train de combattre pour que tu puisses rester sans rien faire, à regarder le feu, hurler la nuit et réveiller tes enfants.

— Non, Ma », répondit Akua, sortant de sa léthargie. Mais elle recommença le lendemain. Et à nouveau sa belle-mère la réprimanda. La même chose arriva le jour suivant, et encore celui d'après, jusqu'à ce que Nana Serwah décide qu'Akua était malade et qu'elle devait rester dans sa case jusqu'à ce que la maladie ait quitté son corps. Ses filles habiteraient chez Nana Serwah jusqu'à ce qu'elle soit complètement guérie.

Le premier jour de son exil, Akua profita de ce répit. Elle ne s'était pas reposée depuis le départ des hommes : elle avait défilé sans arrêt dans la ville en chantant des hymnes guerriers ou était restée debout à transpirer devant une grande marmite. Elle prit la résolution de ne pas s'endormir avant la tombée de la nuit. Elle allait se coucher du côté où Asamoah s'étendait habituellement, essayer d'invoquer son odeur pour qu'il lui tienne compagnie jusqu'à ce que la nuit envahisse la case, enveloppant la pièce de son affreuse obscurité. Mais au bout de quelques heures Akua s'endormit, et la femme feu réapparut.

Elle grandissait, ses cheveux ressemblaient à un buisson sauvage d'ocre et de bleu. Elle s'enhardissait. Elle ne brûlait plus simplement les choses qui l'entouraient, elle reconnaissait Akua à présent. Elle la voyait.

« Où sont tes enfants ? » demandait-elle. Akua avait trop peur pour lui répondre. Elle savait que son corps était couché là, sur le petit lit. Elle savait qu'elle rêvait, et pourtant elle ne pouvait exercer aucun contrôle sur ce rêve. Elle ne pouvait le munir de mains, lui ordonner de pousser son corps à se réveiller. Elle ne pouvait lui dire de jeter de l'eau sur la femme feu, de l'effacer de ses nuits.

« Tu dois toujours savoir où sont tes enfants », continua la femme feu, et Akua se mit à trembler.

Le lendemain elle voulut sortir de la case, mais Nana Serwah avait posté le Gros devant sa porte. Son corps, trop ample pour lui permettre de combattre avec ses compagnons, avait la taille voulue pour garder Akua enfermée

« S'il te plaît, cria Akua, laisse-moi seulement voir mes enfants ! »

Mais le Gros refusait de bouger. Nana Serwah, debout à côté de lui, cria à son tour : « Tu pourras les voir quand tu seras guérie ! »

Akua lutta pendant tout le reste de la journée. Elle eut beau s'acharner contre la porte, le Gros resta planté comme un piquet. Elle hurla mais il ne répondit pas. Elle tapa sur la porte mais ses oreilles restèrent sourdes.

De temps en temps, Akua entendait Nana Serwah s'approcher de lui, apportant à manger et à boire. Il disait merci, mais rien d'autre. Comme s'il avait l'impression d'avoir trouvé le moyen de servir son pays. La guerre était arrivée à la porte d'Akua.

Dès la nuit tombée, Akua avait peur de parler. Elle se recroquevillait dans un coin de la case, priant tous les dieux qu'elle connaissait. Le dieu chrétien que les missionnaires décrivaient toujours en termes de colère et d'amour. Nyame, le dieu akan, omniscient, à qui rien n'échappait. Elle priait aussi la déesse Asase Yaa et ses enfants Bia et Tano. Elle priait même l'araignée Anansi, une rusée que les gens mettaient dans leurs histoires pour rire. Elle priait tout haut et fébrilement pour s'empêcher de dormir, et le matin elle était trop faible pour lutter contre le Gros, trop faible pour savoir s'il était encore là.

Elle vécut ainsi pendant une semaine. Jusqu'à maintenant, elle n'avait jamais compris les missionnaires lorsqu'ils prétendaient pouvoir passer un jour entier en prières, mais maintenant elle comprenait. La prière n'était pas quelque chose de saint ou de sacré. On ne la prononçait pas clairement en twi ou en anglais. Elle n'avait pas besoin d'être dite à genoux ou les mains jointes. Pour Akua, la prière était une psalmodie exaltée, un langage exprimant ces désirs du cœur que même l'esprit ignorait. C'était ramasser dans ses paumes brunes la poussière du sol d'argile. C'était s'accroupir dans l'ombre de la pièce. C'était le mot d'une syllabe qui s'échappait sans cesse de ses lèvres.

Feu. Feu. Feu.

Le missionnaire ne voulait pas qu'Akua quitte l'orphelinat pour se marier avec Asamoah. Depuis qu'elle lui avait fait part de sa décision, il avait cessé de lui donner des leçons, cessé de lui dire qu'elle était une païenne et de lui demander de se repentir de ses péchés, de répéter « Dieu bénisse la reine ». Il se bornait à l'observer.

« Vous ne pouvez pas me garder ici », disait Akua. Elle était en train de rassembler le reste de ses effets. Asamoah serait de retour avant la nuit et viendrait la chercher. Edweso attendait.

Le missionnaire se tenait dans l'embrasure de la porte, sa baguette à la main.

« Quoi ? Vous allez me battre pour que je reste ? avait-elle demandé. Il vous faudra me tuer pour me garder ici.

— Je vais te parler de ta mère », avait fini par dire le missionnaire. Il avait lâché sa baguette et s'était approché d'Akua, si près qu'elle pouvait sentir l'odeur fétide de poisson dans son haleine. Pendant dix ans, il ne s'était jamais approché d'elle de plus près que la longueur de sa baguette. Pendant dix ans, il avait refusé de répondre à ses questions sur sa famille. « Je vais te parler de ta mère. Te dire tout ce que tu veux savoir. »

Akua avait reculé d'un pas, et lui aussi. Il avait l'air abattu.

« Ta mère, Abena, ne voulait pas se repentir. Elle est arrivée ici enceinte – de toi, son péché –, mais malgré tout elle ne voulait pas se repentir. Elle crachait sur les Anglais. Elle argumentait, se mettait en colère. Je pense qu'elle était satisfaite de ses péchés. Je crois qu'elle n'éprouvait aucun regret, ni envers toi ni envers ton père, même s'il ne s'occupait pas d'elle comme un homme le devrait. »

Le missionnaire parlait à voix basse, si basse qu'Akua n'était pas certaine d'entendre tout ce qu'il disait.

« Après ta naissance, je l'ai conduite à l'eau pour la baptiser. Elle ne voulait pas y aller, mais je… je l'ai forcée. Elle s'est débattue quand je l'ai emmenée à travers la forêt, jusqu'à la rivière. Elle s'est débattue quand je l'ai plongée dans l'eau. Elle s'est débattue, débattue, débattue, et puis elle n'a plus bougé. » Le missionnaire leva la tête et regarda Akua.

« Je voulais seulement qu'elle se repente. Je… je voulais seulement qu'elle se repente. »

Il s'était mis à pleurer. Et ce n'était pas autant la vue de ses larmes qui avait frappé Akua que le bruit. Un bruit terrible, un halètement rauque, comme si on lui arrachait quelque chose de la gorge.

« Où est le corps ? avait-elle demandé. Qu'avez-vous fait du corps ? »

Le bruit s'était arrêté. Le missionnaire avait répondu.

« Je l'ai brûlé dans la forêt. Je l'ai brûlé avec tout ce qu'elle avait. Dieu me pardonne ! Dieu me pardonne ! »

Le bruit avait repris. Cette fois accompagné de tremblements, de secousses si violentes que le missionnaire était tombé à terre.

Akua avait dû enjamber son corps pour partir.

Asamoah revint à la fin de la semaine. Akua l'entendit avec son oreille grandissante, mais elle ne le vit pas tout de suite. Elle se sentait accablée par un poids, ses membres lourds comme des troncs d'arbre abattus sur le sol d'une sombre forêt.

À la porte, Nana Serwah sanglotait, criait. « Mon fils ! Oh, mon fils ! Mon fils ! Oh, mon fils ! » Puis l'oreille d'Akua entendit un nouveau bruit. Un pas sonore. Arrêt. Un pas sonore. Arrêt.

« Qu'est-ce que le Gros fait ici ? » demanda Asamoah. Sa voix était assez forte pour qu'Akua se décide à bouger, mais il lui semblait être à nouveau dans le monde du rêve, incapable de forcer son corps à faire ce que son esprit lui ordonnait.

Nana Serwah était trop occupée à gémir pour pouvoir lui répondre. Le Gros se déplaça, son énorme masse roulant comme un rocher pour dégager la porte. Asamoah entra dans la pièce mais Akua ne parvint pas à se lever.

« Qu'est-ce ça veut dire ? » gronda Asamoah, et Nana Serwah en oublia de gémir.

« Elle était malade, elle était malade, et nous avons... »

Elle se tut. Akua entendit à nouveau le bruit. Un pas. Arrêt. Un pas. Arrêt. Puis Asamoah se trouva devant elle, mais au lieu de deux jambes, elle n'en vit qu'une.

Il s'accroupit avec précaution pour mieux croiser son regard, gardant si bien son équilibre qu'Akua se demanda quand il avait vu ses deux jambes pour la dernière fois. Il semblait si bien habitué à la place vide.

Il remarqua son ventre gonflé et frissonna. Il tendit la main. Akua la regarda. Elle n'avait pas dormi de la semaine. Des fourmis lui grimpaient sur les doigts, et elle aurait voulu les secouer, ou les passer à Asamoah, entrelacer ses petits doigts à ses gros doigts.

Asamoah se leva et se tourna vers sa mère. « Où sont les filles ? » demanda-t-il. Nana Serwah, qui s'était remise à pleurer à la vue d'Akua sur le sol, courut les chercher.

Ama Serwah et Abee entrèrent. Pour Akua, elles étaient toujours les mêmes. Elles suçaient leur pouce, bien que Nana Serwah barbouillât leur doigt de poivre rouge matin, midi et soir pour les en empêcher. Les filles s'étaient mises à aimer ce qui était brûlant. Le pouce dans la bouche, agrippées à la main de leur grand-mère, elles regardèrent Asamoah puis Akua. Puis, sans un mot, Abee vint enrouler son petit corps autour de la jambe de son père, comme si cette jambe était un tronc d'arbre, ou le pilon à *fufu* qu'elle aimait tant tenir, plus fort qu'elle, plus robuste. La plus petite, Ama Serwah, s'approcha d'Akua, et il était visible qu'elle avait pleuré ; une trace de morve descendait de son nez à sa lèvre supérieure, sa bouche était grande ouverte. On eût dit une limace sortant d'une grotte pour entrer dans une caverne. Elle effleura le genou de son père, mais continua d'avancer jusqu'à Akua, se coucha à côté d'elle. Akua sentait son petit cœur battre à l'unisson du sien à jamais brisé. Elle tendit la main pour toucher sa fille, l'attirer dans ses bras, puis elle se leva et regarda autour d'elle.

La guerre prit fin en septembre, et la terre autour d'eux commença à témoigner des pertes des Ashantis. De longues fissures se formèrent dans l'argile rouge de la concession d'Akua, tant la saison était sèche. Les récoltes grillèrent et la nourriture devint rare, car ils avaient donné tout ce qu'ils avaient aux combattants. Ils avaient donné tout ce qu'ils avaient, certains de le retrouver avec l'abondance de la liberté. Yaa Asantewaa, la reine mère guerrière d'Edweso, avait été exilée aux Seychelles, et ceux qui étaient restés au village ne la revirent jamais. Akua passait parfois devant son palais quand elle errait sans but, et elle se demandait : « Et si ? »

Le jour où elle s'était levée, elle n'avait pas voulu parler, ni laisser ses enfants ou Asamoah la quitter. Et la famille meurtrie s'était recroquevillée sur elle-même, chacun espérant que la présence des autres compenserait la blessure laissée derrière elle par leur guerre personnelle.

Au début, Asamoah ne voulut pas la toucher et elle refusa qu'il la touche. Le vide laissé par sa jambe l'obsédait. Elle ne savait pas comment placer son corps à côté du sien quand ils étaient au lit la nuit.

Avant, elle se blottissait contre lui, une de ses jambes glissée entre les deux siennes. À présent, elle était mal à l'aise, et sa nervosité entretenait celle d'Asamoah. Le sommeil la fuyait, la nuit, mais Asamoah détestait la voir éveillée et tourmentée, aussi feignait-elle de dormir, laissant les vagues de ses seins s'élever et retomber au gré des courants de sa respiration. Asamoah se retournait de temps en temps et l'observait. Elle sentait son regard posé sur elle pendant qu'elle faisait semblant de dormir, et si elle ne prenait pas garde, ouvrait les yeux ou perdait le rythme de sa respiration, sa grosse voix caverneuse lui ordonnait de se rendormir. Pour le convaincre, elle s'efforçait d'accorder son souffle au sien et restait ensuite étendue sans bouger, tentant de chasser la femme feu. Si elle s'assoupissait, c'était légèrement, plongeant la cuiller du sommeil dans les eaux peu profondes du domaine des rêves, espérant ne pas y rencontrer la femme feu avant son réveil.

Puis, un jour, Asamoah ne voulut plus dormir. Il pressa son nez dans le cou d'Akua.

« Je sais que tu ne dors pas, dit-il. Je sais que tu ne dors pas en ce moment, Akua. »

Elle continua malgré tout à faire semblant, ignorant son haleine chaude sur sa peau, sa respiration calme et inchangée.

Elle ne répondit pas et il répéta son nom. Le jour où elle était sortie de la maison après sa semaine d'exil, les villageois avaient détourné les yeux sur son passage, gênés et honteux de la manière dont ils avaient laissé Nana Serwah la traiter. Sa belle-mère aussi ne pouvait pas la regarder sans éclater en sanglots, si bruyants qu'on ne l'entendait pas demander pardon. Ce fut Kofi Poku, l'enfant qui avait désigné l'homme blanc, le méchant homme, et l'avait condamné à être brûlé, qui vit Akua silencieuse et murmura : « Femme Folle. » Femme Folle. Femme de l'Estropié.

Cette nuit-là, l'Estropié tourna la Femme Folle sur le dos et la pénétra, brutalement d'abord, puis plus timidement. Elle ouvrit les yeux et le vit se mouvoir avec plus de lenteur qu'à l'habitude, se servant de ses bras pour peser sur elle, puis se retirer, la sueur coulant de l'arête de son nez pour atterrir sur le front d'Akua puis s'écouler sur le sol.

Quand il eut fini, Asamoah se détourna d'elle et se mit à pleurer. Leurs filles dormaient à côté d'eux, le dos tourné, suçant leurs pouces. Akua se tourna aussi. Épuisée, elle s'endormit. Le lendemain matin, quand elle comprit qu'elle n'avait pas rêvé de feu, elle sut que tout irait bien pour elle. Et des semaines plus tard, quand Nana Serwah saisit le bébé Yaw entre ses jambes d'une main et coupa le cordon de l'autre, et quand Akua entendit son puissant vagissement, elle sut que tout irait bien pour son fils aussi.

Peu à peu Akua se mit à parler davantage. Les rares fois où elle dormait, il lui arrivait de marcher dans son sommeil. Certains jours, elle se retrouvait à la porte de la case, ou recroquevillée entre ses filles. Ces moments de sommeil étaient brefs, et il suffisait qu'elle se déplace pour se réveiller. Elle regagnait alors sa place à côté d'Asamoah, contemplait le toit de paille et de boue séchée au-dessus d'eux jusqu'à ce que le soleil commence à percer à travers les fentes du toit. Lui-même plongé en plein sommeil, Asamoah la rattrapait rarement durant ses errances nocturnes. Il saisissait sa machette, puis se souvenait de sa jambe manquante et renonçait. Vaincu, pensait Akua, par sa femme et son propre malheur.

Akua se méfiait des villageois, ses seules joies venaient de ses enfants. Ama Serwah employait de vrais mots à présent, et non plus le babil précipité et dépourvu de sens de ses deux premières années. Plus personne n'empêchait Akua de faire de longues promenades avec ses enfants. On ne la contredisait pas quand elle prenait un bâton pour un serpent ou laissait la nourriture brûler sur le feu. Quand les gens murmuraient « Femme Folle », ils le faisaient dans le dos de Nana Serwah, car si elle les entendait, ils avaient droit à une volée de bois vert presque aussi douloureuse qu'une vraie bastonnade.

Avant chaque promenade, Akua demandait à ses filles où elles voulaient aller. Bébé Yaw sur son dos enroulé dans un pagne, elle attendait qu'elles lui donnent leurs instructions. Elles avaient souvent les mêmes idées. Elles voulaient passer devant le palais de Yaa Asantewaa. Le bâtiment avait été conservé en son honneur, et les filles aimaient se tenir à la grille de l'entrée et entonner des chants d'après guerre. Leur préféré était :

> *Koo koo hin koo*
> *Yaa Asantewaa ee !*
> *Obaa basia*
> *Ogyina apremo ano ee !*

Waye be egyae
Na Wabo Mmoden[1]

Akua les accompagnait quelquefois en chantant doucement, berçant Yaw au rythme de la musique tout en louant la femme qui avait combattu face aux canons.

Les filles avaient souvent besoin de se reposer, sous les arbres de préférence. Akua faisait de longues siestes avec elles, dans les raies d'ombre que projetaient des arbres géants.

« Je veux être comme Yaa Asantewaa quand je serai une Vieille Dame ! » déclara Ama Serwah un jour. Elles étaient trop fatiguées pour continuer à marcher, et le seul arbre à proximité était celui où l'homme blanc avait brûlé. La noirceur de l'écorce calcinée semblait monter des racines jusqu'aux branches basses. Akua résista à l'envie de s'y reposer, mais le bébé lui semblait lourd comme dix poignées d'ignames. Elle finit par céder, s'étendit sur le dos, le petit monticule de son ventre pas encore dégonflé lui cachant la vue des filles à ses pieds, Yaw à son côté.

« Est-ce qu'on chantera des hymnes en ton honneur, ma chérie ? » demanda Akua. Ama Serwah éclata de rire.

« Oui ! dit-elle. On dira "Regardez la Vieille Dame, Ama Serwah. N'est-elle pas forte et jolie ?".

---

1. Chant à la gloire d'Asantewaa : « Yaa Asantewaa, femme qui combat devant les canons, tu a accompli de grandes choses, tu as gagné. »

— Et toi, Abee ? demanda Akua, abritant ses yeux du soleil de midi.

— Yaa Asantewaa était la reine mère, fille d'un Grand Homme, répondit Abee. C'est pour ça qu'on la célèbre. Ama Serwah et moi, nous sommes seulement les filles d'une Femme Folle élevée par des hommes blancs. »

Akua était incapable de bouger aussi rapidement qu'autrefois. Peut-être à cause du bébé qui avait grandi dans son ventre, exigeant d'elle nourriture et énergie, ou bien de la semaine d'exil passée sur le sol de sa case. Elle ne savait pas. Elle aurait voulu se relever d'un bond et regarder sa fille dans les yeux, mais elle ne parvint qu'à tourner lentement le bas de son dos sur la droite, puis sur la gauche, rassemblant assez de force pour s'asseoir et voir Abee, qui jouait avec des bouts d'écorce du tronc.

« Qui t'a dit que j'étais folle ? » demanda-t-elle. L'enfant, ne sachant si elle allait ou non s'attirer des ennuis, haussa les épaules. Akua aurait voulu se sentir plus fâchée, mais elle n'en trouva pas en elle la force nécessaire. Elle avait besoin de dormir. De dormir pour de bon. Deux jours plus tôt, elle avait oublié les ignames sur le feu, elle les avait oubliées pendant que ses yeux se fermaient. Quand Nana Serwah l'avait secouée pour la réveiller, les ignames étaient calcinées. Sa belle-mère n'avait rien dit.

« Tout le monde dit que tu es folle, dit Abee. Nana crie après ceux qui le disent, mais ils continuent. »

Akua reposa sa tête contre une pierre et resta sans parler jusqu'à ce que le souffle léger et ensommeillé des filles flotte autour d'elle comme de minuscules papillons.

Le soir, Akua ramena les enfants à la maison. Asamoah prenait son repas au milieu de la cour quand elles arrivèrent.

« Comment vont mes filles ? » demanda-t-il tandis qu'elles se précipitaient dans ses bras. Akua resta en arrière, regarda ses filles entrer dans la case. La journée avait été très chaude, et Ama Serwah dénouait son pagne en courant. Il flottait derrière elle comme un drapeau.

« Et comment va mon fils ? » demanda Asamoah, s'adressant au dos d'Akua, où Yaw était emmailloté. Akua se dirigea vers son mari pour qu'il puisse toucher le bébé.

« Si Yame le veut, il se porte bien », dit-elle, et Asamoah grommela un mot d'approbation.

« Viens manger quelque chose », dit-il.

Il appela sa mère et elle apparut sur-le-champ. Son âge avancé n'avait pas diminué sa vivacité, ni la finesse de son ouïe pour percevoir l'appel de son fils. Elle sortit et fit un signe de tête à Akua. Elle s'était arrêtée de pleurer à sa vue depuis quelques jours seulement.

« Tu dois te nourrir pour que ton lait soit riche », dit-elle, plongeant ses mains dans la bassine pour les laver avant de commencer le *tufu*.

Akua mangea jusqu'à ce que son estomac soit plein. Il lui semblait qu'on aurait pu le percer, et que du lait sortirait de son nombril. C'était la seule image qui lui venait à l'esprit en se lavant les mains. Du lait coulant à ses pieds comme une rivière. Elle remercia Nana Serwah et se leva péniblement du tabouret sur lequel elle était assise. Elle tendit les mains à Asamoah pour l'aider à se mettre debout, prit le bébé, et entra dans leur case.

Les filles étaient déjà endormies, Akua les envia. La facilité avec laquelle elles entraient dans le royaume des rêves. Elles suçaient encore leur pouce, indifférentes au poivre que leur grand-mère y appliquait tous les jours.

À côté d'elle, Asamoah se retourna une fois, deux fois. Lui aussi dormait mieux qu'aux premiers jours de son retour. Parfois il essayait de saisir le fantôme de sa jambe au milieu de la nuit et, trouvant ses mains vides, pleurait doucement. Akua ne lui en parlait jamais quand il se réveillait.

À présent, couchée sur le dos, Akua s'autorisa à fermer les yeux. Elle imaginait qu'elle était étendue sur le sable des plages de la Côte-de-l'Or. Le sommeil venait la prendre vague après vague. Léchant d'abord ses orteils, ses pieds gonflés, ses chevilles douloureuses. Lorsqu'elles atteignirent sa bouche, son nez, ses yeux, elle n'en avait plus peur.

Quand elle entra dans l'univers des rêves, elle était sur la même plage. Elle n'y était allée qu'une seule fois, avec les missionnaires de l'école. Ils avaient voulu ouvrir une nouvelle école dans un village voisin, mais avaient trouvé les villageois peu accueillants. Akua avait été fascinée par la couleur de l'eau. Elle n'avait pas de mot pour elle parce que rien de semblable n'existait dans son monde. Aucun arbre vert, aucun ciel bleu, aucune pierre, igname ou argile ne pouvait la reproduire. Au pays des rêves, Akua marchait au bord de l'océan houleux. Elle mettait le bout de son pied dans une eau si fraîche qu'elle la goûtait en imagination, comme une brise pénétrant au fond de sa gorge. Ensuite l'océan prenait feu et la brise devenait brûlante. Le vent tourbillonnait au fond de la gorge d'Akua, de plus en plus vite, jusqu'à ce qu'il déborde de sa bouche et sorte. Puis, délivré, il se mettait à agiter l'océan en feu, plongeant dans ses profondeurs pour réapparaître, mêlé aux flots rageurs, devenu soudain la femme qu'Akua connaissait si bien.

Elle n'était pas en colère, cette fois. Elle faisait signe à Akua de la rejoindre dans la mer, et, bien qu'effrayée, Akua faisait un premier pas. Ses pieds la brûlaient. Quand elle en levait un, elle sentait l'odeur de sa chair qui montait du fond de l'eau. Mais elle avançait, suivait la femme feu qui la conduisait à un endroit qui ressemblait à sa propre case. À présent la femme feu tenait dans ses bras les deux enfants feu qu'elle portait la première fois qu'Akua avait rêvé d'elle. Elle les tenait serrées chacune dans un bras, leurs têtes reposant sur ses seins. Leurs cris étaient muets, mais Akua en voyait l'écho qui s'échappait de leur bouche comme les volutes de fumée sortant de la pipe favorite du féticheur. Elle voulait les saisir, tendait vers elles ses deux mains qui prenaient feu à leur tour. Elle finissait malgré tout par les atteindre, les envelopper de ses bras en flammes, jouant avec les tresses embrasées de leurs cheveux, leurs lèvres noircies. Elle se sentait calme, heureuse même, que la femme feu ait enfin retrouvé ses enfants. Quand elle les saisit, la femme feu ne protesta pas. Elle n'essaya pas de les reprendre. Au contraire, elle resta à les contempler, pleurant de joie. Et ses larmes étaient de la couleur de l'océan du pays fanti, cette couleur ni bleue ni verte dont Akua se souvenait si bien. La couleur se concentra peu à peu. Bleue, encore plus bleue, verte et encore plus verte. Jusqu'à ce que les torrents de larmes éteignent le feu qui consumait les mains d'Akua. Jusqu'à ce que les enfants commencent à disparaître.

« Akua, la Folle ! Akua, la Folle ! »

Il lui semblait que son nom retentissait au plus profond d'elle-même, lourd comme l'angoisse. Ses yeux s'ouvrirent petit à petit, et elle vit Edweso autour d'elle. On la portait. Dix hommes au moins, qui la soulevaient au-dessus de leurs têtes. Elle s'en aperçut avant d'enregistrer la douleur, de regarder ses mains et ses pieds brûlés.

Les femmes marchaient à la suite des hommes, poussant des lamentations. « Femme maléfique ! » criaient certaines. « Femme maudite ! » disaient les autres.

Asamoah clopinait derrière elles avec l'aide de son bâton, essayant de ne pas se laisser distancer.

Quand on l'attacha à l'arbre brûlé, Akua retrouva sa voix.

« Je vous en prie, frères. Que se passe-t-il ? »

Antwi Agyei, un ancien, se mit à hurler, s'adressant aux hommes qui s'étaient rassemblés :

« Elle veut savoir ce qui se passe ! »

Ils lièrent les poignets d'Akua avec une corde. Ses brûlures hurlèrent, elle aussi.

Antwi Agyei continua : « Quelle sorte de mal ne se reconnaît pas lui-même ? » Et toute la foule frappa des pieds le dur sol d'argile.

Ils passèrent la corde autour de la taille d'Akua.

« Nous l'avons connue comme la Femme Folle, et maintenant elle s'est révélée à nous. Femme maléfique. Femme maudite. Élevée par les hommes blancs, elle peut mourir comme l'un d'eux. »

Asamoah se fraya un passage sur le devant de la foule. « Je vous en prie ! dit-il.

— Tu es de son côté ? Du côté de la femme qui a tué tes enfants ? » hurla Antwi Agyei. À sa colère firent écho les cris de la foule, le martèlement des pieds, les battements de mains, les langues qui se déliaient

Akua était incapable de penser. La femme qui a tué ses enfants ? La femme qui a tué ses enfants ? Elle était endormie. Elle dormait sûrement encore.

Asamoah se mit à pleurer. Il plongea ses yeux dans ceux d'Akua, et elle l'interrogea du regard.

« Yaw est encore en vie. Je l'ai rattrapé avant qu'il meure, mais je ne pouvais en prendre qu'un, dit-il, sans la quitter des yeux, mais s'adressant à la foule. Mon fils aura besoin de moi. Vous ne pouvez pas m'enlever Akua. »

Il fit face à Antwi Agyei puis aux gens d'Edweso. Ceux qui dormaient étaient maintenant réveillés, et venaient par petits groupes rejoindre les autres pour voir brûler la femme maudite.

« N'ai-je pas perdu assez de chair ? » leur demanda Asamoah.

Ils ne mirent pas longtemps à libérer Akua. Ils la laissèrent avec Asamoah regagner leur case. Nana Serwah et le docteur prirent soin des blessures de Yaw. Le bébé hurlait, un cri qui semblait jaillir d'ailleurs, en dehors de lui-même. Ils ne lui dirent pas où ils avaient mis Abee et Ama Serwah. Ils ne diraient rien.

Willie

C'était un samedi d'automne. Willie était au fond de l'église, tenant son livre de chant ouvert d'une main pour pouvoir de l'autre battre la mesure contre sa jambe. Sœur Bertha et sœur Dora étaient les principales soprano et alto, des femmes majestueuses, à la poitrine généreuse qui croyaient que le Ravissement arriverait d'un jour à l'autre.

« Willie, ma fille, tu n'as qu'à te laisser aller à chanter », disait sœur Bertha. Willie était venue directement après avoir terminé le ménage dans une maison. Elle s'était hâtée de retirer son tablier en entrant, mais ne s'était pas aperçue qu'une trace de graisse de poulet marquait encore son front.

Carson était dans l'assistance. Il s'ennuyait sûrement, pensa Willie. Il lui posait tout le temps des questions sur l'école, mais elle ne pouvait pas l'y inscrire tant que la petite Josephine n'était pas encore en âge d'y aller. Il fronçait les sourcils quand elle le lui disait, et elle rêvait parfois de l'envoyer dans le Sud chez sa sœur Hazel. Peut-être supporterait-elle mieux un enfant qui avait une telle colère au fond des yeux. Mais Willie savait qu'elle ne pourrait jamais s'y résoudre. Dans ses lettres à la famille, elle racontait que tout se passait bien, que Robert se débrouillait parfaitement. Hazel répondait qu'elle allait bientôt venir, mais Willie savait qu'elle n'en ferait jamais rien. Elle était du Sud. Elle s'en fichait du Nord.

« Oui, tout ce que tu as à faire est de laisser le Seigneur prendre la croix que tu portes », disait sœur Dora.

Willie sourit. Elle fredonna l'air de l'alto.

« Tu viens ? demanda-t-elle à Carson quand elle quitta l'estrade.

— J'attendais. »

Ils quittèrent ensemble l'église. L'air était froid, un vent vif provenant du fleuve leur fouettait le visage. Peu de voitures circulaient dans la rue, et Willie croisa une femme riche, à la peau acajou, dans un manteau de raton laveur qui paraissait aussi doux qu'un nuage. Sur Lenox, un théâtre sur deux affichait que Duke Ellington serait sur scène, jeudi, vendredi, samedi.

« Marchons encore un peu », dit Willie. Carson haussa les épaules, mais il retira les mains de ses poches et accéléra le pas. Elle avait enfin dit ce qu'il fallait.

Ils s'arrêtèrent pour laisser passer des voitures. Willie leva les yeux : six gamins l'observaient depuis la fenêtre d'un immeuble. Ils formaient une pyramide ; l'aîné, le plus grand, se tenant au dernier rang, le plus jeune au premier. Willie leur adressa un signe de la main, mais une femme les fit vivement rentrer et tira les rideaux. Carson et elle traversèrent. Il semblait y avoir des centaines de personnes dans les rues de Harlem ce jour-là. Des milliers même. Les trottoirs s'enfonçaient sous leur poids, certains se fissurant littéralement sous eux. Willie observa un homme à la peau thé au lait qui chantait dans la rue. À côté de lui, une femme couleur d'écorce battait des mains et ondulait de la tête. Harlem ressemblait à un grand orchestre noir avec une foule de gros instruments, la scène de la ville était en train de s'effondrer.

Ils tournèrent en direction du sud sur la 7ᵉ, passèrent devant le coiffeur pour hommes où Willie faisait le ménage de temps en temps pour gagner quelques cents, devant plusieurs bars et un marchand de glaces. Elle fouilla dans son sac à main, tâta l'intérieur, sentit quelque chose de métallique sous ses doigts et lança un nickel à Carson. Le garçon lui sourit, et elle eut l'impression que c'était la première fois depuis des années. La douceur de son sourire lui laissa en même temps une sensation d'amertume, car elle lui rappelait les jours où il pleurait du matin au soir. Les jours où il n'y avait personne au monde qu'eux deux, et qu'elle ne lui suffisait pas. Elle se suffisait à peine à elle-même. Il se précipita pour acheter un cornet de glace, et quand il revint vers elle en le serrant dans sa main, ils continuèrent à marcher.

Si Willie avait pu longer la 7ᵉ Avenue vers le sud jusqu'à Pratt City, elle l'aurait sans doute fait. Carson dégustait sa glace avec délicatesse, sculptant sa forme arrondie avec sa langue. Il en faisait le tour, l'examinait, recommençait à la lécher. Willie ne se rappelait pas l'avoir déjà vu aussi heureux, elle avait oublié combien c'était facile de le contenter. Rien de plus qu'un nickel et une promenade. S'ils continuaient à marcher sans s'arrêter, peut-être commencerait-elle à se sentir heureuse elle aussi. Elle arriverait peut-être à oublier comment elle avait échoué à Harlem, loin de Pratt City, loin de chez elle.

Willie n'était pas noir charbon. Elle avait vu assez de charbon au cours de sa vie pour le savoir. Mais le jour où Robert Clifton était venu avec son père à la réunion du syndicat pour entendre Willie chanter, elle avait d'abord été frappée par la couleur de sa peau, il était le garçon noir le plus blanc qu'elle eût jamais vu, et sa peau à elle lui avait alors paru pareille à ce que son père rapportait de la mine, sous ses ongles et quand il secouait ses vêtements, tous les jours.

Willie chantait l'hymne national aux réunions du syndicat depuis un an et demi. Son père, H, était le chef du syndicat, et elle n'avait eu aucun mal à le convaincre de la laisser chanter.

Le jour où Robert était venu, Willie était dans la sacristie, en train de faire ses gammes.

« Tu es prête ? » lui avait demandé son père. Avant que Willie ait demandé à chanter, il n'y avait pas d'hymne national aux réunions du syndicat.

Willie avait hoché la tête et était entrée dans l'église, où attendaient tous les membres du syndicat. Elle était jeune, mais elle savait déjà qu'elle était la meilleure chanteuse de Pratt City, peut-être même de tout Birmingham. Tous, femmes et enfants, venaient aux réunions uniquement pour entendre cette voix mûre et déjà lasse du monde sortir d'un corps de dix ans.

« Veuillez vous lever pour l'hymne », avait dit
H à la foule, et ils s'étaient levés. Le père de Willie
avait versé une larme la première fois qu'elle l'avait
chanté. À la fin, Willie avait entendu un homme
dire : « Regarde le vieux Deux-Pelles. Il se ramollit,
on dirait. »

Quand elle chantait la *Bannière étoilée*, elle capti-
vait la foule béate. Willie imaginait que le son éma-
nait d'une caverne tout au fond de son abdomen,
que, comme son père et les hommes de l'assistance,
elle était un mineur qui creusait dans les tréfonds
d'elle-même pour en tirer quelque chose de valeur.
À la fin, tout le monde se levait, applaudissait, sifflait.
Elle savait alors qu'elle avait atteint la roche au fond
de la caverne. Ensuite les mineurs poursuivaient leur
réunion, et Willie restait assise sur les genoux de son
père ; elle s'ennuyait, avait envie de chanter à nouveau.

« Willie, tu as vraiment bien chanté, ce soir », lui
avait dit un homme à la fin de la réunion. Willie se
tenait devant l'église, avec sa petite sœur, Hazel,
regardant les gens rentrer chez eux pendant que H
refermait la porte. Elle n'avait pas reconnu l'homme.
Il était nouveau, un ancien prisonnier qui avait travaillé au chemin de fer avant d'être engagé comme
homme libre à la mine. « J'aimerais que tu connaisses
mon fils, Robert, avait dit l'homme. Il est timide,
mais il aime drôlement t'entendre chanter. »

Robert, derrière son père, s'était avancé.

« Va jouer un moment », avait dit l'homme en
donnant une petite poussée à son fils avant de rentrer
chez lui.

Si le père était couleur café, Robert était couleur crème. Willie était habituée à voir se côtoyer des Blancs et des Noirs à Pratt City, mais elle n'avait jamais vu les deux dans une même famille, les deux dans une même personne.

« Tu as une jolie voix », avait dit Robert. Il baissait les yeux et remuait la poussière du bout du pied. « Je suis venu pour t'écouter chanter.

— Merci », dit Willie. Robert avait souri, soulagé, semblait-il, d'avoir parlé. Willie fut stupéfaite par la teinte de ses yeux.

« Pourquoi tu as des yeux comme ça ? » avait-elle demandé tandis que Hazel se cachait derrière sa jambe et observait Robert en passant la tête sur le côté.

« Comme quoi ? »

Willie avait cherché le mot exact puis s'était rendu compte qu'il n'en existait pas pour les décrire. Ses yeux ressemblaient à beaucoup de choses. Aux flaques d'eau claire restées sur le chemin dans lesquelles Hazel et elle aimaient sauter, ou au corps scintillant d'une fourmi dorée qu'un jour elle avait observée en train de transporter une feuille d'herbe par-dessus un monticule. Elle les vit changer au moment même où il la regardait, et elle ne sut comment le lui dire, aussi se borna-t-elle à hausser les épaules.

« Tu es blanc ? avait dit Hazel, et Willie lui avait donné un petit coup de coude.

— Non. Mais ma Mama dit qu'il y a beaucoup de blanc dans notre sang. Que parfois ça prend du temps pour qu'il apparaisse.

— C'est pas normal. » Hazel avait secoué la tête.

« Ton papa est vieux comme Hérode. C'est pas normal non plus », avait répliqué Robert, et sans réfléchir Willie l'avait poussé. Il avait perdu l'équilibre, était tombé sur les fesses. Il avait levé ses yeux d'un marron doré vers elle, pleins de surprise, mais elle n'y avait pas fait attention. Son papa était l'un des meilleurs mineurs de tout Birmingham. Il était la lumière de sa vie, comme elle était la sienne. Il lui répétait sans cesse qu'il l'avait attendue et attendue et que lorsqu'elle était arrivée, il avait été si heureux que son cœur de charbon avait fondu.

Robert s'était relevé et épousseté.

« Ouh, avait dit Hazel en se tournant vers Willie, ne manquant jamais une occasion de lui faire honte. Je vais le dire à Mama !

— Non, avait dit Robert. Tout va bien. » Il avait regardé Willie. « C'est rien. »

Ce geste avait rompu une sorte de barrière entre eux et, depuis ce jour, Robert et Willie avaient été aussi proches que deux êtres peuvent l'être. Quand ils avaient eu seize ans, ils étaient sortis ensemble, à dix-huit ans, ils s'étaient mariés, et à vingt ans, ils avaient eu un enfant. Les habitants de Pratt City parlaient toujours d'eux comme s'ils étaient une seule personne, portant un seul nom : Robert & Willie.

Un mois après la naissance de Carson, le père de Willie était mort. Sa mère le rejoignit un mois plus tard. Les mineurs ne vivaient pas vieux. Willie avait des amis dont les pères étaient morts alors qu'eux-mêmes nageaient encore dans le ventre de leur mère, mais le savoir n'atténuait pas son chagrin.

Elle fut inconsolable pendant les premiers jours. Elle ne voulait pas regarder Carson, refusait de le tenir contre elle. Robert la prenait dans ses bras la nuit, embrassant ses larmes intarissables pendant que le bébé dormait. « Je t'aime, Willie », murmurait-il, et d'une certaine manière cet amour aussi lui faisait mal, elle pleurait de plus belle car elle ne voulait pas croire que le monde pouvait encore lui apporter du bonheur quand ses deux parents l'avaient quittée.

Willie avait chanté en tête du cortège funèbre, les pleurs et les lamentations des parents et amis des défunts résonnant jusqu'au fond des mines. Elle n'avait jamais ressenti pareille tristesse auparavant, ni connu le réconfort d'une telle foule réunie pour accompagner ses parents à leur dernière demeure. Sa voix tremblait au début. Elle ébranlait quelque chose en elle.

Elle avait chanté *I Shall Wear a Crown*, sa voix résonnant, rebondissant depuis le fond du puits, et remontant à la surface tandis qu'ils marchaient tous autour de la mine. Ils avaient dépassé l'ancienne fosse commune des pauvres où étaient enterrés des centaines d'hommes et de jeunes garçons sans visage, et Willie s'était consolée à la pensée que son père était mort libre. Au moins ça.

« Je porterai une couronne », chantait encore Willie, tenant Carson dans ses bras. Ses vagissements l'accompagnaient, les battements de son petit cœur marquaient la mesure. En chantant, elle voyait les notes flotter hors de sa bouche, minuscules papillons emportant un peu de sa tristesse, et elle comprit qu'elle survivrait.

Pratt City devint bientôt une poussière dans l'œil de Willie. Elle ne pouvait pas s'en débarrasser. Elle voyait que Robert était impatient lui aussi de partir. Il avait toujours été trop délicat pour être mineur. C'est du moins ce que disaient les chefs chaque fois qu'il se décidait à leur poser la question, ce qu'il faisait à peu près une fois par an depuis l'âge de ses treize ans. Au lieu de quoi, il travaillait dans un magasin de Pratt City.

Puis, après la naissance de Carson, le magasin parut soudain ne plus suffire à Robert. Il pouvait passer des semaines à s'en plaindre.

« Il n'y a rien d'honorable dans ce travail », dit-il un soir à Willie. Elle était assise, tenant contre son ventre le bébé Carson qui essayait d'attraper les éclats de lumière reflétés sur ses boucles d'oreilles. « Il y a de l'honneur à travailler à la mine. »

Willie avait toujours pensé que son mari mourrait dans la mine s'il y descendait un jour. Son père s'était arrêté bien des années avant sa mort. Il était deux fois plus corpulent que Robert, dix fois plus fort. Et pourtant il ne cessait de tousser, un filet de mucus noir coulant parfois de sa bouche, son visage se convulsait, ses yeux s'exorbitaient, et Willie avait l'impression qu'un homme invisible se tenait derrière lui, entourant de ses mains l'épaisse colonne de son cou, l'étranglant. Bien qu'elle aimât Robert plus qu'elle n'avait jamais cru pouvoir aimer un homme, elle n'imaginait pas en le regardant que quelqu'un puisse entourer son cou de ses mains. Elle ne le lui avait jamais dit.

Robert se mit à faire les cent pas. La pendule accrochée au mur retardait de cinq minutes, et le déclic de l'aiguille des secondes évoquait pour Willie un homme tapant dans ses mains en cadence à un *revival* à l'église. Terrifiant, mais résolu.

« Nous devrions partir. Aller dans le Nord, quelque part où je pourrai apprendre un nouveau métier. Il n'y a rien pour nous à Pratt City maintenant que nos parents ne sont plus là.

— New York, dit Willie, à l'instant où l'idée lui traversa l'esprit. Harlem. »

Le mot la frappait comme un souvenir. Bien qu'elle n'y fût jamais allée, elle sentait sa présence dans sa vie. Un pressentiment. Un souvenir prémonitoire.

« New York, eh ? » fit Robert avec un sourire.

Il prit Carson dans ses bras et l'enfant se mit à crier, surpris, privé de lumière.

« Tu pourrais trouver du travail. Je pourrais chanter.

— Tu vas chanter, eh ? » Il fit bouger son doigt devant les yeux de Carson, qui le suivirent. À droite, à gauche. « Que penses-tu de tout ça, fiston ? Mama va chanter ? » Robert fit descendre son doigt jusqu'au petit ventre doux et le chatouilla. Le bébé éclata de rire.

« Je crois que l'idée lui plaît, Mama », dit Robert, riant à son tour.

Chacun connaissait quelqu'un qui partait dans le Nord, et tout le monde connaissait quelqu'un qui était déjà là-bas. Willie et Robert avaient connu Joe Turner à l'époque où il n'était que Lil Joe, le fils intello de Joecy, à Pratt City. À présent, il était instituteur à Harlem. Il les emmena chez lui dans la 134e Rue Ouest.

Aussi longtemps qu'elle vivrait, Willie se souviendrait de l'impression que lui fit Harlem la première fois. Pratt City était une ville minière où tout était centré sur ce qui gisait dans les profondeurs du sol. Harlem, c'était le ciel. Les immeubles étaient plus hauts qu'aucun de ceux que Willie avait jamais vus auparavant, et ils étaient plus nombreux, droits, serrés les uns contre les autres. La première bouffée d'air de Harlem était pure, sans poussière de charbon qui vous entrait par le nez jusqu'au fond de la gorge, y laissant un goût tenace. À Harlem, rien que respirer était exaltant.

« D'abord, faut me trouver un endroit où chanter, Lil Joe. J'ai entendu des dames au coin de la rue, et je sais que je suis meilleure qu'elles. Je le sais. »

Ils avaient apporté la dernière de leurs trois valises et finissaient de s'installer dans le petit appartement. Joe n'avait pas les moyens de l'occuper seul, et avait dit qu'il était trop content de le partager avec de vieux amis.

Joe rit. « Faut espérer que tu chantes mieux qu'une fille au coin de la rue, Willie. Autrement, comment tu vas faire pour chanter dans un endroit qui est pas la rue ? »

Robert faisait doucement sauter Carson sur ses genoux pour qu'il se tienne tranquille.

« C'est pas la première chose qui importe. La première chose est de me trouver un travail. C'est moi l'homme, tu te souviens ?

— Oh, tu es l'homme, d'accord », dit Willie, cli-gnant de l'œil.

Joe leva les yeux au plafond.

« Et m'amenez pas d'autres bébés dans cette maison, vous deux », dit-il.

Cette nuit-là, et bien d'autres nuits par la suite, Willie, Robert et Carson dormirent sur le même matelas, dans le minuscule living-room au troisième étage du haut immeuble de brique. Une grande tache marron ornait le plafond au-dessus du lit, et la pre-mière nuit Willie la trouva même belle.

L'immeuble où vivait Lil Joe n'était habité que par des Noirs, presque tous arrivés récemment de Louisiane, du Mississippi ou du Texas. En entrant, Willie avait entendu l'accent traînant caractéristique d'un Alabamien. L'homme tentait de faire passer un large matelas par une porte étroite. Une voix similaire derrière la porte donnait des instructions : « Plus à gauche, un petit peu à droite. »

Le lendemain matin, Willie et Robert laissèrent Carson à Lil Joe pour aller faire un tour dans Harlem, voir s'il y avait quelques offres d'emploi affichées dans le voisinage. Ils marchèrent pendant des heures, à regarder les gens, parler, noter les différences et les similitudes entre Harlem et Pratt City.

Après avoir fait le tour du bloc, passant devant un marchand de glaces, ils virent une offre affichée sur la porte d'un magasin et décidèrent d'entrer pour que Robert puisse parler à quelqu'un. Sur le seuil, Willie trébucha et Robert la rattrapa dans ses bras. Il l'aida à reprendre son équilibre, lui sourit et lui donna un rapide baiser sur la joue. Une fois qu'ils furent à l'intérieur, les yeux de Willie croisèrent ceux de l'employé du magasin, et elle sentit un vent froid porté par son regard la pénétrer jusqu'au tréfonds de son estomac.

« Excusez-moi, sir, dit Robert. J'ai vu l'écriteau là dehors.

— Vous êtes marié à une Noire ? » dit l'employé, sans quitter Willie des yeux.

Robert regarda Willie.

Robert parla doucement : « J'ai déjà travaillé dans un magasin. Dans le Sud.

— Pas de travail ici, dit l'homme.

— Je disais que j'ai de l'expérience dans…

— Pas de travail ici, répéta l'homme, d'un ton encore plus rude.

— Partons, Robert », dit Willie. Elle avait à moitié franchi la porte sans même attendre que l'homme ouvre la bouche pour la seconde fois.

Ils parcoururent deux blocs sans parler. Ils passèrent devant un restaurant avec une affiche, mais Willie n'eut pas besoin de regarder Robert pour savoir qu'ils ne s'arrêteraient pas. Peu après, ils se retrouvèrent chez Lil Joe.

« Déjà de retour ? » leur demanda Joe au moment où ils entraient. Carson était endormi sur le matelas, son petit corps pelotonné.

« Willie voulait voir comment allait le bébé. Elle voulait te laisser te reposer. Pas vrai, Willie ? »

Willie sentit le regard de Joe posé sur elle quand elle répondit : « Oui, c'est vrai. »

Robert tourna les talons et sortit précipitamment.

Willie s'assit près de l'enfant. Elle le regarda dormir. Elle se demanda si elle pourrait faire cela toute la journée, et elle essaya. Mais au bout d'un moment un étrange sentiment de panique la saisit, sans qu'elle en connût la raison. La peur qu'il ne respire pas vraiment. Qu'il ne sente plus qu'il avait faim et ne pleure pas pour qu'elle le nourrisse. Qu'il ne la distingue pas des autres femmes dans cette nouvelle ville si grande. Elle le réveilla juste pour l'entendre crier. Et ce fut seulement alors, quand le cri persista, faible d'abord pour devenir un hurlement poussé à pleins poumons, qu'elle put enfin se détendre.

« Ils ont cru qu'il était blanc, Joe », dit-elle. Elle sentait encore son regard posé sur elle pendant qu'elle observait Carson.

Il hocha la tête. « Je vois », dit-il simplement. Et il se retira et la laissa à ses pensées.

Willie attendit anxieusement le retour de Robert. Elle se demanda pour la première fois si quitter Pratt City n'avait pas été une erreur. Elle pensa à Hazel, dont elle n'avait pas de nouvelles depuis leur départ, et une vague de regret la submergea, triste et désespérée. Elle eut une autre sensation de déjà-vu. De solitude, cette fois. Une solitude qu'elle sentait approcher, et avec laquelle il lui faudrait apprendre à vivre.

Robert revint à l'appartement. Il était allé chez le coiffeur, avait les cheveux coupés court. Il s'était acheté des vêtements neufs, sans doute avec leurs dernières économies, se dit Willie, et ceux qu'il portait quand il était parti avaient disparu. Il s'assit sur le lit près de Willie, frotta doucement le dos de Carson. Il n'avait pas l'air d'être lui-même.

« Tu as dépensé l'argent ? » demanda Willie. Robert évitait son regard, et elle ne se souvenait pas de l'avoir jamais vu ainsi… Même le premier jour où elle était allée jouer avec lui, même quand elle l'avait poussé, même quand il était tombé, Robert l'avait toujours regardée droit dans les yeux, presque avidement. Ses yeux étaient la première chose qui l'avait étonnée chez lui, et la première chose qu'elle avait aimée.

« Je ne serai pas comme mon père, Willie, dit-il sans cesser de regarder Carson. Je vais pas être le genre d'homme qui peut faire qu'une seule chose. Je vais nous bâtir une vraie vie, je sais que je le peux. »

Il la regarda enfin. Il caressa sa joue, puis posa sa main sur sa nuque. « Nous sommes ici maintenant, Willie, dit-il implorant. Restons ici. »

Ce que « être ici » signifiait pour Willie : tous les matins, Robert et elle se réveillaient. Elle préparait Carson et le descendait chez une vieille femme du nom de Bess qui gardait tous les jeunes enfants de l'immeuble contre un peu d'argent. Robert se rasait, se coiffait, boutonnait sa chemise. Puis ils partaient tous les deux à pied dans Harlem à la recherche de travail, Robert dans ses habits élégants et Willie dans ses vêtements ordinaires.

« Être ici » signifiait qu'ils ne marchaient plus ensemble sur le trottoir. Robert marchait toujours un peu en avant, et ils ne se touchaient jamais. Elle ne l'appelait plus par son nom désormais. Même si elle tombait dans la rue ou si quelqu'un la volait ou qu'une voiture se dirigeait vers elle, elle avait appris à ne pas l'appeler par son nom. Elle l'avait fait une fois, et tout le monde les avait dévisagés.

Au début, ils cherchèrent du travail à Harlem. Un magasin avait même engagé Robert, mais il y avait eu un malentendu quand un client blanc s'était penché à l'oreille de Robert pour lui demander comment il pouvait ne pas être tenté par l'une des Négresses qui fréquentaient le magasin. Et Robert était rentré ce soir-là indigné, disant à Willie que l'homme aurait pu parler d'elle comme ça, et il n'était plus retourné au magasin.

Le lendemain, ils partirent tous les deux poursuivre leur recherche. Cette fois, ils marchèrent un peu vers le sud avant de se séparer, et Willie abandonna Robert devant l'étendue de Manhattan. Il avait l'air tellement blanc à présent qu'elle le perdit de vue en quelques secondes, un visage blanc parmi d'autres, tous se hâtant affairés sur les trottoirs. Au bout de deux semaines à Manhattan, Robert trouva un travail.

Il fallut à Willie trois mois de plus pour y arriver, mais en décembre elle était devenue gouvernante chez les Morris, une riche famille noire qui vivait à la limite sud de Harlem. La famille ne s'était pas encore résignée à leur négritude, et ils s'approchaient des quartiers blancs d'aussi près que la ville le leur permettait. Ils ne pouvaient pas aller plus loin, leur peau était trop noire pour leur permettre d'avoir un appartement une rue plus bas.

Dans la journée, Willie s'occupait du fils des Morris. Elle lui donnait à manger, le baignait, lui faisait faire la sieste. Puis elle nettoyait à fond l'appartement, prenant soin de passer sous les candélabres, endroits que Mme Morris vérifiait toujours. Quand venait le soir, elle se mettait à la cuisine. Les Morris étaient arrivés à New York avant la grande migration afro-américaine, mais ils mangeaient toujours comme si le Sud était une partie de leur cuisine et non un endroit situé à des milliers de kilomètres de là. Mme Morris était en général la première à rentrer. Elle était couturière, et ses mains étaient souvent abîmées et pleines de sang. Une fois qu'elle était rentrée, Willie partait à ses auditions.

Elle était trop noire de peau pour chanter au *Jazzing*. C'est ce qu'on lui dit le soir où elle se présenta pour une audition. Un homme, grand et maigre, plaça un sac de papier contre sa joue.

« Trop foncée », dit-il.

Willie secoua la tête. « Mais je sais chanter, écoutez. » Elle ouvrit la bouche et prit une profonde inspiration, gonflant son ventre comme un ballon, mais l'homme y enfonça deux doigts et le vida de son air.

« Trop foncée, répéta-t-il. Le *Jazzing* est que pour les filles claires.

— J'ai vu un homme aussi noir que minuit entrer avec un trombone.

— J'ai dit les filles, mon chou. Si tu étais un homme, peut-être. »

Si elle était Robert, pensa Willie. Robert pouvait avoir tous les jobs qu'il souhaitait, mais elle savait qu'il avait trop peur pour essayer. Peur d'être démasqué ou peur de ne pas avoir assez d'instruction. L'autre soir, il lui avait dit que quelqu'un lui avait demandé pourquoi il parlait « comme ça », et il avait eu peur d'ouvrir la bouche. Il ne lui disait pas exactement ce qu'il faisait pour gagner sa vie, mais il rentrait à la maison empestant le poisson et la viande et il gagnait plus d'argent en un mois qu'elle n'en avait vu de sa vie entière.

Robert était prudent, mais elle prête à tout. Elle l'avait toujours été. La première nuit qu'il avait passé avec elle, il était tellement nerveux que son sexe était resté posé sur sa jambe gauche, un tronc abandonné sur la rivière tremblante de sa cuisse.

« Ton père va me tuer », avait-il dit. Ils avaient seize ans, leurs parents assistaient à une réunion du syndicat.

« C'est pas à mon père que je pense en ce moment, Robert », avait-elle dit en essayant de redresser le tronc. Elle avait mis les doigts de Robert dans sa bouche, l'un après l'autre, mordant les bouts, sans cesser de le regarder. Elle l'avait aidé à la pénétrer et s'était mise à cheval sur lui jusqu'à ce qu'il la supplie : « Arrête, t'arrête pas, plus vite, moins vite. » Quand il avait fermé les yeux, elle lui avait demandé de les ouvrir. Elle aimait tenir la vedette.

C'était aussi ce qu'elle désirait maintenant, en pensant à Robert. Songeant que si elle était à sa place, elle mettrait à profit sa couleur de peau, serait moins craintive. Si elle le pouvait, elle mettrait sa voix dans le corps de Robert, dans sa peau. Elle serait sur la scène du *Jazzing* et écouterait les éloges de la foule monter vers elle comme dans ses souvenirs d'enfant, quand elle chantait à la table de ses parents. Mince alors, elle a du coffre. C'est pas de la blague.

« Écoute, tu pourrais faire le ménage ici la nuit, si tu veux, disait l'échalas, interrompant les pensées de Willie avant qu'elles tournent au noir. La paie est correcte. Ça pourrait t'ouvrir des portes un peu plus tard. »

Elle accepta l'offre aussitôt, et quand elle rentra le soir à la maison, elle dit à Robert que les Morris avaient besoin d'elle la nuit. Elle n'aurait su dire s'il la croyait ou non, mais il hocha la tête. Cette nuit-là, ils s'étaient endormis avec Carson entre eux. Il commençait à dire quelques mots. L'autre jour, quand Willie avait été le chercher chez Bess pour le ramener dans l'appartement de Joe, elle avait entendu son fils appeler la vieille femme « Mama », et une boule d'angoisse s'était coincée dans sa gorge, dure comme une pierre, tandis qu'elle le serrait contre elle et gravissait les marches de l'escalier.

« La paie est correcte », dit-elle à Robert en empêchant Carson de sucer son pouce. Il se mit à pleurer et cria : « Non !

— Hé, dis donc, Sonny, dit Robert, ne parle pas à Mama comme ça ! » Carson remit son pouce dans sa bouche et regarda son père fixement. « Nous n'avons pas besoin de cet argent, Willie, dit Robert. Nous nous débrouillons très bien. Nous pourrons même avoir un appartement à nous. Tu n'as pas besoin de travailler.

— Et où allons-nous vivre ? » dit sèchement Willie. Elle n'avait pas voulu prendre un ton aussi hostile. L'idée était séduisante : habiter chez elle, passer plus de temps avec Carson. Mais elle savait qu'elle n'était pas faite pour ce genre de vie. Que cette vie n'était pas pour eux.

« Il y a des endroits, Willie.

— Quels endroits ? Dans quel monde tu crois que nous vivons, Robert ? Je m'étonne que tu puisses franchir cette porte et te retrouver dans *ce* monde-là sans que quelqu'un te démolisse parce que tu couches avec la Nég…

— Stop ! » s'écria Robert. Willie ne l'avait jamais entendu s'exprimer avec une telle force. « Dis jamais ça. »

Il se tourna sur le côté, et Willie resta sur le dos, à fixer le plafond. La grande tache brune lui paraissait plus boursouflée maintenant, comme si tout ce qu'il y avait au-dessus de leur tête pouvait s'effondrer sur eux d'un instant à l'autre.

« Je n'ai pas changé, Willie, dit Robert face au mur.

— Non, mais tu n'es plus le même. »

Ils ne prononcèrent plus un mot de la nuit. Entre eux, Carson se mit à ronfler, de plus en plus fort, comme si un grondement montait de son ventre et s'échappait par son nez. Comme une musique annonçant la chute du plafond, et Willie fut prise de panique. Si l'enfant était encore un bébé, s'ils habitaient encore Pratt City, elle l'aurait réveillé. Mais ici, à Harlem, elle ne pouvait pas bouger. Elle devait rester étendue là, immobile, avec le grondement, la chute, la terreur.

Faire le ménage au *Jazzing* n'était pas trop pénible. Willie déposait Carson chez Bess avant l'heure du dîner, puis se rendait au 644 Lenox Avenue.

C'était le même genre de travail que celui qu'elle faisait chez les Morris, mais différent. La clientèle du *Jazzing* était entièrement blanche. Les artistes qui occupaient la scène tous les soirs étaient, comme l'avait dit l'échalas : grands, bronzés et superbes. Ce qui signifiait, constata Willie, un mètre soixante-quinze, la peau claire et jeunes. Willie débarrassait les détritus, balayait, lavait les planchers, et observait les hommes rivés sur les artistes sur la scène. Tout était si étrange pour elle.

Dans un des spectacles, un acteur feignait d'être perdu dans une jungle africaine. Il portait une jupe d'herbes et avait des marques de peinture sur la tête et les bras. Au lieu de parler, il poussait des grognements. À intervalles réguliers, il gonflait ses biceps et se frappait la poitrine. Il soulevait une des filles, une grande brune superbe, et la balançait par-dessus son épaule comme si elle était une poupée de chiffon. L'assistance se tordait de rire.

Un jour, tout en travaillant, Willie assista à un spectacle censé être un portrait du Sud. Les trois acteurs, les plus noirs que Willie ait jamais vus dans le club, cueillaient du coton sur scène. Puis l'un d'eux commença à se plaindre. Il disait que le soleil était trop chaud, le coton trop blanc. Assis sur le rebord de la scène, il balançait nonchalamment ses jambes d'avant en arrière, d'avant en arrière.

Les deux autres s'avancèrent et posèrent leurs mains sur ses épaules. Ils se mirent à chanter une chanson que Willie n'avait jamais entendue, qui racontait combien ils devaient être reconnaissants d'avoir de bons maîtres qui prenaient si bien soin d'eux. Quand ils eurent fini de chanter, ils se relevèrent et recommencèrent à cueillir le coton.

Ce n'était pas le Sud que connaissait Willie. Ce n'était pas non plus le Sud que ses parents avaient connu, mais elle pouvait dire en entendant les voix des hommes dans la salle qu'aucun d'eux n'avait jamais mis le pied dans ce Sud-là. Tout ce qui les intéressait était de rire, boire et reluquer les filles. Elle était presque contente d'être celle qui nettoyait la scène au lieu d'y chanter.

Cela faisait deux mois que Willie travaillait là. Robert et elle s'entendaient moins bien depuis qu'elle lui avait demandé où ils allaient vivre désormais. La nuit, Robert était de plus en plus souvent absent de la maison. Quand elle rentrait du club, un peu avant l'aube, elle trouvait Carson endormi seul sur le matelas. Joe allait le chercher chez Bess après avoir donné ses cours, et le mettait au lit tous les soirs. Willie se glissait près de Carson et attendait, les yeux grands ouverts, que résonne le bruit des chaussures de Robert dans le couloir, le *clop clop clop* qui annonçait qu'elle aurait son mari cette nuit-là. Si elle l'entendait, s'il arrivait, elle fermait vite les yeux et tous deux jouaient à faire semblant, comme les gens sur scène au club. Le rôle de Robert était de se glisser doucement près d'elle, et le sien de ne pas poser de questions, de lui laisser croire qu'elle avait confiance en lui, en eux.

Ce soir-là, Willie rentrait dans la salle après avoir mis la poubelle dehors quand elle vit son patron s'avancer vers elle. Il avait l'air contrarié, mais Willie ne lui avait jamais vu une autre expression. Il avait fait la guerre et il claudiquait, ce qui soi-disant l'avait empêché de trouver un job plus respectable. La seule chose qui semblait le réconforter était de sortir sur le trottoir, de s'appuyer contre le mur de briques irrégulières du bâtiment et de fumer cigarette sur cigarette.

« Quelqu'un a vomi dans les toilettes des hommes », dit-il en se dirigeant vers la sortie.

Willie se borna à hocher la tête. Cela arrivait au moins une fois par semaine, elle n'avait pas besoin qu'on lui explique quoi faire. Elle attrapa le seau et le balai et prit le chemin des toilettes. Elle frappa à la porte une fois, deux fois. Il n'y eut pas de réponse.

« J'entre », dit-elle avec détermination. Elle avait appris des semaines auparavant qu'il valait mieux entrer dans les pièces avec détermination plutôt que timidement, car les ivrognes étaient en général à moitié sourds.

C'était certainement le cas de l'homme qui était dans les toilettes. Il était penché en avant, le visage dans le lavabo, marmonnant tout seul.

« Oh, pardon. » Au moment où Willie s'apprêtait à partir, l'homme leva les yeux et surprit son regard dans la glace.

« Willie ? »

Elle reconnut sa voix immédiatement mais ne se retourna pas. Elle ne lui répondit pas. Tout ce qui lui venait à l'esprit était qu'elle ne le reconnaissait pas.

À une époque, quand ils étaient seulement deux amoureux qui sortaient ensemble, puis au début de leur mariage, Willie était sûre qu'elle connaissait Robert mieux qu'elle-même. Il ne s'agissait pas seulement de connaître sa couleur préférée ou de savoir ce qu'il désirait pour dîner sans qu'il eût besoin de le dire. Non, il s'agissait de savoir ce que lui-même ne s'était pas encore autorisé à savoir. Comme le fait qu'il n'était pas le genre d'homme à supporter des mains invisibles autour de son cou. Que la naissance de Carson l'avait changé, mais pas en mieux. Qu'il avait commencé à avoir peur de lui-même, à douter constamment de ses choix, craignant de ne jamais atteindre l'objectif qu'il s'était fixé, dont la référence était l'amour généreux de son père, un amour qui avait tracé la voie pour lui et sa mère, même si le coût en avait été élevé. Que Willie puisse reconnaître ces choses en Robert, mais soit incapable de reconnaître son dos courbé, sa tête penchée, l'effraya.

Deux Blancs entrèrent dans la pièce, sans remarquer Willie. L'un portait un costume gris, l'autre un costume bleu. Willie retint son souffle.

« Tu es encore là, Rob ? Les filles vont entrer en scène », dit le costume bleu.

Robert lança à Willie un regard désespéré que surprit le costume gris resté muet jusque-là, et qui loucha à son tour vers elle. Il l'examina de la tête aux pieds, un sourire envahissant lentement son visage.

Robert secoua la tête. « Très bien, les mecs. Allons-y. » Il tenta de sourire, mais les coins de sa bouche s'abaissèrent presque aussitôt.

« On dirait que Robert s'est déjà dégotté une nana, dit le costume gris.

— Elle est juste là pour nettoyer », dit Robert. Willie saisit l'expression implorante de ses yeux, et c'est alors seulement qu'elle comprit que tout allait mal tourner pour elle.

« On a peut-être pas besoin de retourner là-bas tout de suite », dit le costume gris. Ses épaules se relâchèrent, il s'appuya contre le mur.

Le costume bleu se mit à ricaner à son tour.

Willie saisit son balai. « Je dois y aller. Mon patron va me chercher. » Elle essaya de prendre un ton dégagé, comme Robert. Elle essaya d'avoir la même voix qu'eux.

Le costume gris écarta le balai. « Tu as encore du nettoyage à faire », dit-il. Il lui caressa le visage. Ses mains commencèrent à descendre le long de son corps, mais avant qu'elles atteignent ses seins, elle lui cracha au visage.

« Willie, non ! »

Les deux costumes se tournèrent vers Robert, le gris essuyant le crachat de son visage.

« Tu la connais ? » demanda le costume bleu.

Le gris l'avait devancé. Willie le vit rassembler mentalement tous les indices : le teint ombreux de la peau de Robert, la voix épaisse, les nuits passées loin de chez lui. Il lança à Robert un regard méprisant : « C'est ta femme ? »

Les yeux de Robert s'emplirent de larmes. Il était livide après avoir vomi, et il donnait l'impression d'être sur le point de recommencer. Il hocha la tête.

« Bon, alors pourquoi tu viens pas par ici lui donner un baiser ? » demanda le costume gris. Il avait déjà ouvert sa braguette de la main gauche et se caressait de la droite. « T'inquiète pas, je la toucherai pas », dit-il.

Et il tint parole. Robert fit ce qu'on lui demandait ce soir-là pendant que le costume bleu gardait la porte. Guère plus que des baisers mêlés de larmes et quelques caresses précises. Avant même de demander à Robert de la pénétrer, le costume gris jouit, pantin tremblant, haletant. Puis, immédiatement après, le jeu sembla l'ennuyer.

« Pas la peine de venir demain, Rob », dit-il au moment de quitter la pièce avec le costume bleu.

Willie sentit une petite brise venir de la porte qui se refermait. Elle lui donna la chair de poule. Tout son corps était raide comme un morceau de bois. Robert tendit la main vers elle, et il lui fallut une seconde pour se rendre compte qu'elle avait encore l'usage de son corps. Il la touchait au moment où elle se recula.

« Je partirai ce soir », dit-il.

Il pleurait à nouveau, ses yeux verts, bruns et dorés brillant derrière les larmes.

Il quitta la pièce avant que Willie lui dise qu'il était déjà parti pour elle.

Carson continuait à lécher sa glace. Il la tenait d'une main, l'autre serrait celle de Willie, et le contact de la peau de son fils sur la sienne suffisait à lui tirer des larmes. Elle voulait continuer à marcher.

Jusqu'au sud de Manhattan, s'il le fallait. Elle ne se souvenait pas d'avoir vu son fils aussi heureux.

Après ce qui était arrivé avec Robert, Joe proposa à Willie de l'épouser, mais c'était trop pour elle. Elle prit Carson avec elle et partit au milieu de la nuit. Le lendemain, elle trouva un endroit où loger, suffisamment éloigné pour imaginer qu'elle ne rencontrerait plus jamais aucune connaissance. Mais elle ne pouvait pas quitter Harlem, et ce petit coin de la grande ville semblait sans cesse la poursuivre. Chaque visage était celui de Robert et aucun n'était le sien.

Carson pleurait sans cesse. Comme incapable de s'arrêter. Dans le nouvel immeuble, Willie n'avait pas une autre Bess à qui le confier, et elle le laissait tout seul pendant la journée, quand elle allait travailler, prenant soin de fermer les fenêtres, de fermer les portes à double tour et de ranger tout ce qui était pointu. La nuit, elle le trouvait endormi, le matelas trempé de larmes.

Elle faisait des petits boulots, surtout des ménages, même si elle passait encore une audition de temps en temps. Les essais se terminaient tous de la même façon. Elle montait sur scène, pleine de confiance. Sa bouche s'ouvrait, mais aucun son n'en sortait. Elle se mettait alors à pleurer et demandait pardon à la personne qui se tenait devant elle. L'une d'elles lui dit qu'elle ferait mieux d'aller dans une église si elle cherchait le pardon.

Et c'est ce qu'elle fit. Willie n'avait pas mis les pieds dans une église depuis qu'elle avait quitté Pratt City, mais à présent elle était devenue insatiable. Tous les dimanches, elle traînait Carson, qui venait d'avoir cinq ans, à l'église baptiste de la 128ᵉ Rue Ouest, entre Lenox et la 7ᵉ Avenue. C'est là qu'elle fit la connaissance d'Eli.

Eli était un fidèle occasionnel, mais la congrégation l'appelait néanmoins « Frère Eli » parce qu'ils croyaient qu'il avait en lui un fruit de l'Esprit. Quel fruit, Willie n'en savait rien. Elle y allait depuis un mois, assise au dernier rang avec Carson sur les genoux, bien qu'il fût déjà trop grand pour être un enfant qu'on tient encore sur soi, et que son poids lui fît mal aux jambes. Eli entra ce jour-là portant un sac de pommes. Il s'appuya contre la porte du fond.

Le prédicateur disait : « Il parlait encore lorsqu'un autre vint et dit : "Le feu de Dieu est tombé du ciel, a embrasé les brebis et les serviteurs, et les a consumés. Et je me suis échappé moi seul, pour t'en apporter la nouvelle."

— Amen », dit Eli.

Willie se tourna vers lui, puis revint au pasteur, qui disait : « "Et voici, un grand vent est venu de l'autre côté du désert, et a frappé contre les quatre coins de la maison ; elle s'est écroulée sur les jeunes gens, et ils sont morts. Et je me suis échappé, moi seul, pour te l'annoncer."

— Loué soit le Seigneur », dit Eli.

Le sac fit un bruit de papier froissé, Willie vit Eli en sortir une pomme. Il lui fit un clin d'œil en la croquant, et elle se retourna vivement vers le pasteur qui disait : « L'Éternel a donné, et l'Éternel a ôté ; que le nom de l'Éternel soit béni.

— Amen », murmura Willie. Carson commençait à s'agiter. Elle le fit sauter sur ses genoux pendant un moment, mais cela ne fit que l'énerver davantage. Eli lui tendit alors une pomme, et il la tint dans ses mains, ouvrit la bouche toute grande pour en prendre juste une petite bouchée.

« Merci, dit Willie.

— Venez vous promener avec moi », murmura Eli en indiquant la porte de la tête.

Elle l'ignora, aida Carson à tenir la pomme afin qu'elle ne tombe pas sur le sol.

« Venez vous promener avec moi, répéta Eli, plus fort.

— Chut », fit un des placeurs.

Craignant qu'Eli ne recommence, encore plus fort, Willie se leva et sortit avec lui.

Eli prit la main de Carson dans la sienne pendant qu'ils marchaient. Dans Harlem, on ne pouvait éviter Lenox Avenue. On y trouvait tout ce qu'il y avait de sale, de laid, de pur et de beau. Le *Jazzing* était toujours là. Willie eut un frisson en passant devant.

« Quelque chose ne va pas ? demanda Eli.

— J'ai seulement pris froid », dit Willie.

Elle avait l'impression qu'ils avaient parcouru Harlem du haut en bas. Elle ne se souvenait pas d'avoir déjà autant marché, et elle n'arrivait pas à croire qu'ils avaient parcouru une telle distance sans que Carson pleure. En trottinant, son fils continuait à grignoter sa pomme, et il avait l'air si content que Willie eut envie de prendre Eli dans ses bras pour le remercier de ce moment de paix.

« De quoi vous vivez ? demanda-t-elle à Eli quand ils finirent par trouver un endroit où s'asseoir.

— Je suis poète.

— C'est bien ce que vous écrivez ? »

Eli sourit et prit le trognon de pomme que Carson balançait au bout de ses doigts. « Non, j'écris plein de trucs sans intérêt. »

Willie rit. « Quel est votre poème favori ? » demanda-t-elle. Il s'approcha un peu d'elle sur le banc, et elle sentit sa respiration s'arrêter, quelque chose qu'elle n'avait pas éprouvé depuis le jour où elle avait embrassé Robert pour la première fois.

« La Bible est la plus belle poésie du monde, dit Eli.

— Alors, pourquoi je ne vous vois pas plus souvent à l'église ? Il me semble que vous devriez étudier la Bible. »

Cette fois Eli éclata de rire. « Un poète doit passer plus de temps à vivre qu'à étudier », dit-il.

Willie découvrit qu'Eli passait beaucoup de temps à ce qu'il appelait « vivre ». Elle en fit autant au début. Être avec lui était une course perpétuelle. Il l'emmena partout dans New York, dans des endroits où elle n'aurait jamais rêvé d'aller. Il voulait manger de tout, tout essayer. Peu importait qu'ils n'aient pas d'argent. Quand elle tomba enceinte, son esprit aventureux sembla s'amplifier. Il était le contraire de Robert. La naissance de Carson avait donné à Robert le désir de s'enraciner ; à celle de Josephine, Eli s'était senti pousser des ailes.

Le bébé était à peine sorti de son ventre qu'Eli prit la fuite. La première fois, ce fut pour trois jours.

Il puait l'alcool quand il revint. « Comment va, mon bébé ? » demanda-t-il. Il remua les doigts devant le visage de Josephine, et elle les suivit avec de grands yeux.

« Où étais-tu, Eli ? » demanda Willie. Elle s'efforçait de dissimuler sa colère. Elle se souvenait des nuits où elle était restée silencieuse quand Robert rentrait après ses escapades, et elle avait l'intention de ne pas refaire deux fois la même erreur.

« Oh, tu es furieuse contre moi, Willie ? »

Carson tirait sur les jambes de son pantalon : « Tu as des pommes, Eli ? » Il commençait à ressembler à Robert, ce que Willie ne supportait pas. Elle lui avait coupé les cheveux dans la matinée, et elle avait l'impression que moins ils étaient touffus, plus Robert transparaissait en lui. Carson avait donné des coups de pied, crié, pleuré pendant tout le temps de la coupe. Elle lui avait flanqué une fessée qui l'avait calmé, mais il lui avait lancé un regard rageur, et elle s'était demandé si ce n'était pas pire. Il lui semblait que son fils se mettait à la haïr autant qu'elle luttait pour ne pas le haïr.

« Bien sûr que j'en ai une pour toi, Sonny, dit Eli en tirant une pomme de sa poche.

— Ne l'appelle pas comme ça », siffla Willie entre ses dents, se rappelant à nouveau l'homme qu'elle tentait d'oublier.

Le visage d'Eli s'assombrit légèrement. Il s'essuya les yeux. « Désolé, Willie. D'accord ? Je suis désolé. »

« Je m'appelle Sonny ! » claironna Carson. Il mordit dans la pomme. « Ça me plaît d'être Sonny ! » dit-il, un peu de jus coulant de sa bouche.

Josephine se mit à pleurer, et Willie la prit dans ses bras et la berça. « Regarde ce que tu as fait », dit-elle et Eli continua simplement à s'essuyer les yeux.

Les enfants grandirent. Parfois Willie voyait Eli tous les jours pendant un mois. Lorsque les poèmes affluaient et que l'argent était moins rare. Willie rentrait chez eux après avoir fait le ménage ici ou là et trouvait des bouts de papier, des tas de feuilles dans tout l'appartement. Certains ne comportaient qu'un mot, comme *Vol* ou *Jazz*. Sur d'autres étaient inscrits des poèmes entiers. Willie en avait trouvé un avec son nom en haut de la page, et elle avait cru que Eli était revenu pour de bon.

Mais il repartait. L'argent s'arrêtait. Au début, Willie emmena la petite Josephine à son travail, mais elle perdit deux boulots ainsi et se résigna à la laisser avec Carson, qu'elle ne parvenait jamais à convaincre d'aller à l'école. Ils furent expulsés trois fois en six mois, et à cette époque tous ceux qu'elle connaissait étaient expulsés, vivaient à vingt dans le même appartement, partageant un seul lit. Chaque fois qu'ils étaient expulsés, elle emportait le peu qu'ils possédaient une rue plus loin. Willie disait au nouveau propriétaire que son mari était un poète célèbre, sachant qu'il n'était ni son mari ni célèbre. Une nuit, elle s'était écriée, furieuse : « On ne se nourrit pas avec un poème, Eli ! » Elle ne l'avait plus revu pendant presque trois mois.

Quand Josephine eut quatre ans et Carson dix, Willie entra dans la chorale de l'église. Elle avait désiré en faire partie depuis le premier jour où elle les avait entendus chanter, mais les mises en scène, même celles avec des enfants de chœur, lui rappelaient trop le *Jazzing*. Ensuite elle avait rencontré Eli et avait cessé d'aller à l'église. Quand Eli s'en allait, elle y retournait. Elle finit par se rendre à une répétition, mais elle resta dans le fond, remuant doucement les lèvres, sans laisser échapper un son.

Willie et Carson approchaient des limites de Harlem. Carson mordit dans son cornet de glace et leva vers elle des yeux interrogateurs. Elle lui adressa un sourire rassurant, mais elle savait, et il savait, qu'ils devraient bientôt rebrousser chemin.

Pourtant ils n'en firent rien. Il y avait maintenant tant de femmes et d'hommes blancs autour d'eux que Willie sentit la peur la saisir. Elle prit la main de Carson dans la sienne. Les temps de la mixité des Noirs et des Blancs à Pratt City étaient loin derrière elle, elle avait presque l'impression de les avoir rêvés. Ici, à présent, elle essayait de se faire petite, les épaules courbées, la tête penchée. Elle sentit Carson l'imiter. Ils parcoururent ainsi deux blocs, dépassant l'endroit où l'océan noir de Harlem se transformait en la marée blanche du reste du monde, et ils s'arrêtèrent à un croisement.

La foule autour d'eux était si nombreuse que Willie s'étonna de l'avoir remarqué, mais c'était bel et bien lui.

Robert. Il était accroupi, appuyé sur un genou, en train de lacer la chaussure d'un petit garçon de trois ou quatre ans. Une femme tenait l'enfant par la main de l'autre côté. Elle avait des cheveux blonds ondulés, coupés court, avec des mèches plus longues qui effleuraient la pointe de son menton. Robert se releva. Il embrassa la femme, le petit garçon se glissa entre eux un court instant. Robert leva alors les yeux vers l'autre côté de la rue. Le regard de Willie croisa le sien.

Les voitures passèrent, et Carson tira sur le chemisier de Willie. « On traverse, maman ? Il n'y a plus de voiture. On peut y aller. »

Les lèvres de la femme blonde remuaient. Elle toucha l'épaule de Robert.

Willie sourit à Robert, et c'est en lui souriant qu'elle sut qu'elle lui pardonnait. Son sourire avait ouvert une soupape, comme si la pression de la colère, de la tristesse, de la confusion et de la séparation jaillissait d'elle, s'échappait, loin dans le ciel. Très loin.

Robert lui rendit son sourire, mais se détourna rapidement pour parler à la femme blonde, et tous trois continuèrent dans une autre direction.

Carson avait suivi le regard de Willie. « Mama ? » dit-il à nouveau.

Willie secoua la tête. « Non, Carson. Nous ne pouvons pas aller plus loin. Je crois qu'il est temps de rentrer. »

Ce dimanche, l'église était pleine à craquer. Le recueil de poèmes d'Eli devait être publié au printemps, et il était si heureux qu'il était resté à la maison plus longtemps qu'auparavant. Il était assis sur un banc, au centre, Josephine sur ses genoux et

Carson à côté de lui. Le pasteur se dirigea vers le pupitre et dit : « Église, Dieu n'est-il pas grand ? »

Et l'église répondit : « Amen. »

Il dit : « Dieu n'est-il pas grand ? »

Et l'église répondit « Amen ».

Il dit : « Église, je te dis, Dieu m'a conduit de l'autre côté aujourd'hui. Église, j'ai posé ma croix et je ne la reprendrai jamais plus. »

Un cri répondit : « Gloire à Dieu, alléluia ! »

Willie était debout à l'arrière du chœur, tenant le livre de chant devant elle, quand ses mains se mirent à trembler. Elle pensa à H qui rentrait tous les soirs à la maison avec son pic et sa pelle. Il les déposait dans la galerie et retirait ses bottes avant d'entrer parce que Ethe lui aurait passé un savon s'il avait laissé de la poussière de charbon dans la maison qu'elle tenait si propre. Il disait que le meilleur moment de la journée était celui où il posait sa pelle et allait voir ses petites filles qui l'attendaient.

Willie parcourut du regard les bancs de l'église. Eli faisait sauter Josephine sur ses genoux, et la petite fille lui adressait un sourire édenté. Les mains de Willie tremblaient toujours et, dans un moment de silence absolu, elle lâcha son livre qui tomba avec un bruit sourd sur l'estrade. Et tous dans l'église, les fidèles et le pasteur, les sœurs Dora et Bertha, la chorale entière, tous se tournèrent vers elle. Alors elle s'avança, encore tremblante, et commença à chanter.

Yaw

L'harmattan commençait à souffler. Il soulevait la poussière d'argile, l'emportait jusqu'à la fenêtre de la classe de Yaw au premier étage de l'école de Takoradi où il enseignait depuis dix ans. Il se demanda si les vents seraient rudes cette année. Quand il avait cinq ans et vivait encore à Eweso, ils étaient si violents qu'ils cassaient des troncs d'arbre. La poussière était si dense que lorsqu'il tendait ses doigts, ils disparaissaient devant lui.

Yaw rassembla ses papiers. Avant que débute le deuxième semestre, il était venu dans sa classe pendant le week-end pour réfléchir, peut-être écrire. Il s'arrêta sur le titre de son livre : *Laissons l'Afrique aux Africains*. Il en avait rédigé deux cents pages et jeté presque autant. Aujourd'hui, même le titre le choquait. Il rangea le livre, se sachant capable d'un geste irréfléchi. Qui sait, ouvrir la fenêtre, laisser le vent emporter les feuillets.

« Ce qu'il vous faut, monsieur Agyekum, c'est une femme. Pas ce livre stupide. »

Yaw dînait chez Edward Boahen pour la sixième fois de la semaine. Dimanche soir, ce serait la septième. La femme d'Edward se plaignait volontiers d'être mariée à deux hommes, mais Yaw complimentait si souvent sa cuisine qu'il était sûr d'être toujours bien accueilli.

« Pourquoi aurais-je besoin d'une femme quand je vous ai ? demanda-t-il.

— Eh, minute », dit Edward, cessant pour la première fois d'engouffrer le bol de nourriture que sa femme avait posé devant lui.

Edward était professeur de mathématiques dans la même école catholique romaine de Takoradi où Yaw enseignait l'histoire. Tous deux s'étaient connus à l'Achimota School d'Accra, et Yaw tenait à leur amitié plus qu'à toute autre chose.

« L'indépendance approche », dit Yaw. Mme Boahen laissa échapper un de ses profonds soupirs.

« Si elle doit venir, qu'elle vienne. Je suis fatiguée de vous entendre en parler, dit-elle. À quoi bon l'indépendance, s'il n'y a rien à cuisiner pour le dîner ! » Elle se dirigea rapidement vers la petite construction de pierre pour aller chercher de l'eau. Yaw rit. Il imaginait la légende qu'on mettrait sous son nom dans les journaux révolutionnaires : « Femme typique de la Côte-de-l'Or, plus préoccupée par le dîner que par la liberté. »

« Ce que tu devrais faire, c'est économiser pour partir en Angleterre ou en Amérique et poursuivre tes études. Tu ne peux pas prendre la tête d'une révolution derrière ton bureau de professeur, dit Edward.

— Je suis trop vieux maintenant pour aller en Amérique. Trop vieux aussi pour la révolution. En outre, si nous allons étudier chez les Blancs, nous apprendrons seulement ce que les Blancs veulent que nous apprenions. Nous reviendrons pour construire le pays que les Blancs veulent que nous construisions. Un pays qui continuera à les servir. Nous ne serons jamais libres. »

Edward secoua la tête. « Tu es trop rigide, Yaw. Nous devons commencer quelque chose.

— Alors commençons par nous-mêmes. » C'était le sujet de son livre, mais il n'en dit pas davantage, car il savait déjà quelle controverse en sortirait. Les deux hommes étaient nés à peu près à l'époque où les Ashantis avaient été absorbés par les Anglais dans les colonies britanniques. Tous deux avaient des pères qui avaient combattu dans diverses guerres pour la liberté. Ils désiraient les mêmes choses, mais avaient des idées différentes sur les moyens de les obtenir. La vérité était que Yaw ne pensait pas pouvoir prendre la tête d'une révolution en partant de rien. Personne ne lirait son livre, même s'il le finissait.

Mme Boahen revint avec un grand bol d'eau, et les deux hommes se rincèrent les mains.

« Monsieur Agyekum, je connais une gentille fille. Elle a encore l'âge d'avoir des enfants, donc il n'y a pas à s'inquiéter…

— Je dois partir », l'interrompit Yaw. Il savait qu'il se montrait grossier. Après tout, Mme Boahen n'avait pas tort. Ce n'était pas à elle de lui faire la cuisine, mais ce n'était pas non plus son rôle de le sermonner. Il serra la main d'Edward, puis celle de son épouse, et regagna sa petite maison dans l'enceinte de l'école.

En parcourant les mille cinq cents mètres qui le séparaient de l'école, il vit de jeunes garçons qui jouaient au football. Ils étaient agiles, en pleine maîtrise de leurs corps. Il y avait une assurance dans leurs gestes que Yaw n'avait jamais possédée à leur âge. Il s'arrêta pour les observer pendant un moment, et peu après le ballon vola dans sa direction. Il l'attrapa, heureux de cette petite prestation athlétique.

Ils lui firent de grands signes et l'envoyèrent à nouveau chercher le ballon. Le garçon s'avança, souriant au départ, mais Yaw vit le sourire s'effacer au fur et à mesure qu'il s'approchait, bientôt remplacé par une expression de crainte. Il resta planté devant Yaw sans rien dire.

« Tu veux ton ballon ? » demanda Yaw, et le garçon hocha rapidement la tête, le fixant toujours.

Yaw lui lança le ballon, plus fort qu'il n'en avait l'intention, et le jeune garçon l'attrapa au vol et détala.

« Qu'est-ce qu'il a au visage ? » l'entendit-il demander quand il rejoignit les autres, mais Yaw n'attendit pas la réponse. Il s'en alla.

C'était la dixième année qu'il enseignait dans cette école. Chaque année ressemblait à la précédente. La nouvelle récolte d'écoliers commençait à fleurir le parc, avec leurs cheveux coupés de frais, leurs uniformes bien repassés. Ils apportaient avec eux leurs emplois du temps, leurs livres, le peu d'argent que leurs parents leur avaient donné ou que les villages avaient pu rassembler pour eux. Ils se demandaient entre eux qui était leur professeur pour telle

ou telle matière, et quand l'un d'eux répondait
« M. Agyekum », un autre racontait alors l'anecdote
que son frère aîné ou un cousin avait entendue à
propos du professeur d'histoire.

Le premier jour du deuxième semestre, Yaw
observa les nouveaux élèves entrer calmement. Ils
étaient toujours bien élevés, ces garçons sélectionnés
selon leur intelligence ou leur richesse pour aller à
l'école, apprendre le livre de l'homme blanc. Dans
les couloirs qui menaient à sa classe, ils étaient si tur-
bulents qu'on pouvait les imaginer tels qu'ils avaient
été dans leur village, se querellant, chantant et dansant avant de savoir ce qu'était un livre, avant que
leurs familles apprennent qu'un livre était une chose
désirable pour un enfant – voire nécessaire. Puis,
une fois dans la salle, une fois les manuels posés sur
leurs petits bureaux de bois, ils se calmaient, sous le
charme. Ils étaient si calmes en ce premier jour que
Yaw entendait les oisillons piailler sur le rebord de la
fenêtre réclamant d'être nourris.

« Qu'y a-t-il d'écrit au tableau ? » demanda Yaw.
Il enseignait aux élèves de seconde, la plupart âgés de
quatorze à quinze ans, qui avaient déjà appris à lire et
écrire en anglais dans les petites classes. Quand Yaw
avait été nommé à ce poste, il avait tenté de persuader
le directeur de faire ses cours en langues régionales,
mais le directeur s'était moqué de lui. Yaw savait que
c'était un espoir ridicule. Les idiomes étaient trop
nombreux pour même s'y essayer.

Yaw devinait quel garçon lèverait la main le premier à la manière dont il s'avançait sur son siège et

regardait à droite et à gauche pour voir si quelqu'un allait disputer son désir de parler avant les autres. Cette fois-ci, un élève de très petite taille du nom de Peter leva la main.

« Il y a écrit : *L'histoire est un récit* », répondit Peter. Il sourit, sans plus contenir son excitation.

« L'histoire est un récit », répéta Yaw. Il s'avança dans les allées entre les rangées de sièges, s'obligeant à regarder chaque garçon dans les yeux. Une fois qu'il eut terminé et qu'il se tint debout au fond de la classe, où les élèves seraient obligés de se tordre le cou pour le voir, il demanda : « Qui aimerait raconter l'histoire du jour où j'ai eu ma cicatrice ? »

Les élèves se tortillèrent, soudain amorphes et hésitants. Ils se scrutaient les uns les autres, toussaient, détournaient les yeux.

« Ne soyez pas gênés, dit Yaw tout sourire à présent, hochant la tête pour les encourager. Peter ? » demanda-t-il. Le garçon, qui avait été si heureux de parler quelques secondes auparavant, eut un regard implorant. Le premier jour avec une nouvelle classe était toujours le préféré de Yaw.

« Monsieur Agyekum, sah ? répéta Peter.

— Quelle histoire as-tu entendue à propos de ma cicatrice ? » demanda Yaw, toujours souriant, espérant atténuer la crainte grandissante de l'enfant.

Peter s'éclaircit la voix et fixa le sol. « On raconte que vous êtes né dans le feu, commença-t-il. C'est pour ça que vous êtes si intelligent. Parce que vous avez été éclairé par le feu.

— Un autre ? »

Timidement, un dénommé Edem leva la main. « On dit que votre mère luttait contre des esprits mauvais d'Asamando. »

Suivit William : « Il paraît que votre père était tellement triste de la défaite des Ashantis qu'il a maudit les dieux, et que les dieux se sont vengés. »

Un autre, du nom de Thomas : « J'ai entendu dire que vous vous l'êtes faite vous-même, pour avoir quelque chose à dire le premier jour de la classe. »

Tous les garçons éclatèrent de rire, et Yaw dut dissimuler son envie d'en faire autant. L'histoire de sa leçon s'était répandue, il le savait. Les élèves plus âgés avaient prévenu certains des plus jeunes à quoi s'attendre de sa part.

Pourtant il continua, regagna l'estrade pour observer sa classe, des garçons intelligents venus d'une Côte-de-l'Or plongée dans l'incertitude, apprenant le livre des Blancs d'un homme couturé de cicatrices.

« Laquelle de ces histoires est exacte ? » leur demanda-t-il. Ils se tournèrent vers les garçons qui avaient parlé, comme s'ils cherchaient à fonder leur allégeance en soutenant un regard, à voter en lançant un coup d'œil.

À la fin, une fois les murmures apaisés, Peter leva la main. « Monsieur Agyekum, nous ne pouvons pas savoir quelle histoire est exacte. » Il regarda le reste de la classe, qui comprenait lentement. « Nous ne pouvons pas savoir quelle histoire est exacte parce que nous n'étions pas là. »

Yaw hocha la tête. Assis sur le devant de la classe, il observa tous les jeunes garçons. « C'est le problème de l'histoire. Nous ne pouvons pas connaître ce que nous n'avons ni vu, ni entendu, ni expérimenté par nous-mêmes. Nous sommes obligés de nous en remettre à la parole des autres. Ceux qui étaient présents dans les temps anciens ont raconté des histoires aux enfants pour que les enfants sachent, et qu'eux-mêmes puissent raconter ces histoires à leurs enfants. Et ainsi de suite, ainsi de suite. Mais maintenant nous arrivons au problème des histoires conflictuelles. Kojo Nyarko dit que les guerriers qui arrivèrent dans son village portaient des tuniques rouges, mais Kwame Adu dit qu'elles étaient bleues. Quelle histoire faut-il croire alors ? »

Les garçons n'émirent aucun son. Ils restèrent à le fixer, attendant la suite.

« Nous croyons celui qui a le pouvoir. C'est à lui qu'incombe d'écrire l'histoire. Aussi quand vous étudiez l'histoire, vous devez toujours vous demander : "Quel est celui dont je ne connais pas l'histoire ? Quelle voix n'a pas pu s'exprimer ?" Une fois que vous avez compris cela, c'est à vous de découvrir cette histoire. À ce moment-là seulement, vous commencerez à avoir une image plus claire, bien qu'encore imparfaite. »

La pièce était silencieuse. Les oisillons sur le rebord de la fenêtre attendaient encore leur pitance, appelaient leur mère. Yaw laissa aux garçons quelques minutes pour réfléchir et réagir à ses propos, mais voyant que personne ne se manifestait, il continua : « Ouvrons nos livres à la page… »

Un des élèves toussa. Yaw leva la tête et vit William lever la main. Il l'encouragea d'un signe.

« Mais, monsieur Agyekum, sah, vous ne nous avez pas raconté l'histoire de votre cicatrice. »

Yaw sentit tous les yeux braqués sur lui, mais il garda la tête baissée. Il résista à l'envie de porter la main sur la gauche de son visage, de tâter la peau boursouflée et parcheminée avec ses innombrables rides et crevasses qui, quand il n'était qu'un enfant, lui faisait penser à une carte. Il avait voulu que cette carte le délivre d'Edweso, et d'une certaine manière c'était ce qu'elle avait fait. Son village pouvait à peine le regarder et avait rassemblé de l'argent pour l'envoyer étudier à l'école, mais sans doute aussi, soupçonnait-il, pour qu'il ne leur rappelle pas leur honte. Pour le reste, la carte ne l'avait mené nulle part. Il ne s'était pas marié. Il ne serait pas un chef. Edweso était venu avec lui.

Yaw ne toucha pas sa cicatrice. Il se contenta de ranger soigneusement ses livres sans oublier de sourire. Il conclut : « Je n'étais qu'un bébé. Tout ce que je sais, je l'ai entendu dire. »

Il avait entendu dire que la Femme Folle d'Edweso, la femme errante, sa mère, Akua, avait mis le feu à leur case pendant que ses sœurs et lui, encore bébé, dormaient. Que son père, Asamoah, l'Estropié, n'avait pu en sauver qu'un, le fils. Que l'Estropié avait empêché la Femme Folle de brûler. Que l'Estropié et la Femme Folle avaient été exilés en bordure du village. Que le village avait rassemblé de l'argent pour envoyer le fils brûlé à l'école quand il était si petit qu'il lui fallait oublier le goût du sein de sa mère. Que l'Estropié était mort pendant que le

Fils Brûlé était encore à l'école. Que la Femme Folle vivait encore.

Yaw n'était pas retourné à Edweso depuis le jour où il était parti pour l'école. Pendant de nombreuses années, sa mère lui avait envoyé des lettres, chacune écrite par la main d'une personne qu'elle avait alors persuadée de rédiger à sa place ce jour-là. Les lettres suppliaient Yaw de venir la voir, mais il n'avait jamais répondu, et elle avait fini par s'arrêter. Quand il était à l'école, Yaw passait ses vacances en compagnie de la famille d'Edward à Oseim. Ils l'accueillaient comme s'il était l'un d'eux, et Yaw les aimait comme s'il appartenait à leur famille. Un amour inconditionnel, pleinement assumé, semblable à celui du chien errant qui suit l'homme quand il rentre chez lui tous les soirs, heureux, simplement, de pouvoir marcher à son côté. C'est à Oseim que Yaw avait rencontré la première fille à avoir éveillé son intérêt. À l'école, il avait aimé tout particulièrement les poètes romantiques, et il avait passé des nuits entières à Oseim à copier Wordsworth et Blake sur des feuilles d'arbre qu'il répandait à l'endroit près de la rivière où elle allait chercher de l'eau.

Cela lui avait pris toute une semaine, sachant que les mots des Anglais blancs ne signifieraient rien pour elle, qu'elle ne pourrait pas les lire. Sachant qu'elle serait obligée de venir le trouver pour savoir ce que disaient les feuilles. Il y pensait tous les soirs. Il imaginait la fille lui apportant son paquet de feuilles pour qu'il puisse lui réciter *Un rêve* ou *Une pensée nocturne*.

Mais elle s'adressa à Edward. C'était Edward qui lui lisait les poèmes, et qui plus tard lui dit que les feuilles avaient été écrites par Yaw.

« Tu lui plais, tu sais, dit Edward. Peut-être un jour te demandera-t-il en mariage. »

Mais la fille avait secoué la tête et fait claquer sa langue de dégoût. « Si je l'épouse, mes enfants seront laids. »

Ce soir-là, étendu près d'Edward dans sa chambre, Yaw écouta son meilleur ami lui dire qu'il avait expliqué à la fille qu'on ne pouvait pas hériter d'une cicatrice.

Aujourd'hui, à l'approche de son cinquantième anniversaire, Yaw se demandait si c'était vrai.

Le semestre s'écoula. En juin, Kwame Nkrumah, un leader politique de Nkroful, créa le *Convention's People Party* et Edward y adhéra peu de temps après. « L'indépendance est en marche », mon frère, disait-il joyeusement à Yaw les soirs où il venait encore dîner chez lui. C'était de moins en moins fréquent. Mme Boahen attendait son cinquième enfant et sa grossesse était difficile. Tellement difficile que les Boahen avaient cessé de recevoir. Tout d'abord les autres professeurs et les amis qu'ils avaient connus en ville, puis Yaw aussi remarqua qu'il était accueilli avec moins de chaleur.

C'est ainsi que Yaw engagea une domestique. Autant qu'il s'en souvienne, il n'avait jamais souhaité avoir quelqu'un chez lui. Il savait se préparer convenablement quelques plats. Il pouvait aller chercher l'eau dont il avait besoin et laver ses propres vêtements. Sa maison n'était pas aussi bien tenue que l'avait été sa chambre à l'école, mais il ne s'en souciait guère. Il préférait le désordre et des repas simples plutôt que d'être constamment observé par une autre personne chez lui.

« C'est ridicule ! avait dit Edward. Tu es un professeur. Les gens t'observent toute la journée. »

Mais pour Yaw ce n'était pas la même chose. Devant la classe il n'était pas le même. Il donnait un spectacle, dans la tradition des danseurs ou des conteurs de village. Chez lui, il était ce qu'il était vraiment. Timide et solitaire, en colère et mal à l'aise. Il ne voulait pas qu'on l'y voie.

Edward évalua lui-même toutes les candidates. Finalement, Yaw se retrouva avec Esther, une Ahanta originaire de Takoradi.

Esther était une fille ordinaire. Voire laide. Ses yeux étaient trop grands pour sa tête, et sa tête trop grande pour son corps. Le premier jour où elle vint travailler, Yaw lui montra sa chambre à l'arrière de la maison et lui dit qu'il passait la plus grande partie de son temps à écrire. Il lui demanda de ne pas le déranger et retourna s'asseoir à son bureau.

Le livre partait dans tous les sens. Les chefs politiques du mouvement en faveur de l'indépendance de la Côte-de-l'Or, les Big Six, étaient tous revenus d'Amérique ou d'Angleterre où ils avaient fait leurs études, et autant que Yaw puisse en juger, ils ressemblaient tous à Edward, patients mais déterminés, certains que l'indépendance allait voir le jour. Yaw avait beaucoup lu sur le mouvement de libération des Noirs en Amérique, et il était fasciné par la rage qui enflammait chaque phrase de leurs écrits. C'était ce qu'il cherchait à transmettre dans son livre. Une rage intellectuelle. Tout ce qu'il arrivait à produire était une complainte dépourvue de souffle.

« Scusez-moi, sah ? »

Yaw leva les yeux. Esther se tenait devant lui avec le long balai fait main qu'elle avait tenu à apporter avec elle, bien que Yaw lui ait dit qu'il y avait beaucoup de balais dans la maison.

« Vous n'êtes pas obligée de parler anglais, dit Yaw.

— Oui, sah, mais ma sista dit vous êtes teacha, alors je dois parler l'anglais. »

Elle semblait terrifiée, les épaules courbées et serrant si fort son balai que l'on pouvait voir les jointures de ses doigts se raidir et rougir. Il aurait voulu se cacher le visage, mettre la jeune femme à l'aise.

« Tu comprends le twi ? » lui demanda-t-il dans sa langue maternelle, et Esther fit un signe d'assentiment. « Alors parle librement. On entend assez d'anglais comme ça. »

On eût dit qu'il avait levé une barrière. Elle prit une attitude plus naturelle et Yaw comprit que ce n'était pas sa cicatrice qui l'avait terrifiée, mais plutôt le problème de la langue, révélatrice de son éducation, de sa position sociale. Elle avait été terrifiée à la pensée d'être obligée de parler la même langue que son maître qui enseignait à l'école des Blancs. À présent, débarrassée de l'anglais, Esther arborait un sourire nouveau. Il dévoilait un large espace ouvert comme l'embrasure d'une porte entre ses incisives, et le regard de Yaw s'y engouffra comme s'il pouvait voir tout au fond de sa gorge, de ses entrailles, le siège même de son âme.

« M'sieur, j'ai fini de faire la chambre. Tu as beaucoup de livres là. Tu sais ? Tu lis tous ces livres ? Tu sais lire l'anglais ? M'sieur, où tu ranges l'huile de palme ? Je l'ai pas trouvée dans la cuisine. C'est une belle cuisine. Qu'est-ce que tu veux pour dîner ? Faut que j'aille au marché ? Qu'est-ce que tu écris ? »

Avait-elle repris sa respiration ? Si oui, Yaw ne l'avait pas entendu. Il remit en ordre les pages de son livre et les poussa de côté comme s'il réfléchissait à ce qu'il allait dire.

« Fais ce que tu veux pour dîner. Ça m'est égal. »

Elle hocha la tête. Elle n'était pas déçue, apparemment, de n'avoir obtenu de réponse qu'à une seule de ses questions. « Je vais faire une ragoût de chèvre au poivre », dit-elle, les yeux baissés, regardant ici et là, comme si elle cherchait sur le sol des pensées qu'elle y aurait laissé tomber. « Aujourd'hui je vais au marché. » Elle le regarda. « Tu veux venir au marché avec moi ? »

Yaw ne sut si c'était la colère ou la nervosité qui s'emparait soudain de lui. Il choisit la colère. « Pourquoi irais-je au marché avec toi ? Tu travailles pour moi, non ? »

La bouche d'Esther se ferma, cachant la porte de son âme. Elle pencha la tête de côté et elle le regarda, comme si elle venait seulement de se rendre compte qu'il avait un visage, que ce visage portait une cicatrice. Elle l'observa un peu plus, puis sourit. « Je pensais que tu pourrais faire une pause dans ton écriture. Ma sœur dit que les professeurs sont très sérieux parce qu'ils font tout leur travail dans leur tête et que parfois il faut leur rappeler de se servir de leur corps. Tu veux pas te servir de ton corps en venant au marché ? »

Ce fut alors au tour de Yaw de sourire. Esther se mit à rire, sa grande bouche largement ouverte, et Yaw éprouva brusquement l'étrange désir d'y introduire la main et d'en retirer une partie de cette joie et de la garder pour lui.

Ils allèrent au marché. Des femmes corpulentes, leur bébé au sein, vendaient de la sauce, du maïs, des ignames, de la viande. Des hommes et de jeunes garçons faisaient du troc entre eux. Certains vendaient de la nourriture, d'autres des sculptures et des tambours de bois. Yaw s'arrêta près de l'étal d'un garçon de treize ou quatorze ans qui sculptait des symboles sur un tambour à l'aide d'un couteau à fine lame. À côté de lui, son père surveillait attentivement son travail. Yaw reconnut l'homme qu'il avait rencontré l'année précédente à Kundum. C'était un des meilleurs joueurs de tambour qu'il eût jamais entendus, et en le voyant surveiller son fils, Yaw comprit qu'il voulait que le garçon devienne meilleur que lui.

« Tu aimes jouer du tambour ? » demanda Esther.

Yaw ne s'était pas rendu compte qu'elle l'observait. Il était si rare qu'il soit obligé de faire attention aux autres. Non, ce n'était pas de la colère qu'il avait ressentie plus tôt. Simplement de la nervosité.

« Moi ? Non, non. Je n'ai jamais appris. »

Elle hocha la tête. Elle menait la chèvre qu'ils venaient d'acheter au bout d'une corde. L'animal s'obstinait parfois pendant leur marche, plantait ses sabots dans le sol, donnait des coups de tête en l'air, ses cornes brillant dans la lumière. Esther tirait de toutes ses forces, et la chèvre bêlait, peut-être contre elle, mais plutôt par habitude.

Yaw se rendit compte qu'il devait dire quelque chose. Il s'éclaircit la voix et la regarda, mais ne put prononcer un mot. Elle lui sourit.

« Je fais un très bon ragoût de chèvre au poivre, dit-elle.

— C'est vrai ?

— Oui, si bon que tu croirais que ta mère l'a fait. Où est ta mère ? » demanda-t-elle de son ton précipité.

La chèvre refusa d'avancer, se remit à bêler. Esther fit un tour de plus à son poignet avec la corde et tira. Yaw se dit qu'il devrait lui proposer de le faire à sa place, mais il resta passif.

« Ma mère vit à Edweso. Je ne l'ai pas revue depuis le jour de mes six ans. » Il se tut. « C'est elle qui m'a fait ça », dit-il en désignant sa cicatrice, se tournant pour qu'elle puisse mieux voir.

Esther s'immobilisa et Yaw l'imita. Il craignit de la voir tendre la main et essayer de le toucher, mais elle n'en fit rien.

Elle dit simplement : « Tu es très en colère.

— Oui. » C'était quelque chose qu'il s'avouait rarement et qu'il admettait encore moins devant autrui. Plus il se regardait dans une glace, plus il vivait seul, plus le pays qu'il aimait restait sous l'autorité coloniale, plus sa colère grandissait. Et l'obscur, mystérieux objet de sa colère était sa mère, une femme dont il se rappelait à peine le visage, un visage qui se reflétait pourtant dans sa propre cicatrice.

« La colère ne te va pas bien », dit Esther. Elle tira encore un bon coup sur la corde de la chèvre, et Yaw l'écouta bêler tandis qu'elles avançaient toutes les deux devant lui.

Il était amoureux d'elle. Cinq ans s'étaient écoulés avant qu'il en prenne conscience, même s'il l'avait deviné dès le premier jour. On était en été, et la brume de chaleur s'appesantissait sur eux, si présente qu'on eût dit un sourd bourdonnement, une chaleur qu'on pouvait entendre. Yaw n'enseignait pas pendant le trimestre d'été, et disposait donc d'heures, de jours entiers où il pouvait rester tranquille, à lire et à écrire. Il regardait Esther faire le ménage depuis l'observatoire de son bureau. Il prétendait être agacé quand elle déroulait sa liste interminable de questions, mais il avait toujours répondu à chacune d'elles, depuis le premier jour. Quand il ne pleuvait pas, il s'asseyait dehors à l'ombre d'un grand manguier touffu tandis qu'elle tirait de l'eau au puits. Elle la rapportait à la maison dans deux seaux, les muscles de ses bras jouant sous sa peau brillante de sueur, et quand elle souriait en passant devant lui, le délicieux intervalle entre ses dents lui amenait les larmes aux yeux.

Tout lui donnait envie de pleurer. Il voyait les différences qui existaient entre eux comme de longs ravins infranchissables. Il était vieux ; elle était jeune. Il était instruit ; elle ne l'était pas. Il était cousu de

cicatrices ; elle était intacte. Chaque différence agran-
dissait le ravin. C'était sans espoir.

Alors il se taisait. Le soir, elle lui demandait ce
qu'il voulait pour dîner, à quoi il travaillait, s'il avait
des nouvelles du mouvement pour l'indépendance,
s'il envisageait toujours de voyager pour parfaire son
éducation.

Il répondait juste ce qu'il fallait, rien de plus.

« Le *banku*[1] est trop collant aujourd'hui », dit-elle
un soir au cours du dîner. Au début, elle avait insisté
pour qu'ils prennent leur repas séparément, prétextant qu'il n'était pas convenable qu'ils mangent
ensemble, ce qui n'était pas faux. Mais l'imaginer
seule dans sa chambre sans avoir de réponses à
toutes ses questions paraissait à Yaw la pire option.
C'est ainsi que ce soir-là, comme tous les autres, elle
mangea en face de lui à la petite table de bois.

« C'est bon », dit-il. Il sourit. Il aurait aimé être
un bel homme, avec une peau lisse comme de l'argile. Mais il n'était pas de ceux qui pouvait séduire
une femme par sa seule présence. Il se devait de faire
quelque chose.

« Non, j'en ai fait de bien meilleurs autrefois.
Écoute. Tu n'es pas obligé de le manger si tu ne
l'aimes pas. Je te ferai autre chose. Tu veux de la
sauce ? »

Elle s'apprêtait à retirer son assiette, et il la retint.

« C'est vraiment bon », répéta-t-il, avec davantage de conviction. Il se demandait ce qu'il devait
faire pour la séduire. Ces cinq dernières années, elle

---

1. Banku : plat ghanéen à base de maïs et de manioc.

l'avait fait sortir de sa réserve, chaque jour davantage. En l'interrogeant sur ses études, sur Edward, sur le passé.

« Tu aimerais m'accompagner à Edweso ? lui demanda-t-il. Pour aller voir ma mère ? » À peine eut-il posé la question qu'il la regretta. Esther l'avait toujours incité à y aller, mais il l'avait soit repoussée, soit ignorée. À présent, il était prêt à tout. Il ne savait même pas si la Femme Folle d'Edweso était encore en vie.

Esther sembla hésiter. « Tu veux que je vienne ?

— Au cas où j'aurais besoin que quelqu'un me fasse la cuisine en voyage », dit-il hâtivement, cherchant un prétexte.

Elle réfléchit un moment, puis acquiesça d'un signe de tête. Pour la première fois depuis qu'il l'avait rencontrée, elle ne lui posa pas d'autres questions.

Il y avait deux cent six kilomètres entre Takoradi et Edweso. Yaw le savait car il sentait chaque kilomètre comme s'il était un caillou coincé dans sa gorge. Deux cent six cailloux entassés dans sa bouche qui l'empêchaient de parler. Même lorsqu'elle lui posait une question, demandait pendant combien de temps ils allaient encore voyager, comment expliqueraient-ils la présence d'Esther aux gens, ce qu'il dirait à sa mère à son sujet quand elle la verrait, les pierres dans sa gorge empêchaient les mots de passer. Finalement, Esther aussi garda le silence.

Il se souvenait si peu d'Edweso, il ne pouvait dire si les choses avaient changé. Quand ils atteignirent la ville, ils furent d'abord accueillis par une chaleur accablante, les rayons du soleil s'étiraient comme un chat après une sieste. Il y avait à peine quelques personnes sur la place, mais elles les observèrent avec curiosité, étonnées par la vue de la voiture ou par l'apparition d'étrangers.

« Qu'est-ce qu'ils regardent ? » murmura Esther d'un air malheureux. Elle était inquiète pour elle-même, craignait que les gens ne jugent incorrect qu'ils voyagent ensemble sans être mariés. Elle ne lui en avait jamais rien dit, mais il le voyait à la manière dont elle gardait les yeux baissés et marchait derrière lui.

Bientôt, un petit garçon d'à peine quatre ans, agrippé au pagne de sa mère, pointa sur Yaw son minuscule index. « Regarde, Mama, sa figure ! Sa figure ! »

Son père, qui marchait de l'autre côté, l'attrapa par la main. « Arrête de dire des bêtises ! » dit-il, mais il scruta plus attentivement le point indiqué par l'enfant.

Il se dirigea vers Yaw et Esther, tous deux hésitants, chacun un sac à la main.

« Yaw ? » demanda-t-il.

Yaw laissa tomber son sac sur le sol et s'approcha de l'homme. « Oui ? dit-il. Je ne suis pas sûr de vous reconnaître. »

Il s'abritait du soleil avec sa main, mais la tendit pour serrer celle de l'homme.

« On m'appelle Kofi Poku, dit l'homme, saisissant sa main. J'avais à peu près dix ans quand vous avez quitté la ville. Voici ma femme, Gifty, et mon fils Harry. »

Yaw distribua des poignées de main autour de lui puis se tourna vers Esther. « C'est ma… Voici Esther », dit-il. Esther serra les mains qu'on lui tendait.

« Vous êtes sans doute venus rendre visite à la Femme Folle », dit Kofi Poku avant de se rendre compte de son impair. Il mit sa main devant sa bouche. « Pardon. Je veux dire Ma Akua. »

À voir son regard hésiter et son élocution ralentir, il était clair que Kofi Poku n'avait pas appelé la mère de Yaw par son nom depuis des années. Peut-être jamais. Il était même possible que la Femme Folle d'Edweso ait gagné son surnom avant sa naissance. « Nous sommes ici pour voir ma mère, oui. »

À ce moment, la femme de Kofi Poku s'approcha et lui murmura quelque chose à l'oreille. Il haussa les sourcils, un sourire éclaira son visage et, quand il s'adressa à eux, on aurait cru qu'il avait cette idée depuis longtemps.

« Vous devez être fatigués de votre voyage tous les deux. Je vous en prie, ma femme et moi aimerions que vous logiez chez nous. Nous allons préparer le dîner. »

Yaw commença à secouer la tête, mais Kofi Poku agita la main, comme pour s'opposer au geste de refus de Yaw. « J'insiste. D'ailleurs votre mère a des horaires bizarres. Ce ne serait pas bon pour vous d'aller la voir aujourd'hui. Attendez demain soir. Nous enverrons quelqu'un la prévenir de votre arrivée. »

Comment pouvaient-ils refuser ? Yaw et Esther avaient prévu de se rendre directement chez Akua, au lieu de quoi ils allèrent à pied jusqu'à la maison de Poku, une distance d'à peine plus d'un kilomètre. Quand ils arrivèrent, les autres enfants de Kofi Poku, trois filles et un fils, étaient déjà en train de dîner. L'une des filles, la plus grande et la plus mince, était assise devant un grand mortier. Le garçon tenait le pilon, qui était presque deux fois plus haut que lui. Il le levait tout droit et l'abattait pile au moment où la main de la fille finissait de retourner le *fufu* dans le mortier, échappant de justesse au choc.

« Bonsoir, les enfants », appela Kofi Poku, et ils interrompirent tous ce qu'ils faisaient pour se lever et accueillir leurs parents, mais à la vue de Yaw ils écarquillèrent les yeux et se mirent à chuchoter.

Celle qui paraissait la plus jeune, avec deux touffes de cheveux de chaque côté de la tête, tira la jambe de pantalon de son frère. « C'est le fils de la Femme Folle », dit-elle tout bas. Mais ils l'entendirent tous, et Yaw eut la certitude que son histoire était devenue une légende dans sa ville natale.

Ils restèrent figés pendant un instant, embarrassés, puis Esther avec ses grands bras musclés s'empara du pilon que tenait l'aîné des garçons et pila violemment la pâte dans le mortier sans que personne ait eu le temps de dire *ouf*. La boule de *fufu* s'aplatit, et le pilon tomba sur le sol d'argile avec un bruit sourd.

« Assez ! cria Esther quand tout le monde se retourna pour la regarder. Cet homme n'a-t-il pas assez souffert pour être traité ainsi de retour chez lui ?

— Veuillez excuser mon enfant », dit madame Poku, élevant la voix à la place de son mari pour la première fois depuis leur rencontre. « C'est simplement qu'ils ont entendu raconter les histoires. Ils ne recommenceront plus. » Elle se tourna, regardant longuement chacun de ses cinq enfants, même le bambin à ses pieds, et aussitôt, sans avoir besoin d'autres explications, ils comprirent.

Kofi Poku s'éclaircit la voix et fit signe à Yaw et Esther de venir s'asseoir. Yaw murmura « Merci » et Esther haussa les épaules. « Ils vont croire que c'est moi qui suis folle. »

Ils s'installèrent à la table du dîner. Les enfants les servirent, craintifs mais attentionnés. Kofi Poku et sa femme leur dirent ce qu'était devenue la mère de Yaw.

« Elle vit avec une servante dans la maison que votre père avait construite pour elle à la lisière du village. Elle sort rarement désormais, mais on la voit dehors parfois, s'occupant de son jardin. Elle a un joli jardin. Ma femme y va souvent pour admirer les fleurs.

— Vous parle-t-elle quand vous la voyez ? » demanda Yaw à Mme Poku.

Elle secoua la tête. « Non, mais elle a toujours été aimable avec moi. Elle me donne même des fleurs à emporter à la maison. Je les mets dans les cheveux des filles avant d'aller à l'église, en pensant que cela les aidera à faire de bons mariages.

— Ne vous inquiétez pas, dit Kofi Poku. Je suis sûr qu'elle vous reconnaîtra. Son cœur vous reconnaîtra. » Sa femme et Esther hochèrent toutes deux la tête, et Yaw détourna les yeux.

Il faisait sombre dans la cour, mais la chaleur n'avait pas diminué, elle s'était seulement transformée, dans un bourdonnement de moustiques et de moucherons.

Yaw et Esther finirent de manger. Ils remercièrent leurs hôtes. On leur montra leur chambre. Esther insista pour dormir sur le sol tandis que Yaw prenait un matelas de fortune, dur et à ressorts, bon à vous briser le dos. Ils finirent tant bien que mal par dormir.

Ils se préparèrent toute la matinée, firent le tour d'Edweso, s'arrêtant souvent pour manger. On leur avait dit que la mère de Yaw ne dormait presque jamais et semblait préférer les soirées aux matins. Ils prirent donc leur temps. Esther avait quitté Takoradi une seule fois dans sa vie, et Yaw était heureux de voir ses yeux émerveillés devant l'étrangeté de cette nouvelle ville.

Tout le monde pensait qu'ils étaient mariés. Yaw ne les détrompa pas et Esther non plus à son grand soulagement, bien qu'il se demandât si c'était par politesse ou si cela reflétait son désir. Il craignait de poser la question.

Peu à peu la couleur du ciel changea, et Yaw sentit son cœur se serrer à mesure que tombait lentement l'obscurité. Esther ne le quittait pas du regard, comme si elle cherchait sur son visage le reflet de ce qu'elle-même devait éprouver.

« N'aie pas peur », dit-elle.

Depuis le premier jour, Esther l'avait sans cesse encouragé à retourner dans sa ville natale. C'était, selon elle, une question de pardon, mais Yaw n'était pas certain d'avoir foi dans le pardon. Il avait entendu ce mot les quelques fois où il s'était rendu à l'église avec Edward et Mme Boahen, et de temps en temps avec Esther. Il en avait conclu que c'était un mot que les Blancs avaient apporté avec eux à leur arrivée en Afrique. Une ruse des chrétiens dont ils parlaient haut et fort et librement au peuple de la Côte-de-l'Or. Pardon, proclamaient-ils, tout en commettant leurs méfaits. Quand il était plus jeune, Yaw se demandait pourquoi ils ne prêchaient pas d'éviter de faire le mal plutôt que de pardonner. Mais plus il gagnait en âge, mieux il comprenait. Le pardon était un acte qui intervenait après les faits, un avenir pour la mauvaise action à venir. Et si vous poussez les gens à porter le regard vers l'avenir, ils ne voient peut-être pas le tort qui leur est fait dans le présent.

Quand la nuit fut enfin tombée, Kofi Poku conduisit Yaw et Esther jusqu'à la maison d'Akua aux abords de la ville. Yaw la reconnut immédiatement grâce aux plantes luxuriantes qui poussaient dans le jardin. Des couleurs qu'il n'avait jamais vues fleurissaient au bout de longues tiges vertes qui frémissaient dans le bruissement du vent ou l'agitation de petites créatures qui s'affairaient en dessous.

« C'est ici que je vous laisse », dit Kofi Poku. Ils n'avaient même pas encore atteint la porte. Pour d'autres familles, ici comme ailleurs, il eût paru grossier de la part d'un habitant de se trouver si près d'une maison et de ne pas aller saluer le propriétaire. Yaw lut l'embarras sur le visage de Kofi, lui fit un signe de la main et le remercia à nouveau.

La porte de la maison était ouverte, mais Yaw frappa à deux reprises, Esther immobile à côté de lui.

« Ho ? » fit une voix incertaine. Une femme âgée, portant un bol de terre cuite, apparut au coin de la maison. À la vue de Yaw, de sa cicatrice, elle sursauta. Le bol lui échappa et se brisa, projetant des morceaux d'argile rouge depuis la porte jusque dans le jardin. Des petits éclats qu'on ne retrouverait jamais, qui seraient absorbés par la terre d'où ils venaient.

La femme criait : « Remercions Dieu pour toutes ses grâces ! Nous le remercions car il est vivant. Notre Dieu, il ne dort pas, oh ! » Elle se mit à danser tout autour de la pièce. « Maîtresse, Dieu t'a ramené ton fils ! Maîtresse, Dieu t'a ramené ton fils, tu n'iras pas à Asamando sans l'avoir revu. Maîtresse, viens voir ! »

Derrière lui, Yaw entendait Esther taper des mains, se félicitant de sa petite victoire. Il ne se retourna pas, mais il savait qu'elle souriait de contentement, et la chaleur de cette pensée lui donna le courage de s'avancer un peu plus dans la pièce.

« Elle ne m'entend donc pas ? » marmonna la servante en se tournant brusquement en direction de la chambre.

Yaw continua de marcher, d'abord à la suite de la femme, puis droit devant lui jusqu'au salon. Sa mère était assise dans un coin de la pièce.

« Ainsi tu es enfin revenu », dit-elle en souriant.

S'il n'avait pas su que la femme qui habitait cette maison était sa mère, il ne l'aurait pas cru en la voyant. Yaw avait cinquante-cinq ans, ce qui signifiait qu'elle en avait soixante-seize, mais elle en paraissait bien moins. Ses yeux reflétaient l'insouciance de la jeunesse, et son sourire était généreux, bien qu'empli de sagesse. Quand elle se leva, son dos était droit, le poids des années n'avait pas courbé ses os. Elle se dirigea vers lui, les membres fluides, sans raideur, les articulations souples. Et quand elle le toucha, prit ses mains entre les siennes, dans ses mains couturées et abîmées, quand elle frotta le dos de celles de Yaw avec ses pouces crochus, il lui sembla que les brûlures de sa mère étaient douces, tellement douces.

« Le fils est enfin revenu. Les rêves ne manquent pas de devenir réalité. Ils ne manquent jamais. »

Elle garda ses mains dans les siennes. Dans l'entrée, la servante s'éclaircit la voix. Yaw se retourna et la vit avec Esther. Les deux femmes leur adressaient un large sourire.

« Maîtresse, nous allons préparer le dîner ! » cria la servante. Yaw se demanda si elle parlait toujours aussi fort, où si elle haussait la voix en son honneur.

« Je t'en prie, ne vous donnez pas tant de mal, pria-t-il.

— Eh ? Quand le fils revient à la maison après tant d'années, la mère tue une chèvre, non ? » Elle siffla entre ses dents en franchissant la porte.

« Et toi ? demanda Yaw à Esther.

— Qui va faire bouillir les ignames pendant que la femme tue la chèvre ? » demanda-t-elle, d'une voix espiègle.

Yaw les regarda s'éloigner et, pour la première fois, se sentit nerveux. Il ressentait quelque chose qu'il n'avait pas éprouvé depuis longtemps, si longtemps.

« Que fais-tu ? » s'écria-t-il. Sa mère avait posé la main sur la cicatrice, passait ses doigts sur la peau crevassée que lui seul avait touchée pendant presque un demi-siècle.

Elle continua, insensible à la colère contenue dans sa voix. Elle promena ses doigts brûlés sur le sourcil manquant, la joue boursouflée, descendit jusqu'au menton couturé. Elle caressa la marque de la plaie de haut en bas, et ce n'est qu'à la fin que Yaw se mit à pleurer.

Elle l'attira près d'elle, attira sa tête sur sa poitrine, et se mit à psalmodier doucement : « Oh, mon fils ! Oh, mon fils ! Oh, mon fils ! »

Tous deux demeurèrent longtemps ainsi. Et après que Yaw eut versé plus de larmes que jamais, après que sa mère eut proclamé son nom au monde entier, il s'écarta d'elle pour pouvoir la regarder.

« Raconte-moi l'histoire de ma cicatrice », dit-il.

Elle soupira. « Comment puis-je te raconter l'histoire de ta cicatrice sans te raconter d'abord celle de mes rêves ? Et comment te parler de mes rêves sans te parler de ma famille ? De notre famille ? »

Yaw attendit. Sa mère se releva, lui fit signe d'en faire autant. Elle lui désigna une chaise dans un angle de la pièce et prit celle qui se trouvait de l'autre côté. Elle fixa le mur derrière Yaw.

« Avant ta naissance, j'ai commencé à faire de mauvais rêves. Ils commençaient tous de la même façon – une femme faite de feu venait me rendre visite. Dans ses bras, elle portait ses deux enfants en flammes, mais ensuite ses enfants disparaissaient et la femme tournait sa colère contre moi.

« Même avant que le rêve commence, je n'allais pas bien. Ma mère était morte entre les mains du missionnaire à l'école de Kumasi. Tu le savais ? »

Yaw secoua la tête. Il n'en avait jamais entendu parler auparavant et, de toute façon, il aurait été trop jeune pour s'en souvenir.

« Le missionnaire m'a élevée. Mon seul ami était un féticheur. J'étais toujours triste, parce que je ne savais pas qu'on pouvait être autrement. Quand je me suis mariée avec ton père, j'ai pensé que je pourrais être heureuse, et quand j'ai eu tes sœurs… »

Là, sa voix se brisa, mais elle redressa les épaules et reprit.

« Quand j'ai eu tes sœurs, j'ai cru que j'étais heureuse, mais alors j'ai vu brûler un homme blanc sur la place d'Edweso et les rêves ont recommencé. Ensuite, la guerre a éclaté, et les rêves ont encore empiré. Ton père est revenu avec une jambe en moins, et les rêves ont encore empiré. Je t'ai eu, et la tristesse n'a pas disparu. J'essayais de combattre le sommeil, mais je suis humaine et le sommeil ne l'est pas. Nous n'étions pas à égalité. Dans mon sommeil, une nuit, j'ai mis le feu à notre case. Ils disent que ton père n'a pu en sauver qu'un seul, toi. Mais ce n'est pas tout à fait vrai. Il m'a aussi sauvée des mains des villageois. Pendant des années, j'ai regretté qu'il l'ait fait.

« Ils m'ont laissée te voir seulement pour que je puisse te nourrir. Puis ils t'ont fait partir et n'ont pas voulu me dire où. J'ai vécu ici dans cette maison avec Kukua depuis ce jour. »

Comme si on l'avait appelée, Kukua, la vieille servante, entra avec du vin. Elle servit Yaw en premier puis sa mère, qui refusa. Kukua sortit aussi silencieusement qu'elle était entrée.

Yaw but le vin comme de l'eau. Quand la coupe fut vide à ses pieds, il prêta à nouveau attention à sa mère. Elle inspira longuement et reprit son histoire.

« Les rêves ne s'arrêtèrent pas. Pas après le feu, même encore maintenant. Je commençai à connaître la femme feu. Parfois, comme dans la nuit de l'incendie, elle m'emmenait jusqu'à la mer à Cape Coast. Parfois dans une plantation de cacao. Ou à Kumasi. Je ne savais pas pourquoi. Je voulais des réponses, et je suis retournée à l'école de la mission pour m'informer sur la famille de ma mère. Le missionnaire m'a dit qu'il avait brûlé tout ce qui appartenait à ma mère, mais il mentait. Il avait gardé une chose. »

La mère de Yaw ôta le collier d'Effia de son cou et le tendit à Yaw. Il était d'un noir brillant dans sa main. Il le toucha, en éprouva le poli.

« J'ai porté le collier au fils du féticheur pour en faire l'offrande à nos ancêtres et qu'ils cessent de me punir. Kukua avait peut-être quatorze ans à cette époque. Alors que nous pratiquions le rituel, le fils du féticheur s'est arrêté. Il a laissé brusquement tomber le collier et a dit : "Sais-tu qu'il y a quelque chose de maléfique dans ta lignée ?" J'ai cru qu'il parlait de moi, de ce que j'avais fait, et j'ai hoché la tête. Mais il a dit : "Cette chose que tu portes, elle ne t'appartient pas." Quand je lui ai raconté mes rêves, il a dit que la femme feu était une ancêtre qui revenait me visiter. Il m'a dit que la pierre noire avait appartenu à cette femme et que c'était pour cette raison qu'elle était chaude dans sa main quand il la tenait. Il a dit que si j'écoutais la femme, elle me dirait d'où je venais. Et aussi que je devrais être heureuse d'avoir été choisie. »

Yaw sentit la colère s'emparer de lui à nouveau. Pourquoi devrait-elle être heureuse alors qu'ils étaient tous les deux, elle et lui, dévastés ? Comment pouvait-elle se satisfaire de cette vie ?

Sa mère avait sans doute deviné sa colère. Tout vieille femme qu'elle était, elle s'approcha et s'agenouilla devant lui. En sentant ses pieds mouillés, Yaw s'aperçut qu'elle pleurait.

Elle leva les yeux vers lui et dit : « Je ne peux me pardonner ce que j'ai fait. Mais en écoutant les histoires de la femme feu, j'ai peu à peu compris que le féticheur avait raison. Il y a quelque chose de maléfique dans notre lignée. Il y a des gens qui ont fait du mal parce qu'ils ne pouvaient pas en voir les conséquences. Ils n'ont pas eu ces mains brûlées pour les avertir. »

Elle tendit ses mains vers lui, et il les examina soigneusement. La peau de sa mère était le reflet de la sienne.

« Je sais une chose à présent, mon fils : le mal attire le mal. Il grandit. Il se transforme, et parfois tu ne vois pas que le mal dans le monde a débuté par le mal dans ton propre foyer. Je suis triste que tu aies souffert, je suis triste que cette souffrance jette une ombre sur ta vie, sur la femme que tu n'as pas encore épousée, sur les enfants que tu n'as pas encore eus. »

Yaw la regarda surpris, mais elle se borna à sourire. « Quand quelqu'un fait le mal, que ce soit toi ou moi, que ce soit la mère ou le père, que ce soit l'homme de la Côte-de-l'Or ou l'homme blanc, il est comme le pêcheur qui jette son filet dans l'eau. Il ne garde qu'un ou deux poissons dont il a besoin pour se nourrir et rejette les autres à l'eau, pensant que leur vie redeviendra normale. Personne n'oublie qu'il a été autrefois prisonnier, même s'il est à présent libre. Mais malgré tout, Yaw, tu dois accepter d'être libre. »

Yaw aida sa mère à se relever et la prit dans ses bras tandis qu'elle répétait : « Libère-toi, Yaw, libère-toi. » Il la serra contre lui, surpris de la sentir si légère.

Bientôt Kukua et Esther arrivèrent, apportant plat après plat. Elles servirent Yaw et sa mère tard dans la nuit. Ils mangèrent jusqu'à ce que le jour se lève.

Sonny

La prison donna à Sonny le temps de lire. Avant que sa mère vienne payer sa caution, il passa ses heures à parcourir *Les Âmes du peuple noir*[1]. Il l'avait déjà lu quatre fois sans jamais s'en lasser. Le livre réaffirmait la signification de sa présence ici, sur un banc de fer, dans une cellule de fer. Chaque fois qu'il prenait conscience de la futilité de son travail pour la NAACP[2], il relisait ces pages usées, et sa résolution en sortait raffermie.

« Tu n'en as pas marre de tout ça ? » demandait Willie tandis qu'elle franchissait tel un ouragan les portes du poste de police. Elle tenait son manteau élimé d'une main et son balai de l'autre. Elle faisait le ménage dans des maisons de l'Upper East Side depuis aussi longtemps que remontaient les souvenirs de Sonny, et elle n'avait aucune confiance dans

1. W.E.B. Du Bois, *Les Âmes du peuple noir*, traduit par Magali Bessone, éditions Rue d'Ulm, 2004, La Découverte Poche, 2007.

2. NAACP : Association nationale pour la promotion des gens de couleur.

les balais des Blancs, si bien qu'elle emportait toujours le sien avec elle, dans le métro, dans la rue, jusqu'à la maison où elle se rendait. Quand il était jeune, Sonny était terriblement embarrassé de voir sa mère porter ce balai comme une croix. Si elle osait le héler avec son balai lorsqu'il jouait avec ses amis sur le terrain de basket, il était prêt à la renier comme Pierre.

« Carson ! » hurlait-elle, et il justifiait son silence en prétextant qu'on l'appelait Sonny depuis toujours. Il la laissait l'appeler « Carson » plusieurs fois avant de finir par répondre « Quoi ? ». Il savait qu'il le paierait une fois rentré à la maison. Il savait que sa mère sortirait sa Bible et se mettrait à prier et hurler contre lui, mais il le faisait quand même.

Sonny ramassa *Les Âmes du peuple noir* quand le policier ouvrit la porte. Il adressa un signe de tête aux types arrêtés comme lui pendant la manifestation et sortit en bousculant sa mère.

« Combien de fois vont-ils te jeter en prison, eh ? » lança-t-elle derrière lui, mais Sonny continua de marcher.

Il s'était posé la même question des centaines de fois ou davantage. Combien de fois pourrait-il se relever du sol crasseux d'une cellule de prison ? Pendant combien d'heures pourrait-il encore défiler ? Combien de coups pourrait-il recevoir de la part de la police ? Combien de lettres au maire, au gouverneur, au président pourrait-il envoyer ? Combien de temps faudrait-il attendre pour que les choses changent ? Et quand elles auraient changé, cela changerait-il quelque chose ? L'Amérique serait-elle différente, ou resterait-elle plus ou moins la même ?

Pour Sonny, le problème de l'Amérique n'était pas tant la ségrégation que le fait qu'il n'y avait pas, en réalité, d'isolement possible. Sonny avait depuis toujours essayé de s'isoler des Blancs, mais, aussi vaste ce pays soit-il, il n'y avait pas d'endroit où aller. Pas même Harlem, où les Blancs étaient propriétaires d'à peu près tout ce que le regard pouvait embrasser ou une main toucher. Ce que voulait Sonny c'était l'Afrique. Marcus Garvey[1] avait suivi la bonne voie. Le Liberia et la Sierra Leone, ces deux tentatives avaient été des réussites, en théorie du moins. Le problème était qu'en pratique les choses ne fonctionnaient pas comme dans la théorie. La ségrégation signifiait que Sonny était forcé de voir les Blancs assis à l'avant de tous les bus qu'il prenait, qu'il était appelé « garçon » par le premier morveux blanc qui l'approchait. La ségrégation signifiait qu'il devait vivre la séparation comme une inégalité et, cela, il ne pouvait le supporter.

« Carson, je te parle ! » cria Willie. Sonny savait qu'il ne serait jamais trop vieux pour prendre un coup sur la tête, et il se tourna vers sa mère.

« Quoi ? »

Elle lui lança un regard furieux qu'il lui rendit. Pendant les toutes premières années de son existence, il n'y avait eu que Willie et lui. En dépit de tous ses efforts, Sonny n'était jamais parvenu à évoquer une

---

1. Marcus Mosiah Garvey, 1887-1940, précurseur du mouvement panafricain.

image de son père, ce qu'il n'avait jamais pardonné à sa mère.

« Tu es entêté comme un âne, dit Willie, quand elle l'eut rattrapé. Tu devrais arrêter de passer ton temps en prison et commencer à le passer avec tes gosses. C'est ça que tu devrais faire. »

Elle marmonna la dernière phrase et Sonny l'entendit à peine, mais il n'avait pas besoin qu'elle parle pour savoir ce qu'elle disait. Il était furieux contre elle parce qu'il n'avait pas de père, et elle était furieuse contre lui parce qu'il était aussi absent que son père.

Sonny faisait partie du comité du logement de la NAACP. Une fois par semaine, avec son équipe, il faisait le tour des différents quartiers de Harlem pour demander aux habitants dans quelles conditions ils vivaient.

Une mère lui dit un jour : « Nous avons tellement de cafards et de rats que nous devons mettre les brosses à dents dans le réfrigérateur. »

C'était le dernier vendredi du mois, et Sonny soignait encore son mal de tête du jeudi soir. « Hmm-mm », dit-il à la femme en se passant la main sur le front, comme s'il pouvait atténuer un peu la douleur qui tambourinait dans son crâne. Pendant qu'elle parlait, Sonny feignait de prendre des notes dans son carnet, mais il avait entendu les mêmes choses dans l'appartement précédent, et dans celui d'avant. En réalité, il n'avait pas besoin de se déplacer pour savoir ce que les locataires lui diraient.

Willie, lui et sa sœur Josephine avaient vécu dans des conditions similaires, voire pires.

Il se souvenait distinctement de l'époque où le deuxième mari de sa mère, Eli, les avait quittés en emportant avec lui le montant du loyer. Sonny avait pris la petite Josephine dans ses bras tandis qu'ils allaient d'une rue à l'autre, suppliant ceux qui voulaient bien les écouter de les accueillir. Ils avaient échoué dans un endroit où s'entassaient quarante personnes, y compris une vieille femme qui avait perdu le contrôle de ses intestins. Chaque nuit, elle s'asseyait dans un coin, tremblant et pleurant, et remplissait ses chaussures de merde. Puis les rats arrivaient et la mangeaient.

Un jour, au fond du désespoir, sa mère les avait emmenés dans un des appartements de Manhattan où elle faisait le ménage, pendant que les propriétaires étaient en vacances. L'appartement comptait six chambres pour deux personnes. Sonny s'était senti perdu dans tout cet espace. Il avait passé la journée entière dans la plus petite des chambres, trop effrayé pour toucher au moindre objet, sachant que sa mère devrait essuyer ses empreintes digitales s'il en laissait.

« Vous pouvez nous aider, monsieur ? » dit un garçon.

Sonny abaissa son carnet. Il était petit, mais quelque chose dans son regard révélait qu'il était plus âgé qu'il ne le paraissait, quatorze ou quinze ans peut-être. Le garçon s'approcha de la femme et posa la main sur son épaule. Il fixa Sonny plus longuement, suffisamment pour lui donner le temps d'examiner ses yeux. C'étaient les yeux les plus grands qu'il eût jamais vus chez un homme ou une femme, avec des cils semblables aux incroyables longues pattes d'une terrifiante araignée.

« Vous pouvez pas, hein ? » dit le garçon. Il battit des paupières rapidement, à deux reprises et, observant ses cils en pattes d'araignée s'emmêler, Sonny eut soudain peur. « Vous pouvez rien faire du tout, hein ? »

Sonny ne sut pas quoi répondre. Il savait seulement qu'il devait s'enfuir.

La voix du garçon continua à résonner dans sa tête pendant le restant de cette semaine, de ce mois, de cette année. Il avait demandé de ne plus faire partie du comité de logement, de crainte de rencontrer à nouveau le garçon.

« Vous pouvez rien faire du tout, hein ? »

Sonny fut arrêté durant une autre manifestation. Puis à une autre. Et encore une autre. Après la troisième arrestation, il était déjà menotté quand un des policiers lui mit son poing dans la figure. Sentant son œil gonfler et se fermer, il avança les lèvres, prêt à cracher. Le policier fixa son œil valide, secoua la tête et dit : « Fais ça et tu crèves. »

À la vue de son visage, sa mère se mit à pleurer. « Je n'ai pas quitté l'Alabama pour voir ça ! » dit-elle. Sonny était censé dîner chez elle le dimanche, mais il ne s'y rendit pas. Et cette semaine-là, il n'alla pas travailler non plus.

« Vous pouvez rien faire du tout, hein ? »

Le révérend George Lee, dans le Mississippi, fut assassiné alors qu'il tentait de s'inscrire pour voter.

Rosa Jordan fut assassinée à bord d'un bus après l'abolition de la ségrégation, à Montgomery, dans l'Alabama. Elle était enceinte.

« Vous pouvez rien faire du tout, hein ? »

Sonny n'alla plus travailler. Il restait assis sur un banc près de l'homme qui balayait les salons de coiffure de la 7e Avenue. Sonny ne connaissait pas son nom. Il aimait simplement s'asseoir et lui parler. Peut-être parce qu'il tenait un balai à la main comme sa mère. Il pouvait lui parler comme il ne l'avait jamais fait avec elle. « Qu'est-ce que tu fais quand t'as pas le moral ? » demanda-t-il un jour.

L'homme tira une longue bouffée de sa Newport. « Ça aide », dit-il, agitant la cigarette dans l'air. Il sortit un petit sachet de papier cristal de sa poche et le mit dans la main de Sonny. « Et quand ça n'aide pas, y a ça aussi. »

Sonny palpa la drogue pendant un moment. Il resta silencieux et, peu après, le balayeur prit son balai et s'en alla. Sonny resta assis sur le banc presque une heure, faisant passer le petit sachet d'un doigt à l'autre, songeur. Il y pensa en parcourant les dix blocs qui le séparaient de chez lui. Il y pensa en se faisant frire un œuf pour le dîner. Si rien de ce qu'il faisait ne changeait rien, alors peut-être était-ce à lui de changer. Le lendemain, au milieu de la journée, Sonny avait cessé d'y penser.

Il appela la NAACP et quitta son job avant de jeter le sachet dans les toilettes.

« Comment tu vas gagner de l'argent ? » demanda Josephine à Sonny. Il n'avait pu garder son appartement maintenant qu'il n'avait plus de revenus. Il habitait dorénavant chez sa mère le temps de trouver une solution.

Penchée sur l'évier, Willie lavait la vaisselle en fredonnant ses airs de gospel. Elle fredonnait plus fort quand elle voulait donner l'impression qu'elle n'écoutait pas.

« Je trouverai quelque chose. J'ai toujours trouvé, non ? » Sa voix avait un ton de défi, et Josephine ne le releva pas, elle s'inclina en arrière dans son siège et se tut. Sa mère fredonna un peu plus fort et commença à essuyer les assiettes.

Sonny se leva d'un bond. « Laisse-moi t'aider, Mama. »

Elle l'attaqua d'emblée, pour qu'il sache bien qu'elle avait écouté. « Lucille est passée hier et a demandé de tes nouvelles », dit-elle. Sonny répondit par un grognement : « Tu devrais peut-être passer un coup de fil à cette fille.

— Elle sait où me trouver si elle en a envie.

— Et Angela et Rhonda ? Elles savent aussi où te trouver ? C'est à croire qu'elles savent seulement venir chez moi quand toi tu n'es pas là. »

Sonny fit à nouveau entendre un grognement. « Tu leur dois rien, Mama », dit-il.

Sa mère ronchonna. Elle cessa de fredonner et se mit à chanter. Sonny savait qu'il devait quitter l'appartement, et vite. Si ses nanas étaient à ses trousses et que sa mère chantait le gospel, il valait mieux qu'il se trouve un point de chute.

Il alla voir son ami Mohammed pour trouver du boulot. « Tu devrais adhérer à *Nation of Islam*, mec, dit Mohammed. Oublie la NAACP. N'ont jamais fait que des conneries. »

Sonny accepta un verre d'eau de l'aînée des filles de Mohammed. Il haussa les épaules à l'intention de son ami. Ils avaient déjà eu cette conversation. Sonny ne pouvait pas y adhérer tant que sa mère était une chrétienne dévote. Il en entendrait des vertes et des pas mûres. En outre, à force de lustrer les bancs du fond de l'église de sa mère, il était devenu sensible à la notion de « colère de Dieu ». Ce n'était pas le genre de chose qu'on avait envie d'attirer sur soi. « L'islam aussi a jamais fait que des conneries », répliqua-t-il.

Son ami Mohammed s'appelait autrefois Johnny. Ils s'étaient connus gosses quand ils s'amusaient à marquer des paniers sur les terrains de Harlem, et leur amitié avait duré, bien que leur période basket ait pris fin et leur tour de taille augmenté.

Quand ils s'étaient rencontrés, Sonny était encore « Carson », mais, sur le terrain, Sonny était un nom plus vif, plus facile, et il l'avait adopté. Sa mère en avait horreur. Pour la simple raison que son père l'appelait ainsi. Or Sonny ne savait rien de son père et il n'y avait rien de sentimental dans son attirance pour ce nom sinon le plaisir d'entendre les autres garçons crier : « Ouais, Son ! Ouais, Sonny ! » quand il en marquait un.

« Y a rien dans le coin, Sonny, dit Mohammed.

— Tu dois bien avoir quelque chose. N'importe quoi, mec.

— T'as passé combien de temps à l'école ?

— Deux ou trois ans. » En réalité, il ne se souvenait pas d'avoir terminé une année où que ce soit, tellement il avait séché les cours ou avait été fichu dehors. Une année, désespérée, sa mère avait tenté de l'inscrire dans une de ces écoles chics pour Blancs à Manhattan. Elle était entrée l'air résolu dans le bureau portant des lunettes noires et armée de son plus beau stylo. Tandis que Sonny examinait l'immeuble impeccable, propre, brillant, où des gosses blancs élégamment vêtus entraient et sortaient dans un calme parfait, il avait pensé à ses écoles de Harlem, dont le plafond s'effondrait et qui puaient abominablement. Il s'était étonné qu'on puisse attribuer aux deux le même nom : « école ». Sonny se souvenait que les responsables blancs avaient demandé à sa mère si elle désirait un café. Ils lui avaient dit qu'il n'était pas possible de l'inscrire là. Tout simplement impossible. Sonny se souvenait de Willie lui serrant fort la main et essuyant ses larmes tandis qu'ils regagnaient Harlem. Pour la consoler, Sonny avait dit qu'il s'en fichait d'être à l'école à Harlem parce qu'il y allait jamais, et Willie avait répondu que c'était bien la preuve que ces écoles ne valaient rien.

« C'est pas assez pour le truc dont j'ai entendu parler, dit Mohammed.

— Faut que je bosse, Mohammed, il le faut. »

Mohammed hocha lentement la tête et réfléchit. La semaine suivante, il donna à Sonny le numéro d'un homme qui avait quitté *Nation of Islam* pour devenir propriétaire d'un bar. Deux semaines plus tard, Sonny prenait les commandes au *Jazzmine*, le nouveau club de jazz d'East Harlem.

Sonny déménagea ses affaires de la maison de sa mère le soir où il apprit qu'il avait un job. Il ne lui dit pas où il travaillait, sachant qu'elle désapprouvait le jazz ou toute autre forme de musique profane. Elle chantait à l'église, mettait sa voix au service du Christ, un point c'est tout. Sonny lui avait demandé un jour si elle avait jamais eu envie de devenir célèbre comme Billie Holiday, qui chantait si merveilleusement que même les Blancs étaient obligés de le reconnaître, mais sa mère s'était détournée et lui avait dit de faire attention à « ce genre de vie. »

Le *Jazzmine* était trop nouveau pour attirer la crème des artistes et des clients. La plupart du temps, le club était à moitié vide et les employés, pour beaucoup des musiciens qui espéraient être remarqués, partirent avant même que le club ait eu six mois d'existence. En peu de temps, Sonny devint barman principal.

« Sers-moi un whisky », lui lança un soir une voix sourde. C'était la voix d'une femme dont il ne distinguait pas le visage. Elle était assise au fond du bar, la tête dans ses mains.

« Peux pas vous servir si j'peux pas vous voir », dit-il. Elle leva lentement la tête. « Pourquoi vous vous avancez pas par ici pour être servie ? »

Il n'avait jamais vu une femme se déplacer aussi lentement. On aurait dit qu'elle devait traverser une eau profonde et boueuse pour arriver jusqu'à lui. Elle n'avait probablement pas plus de dix-neuf ans, mais elle marchait comme une vieille femme usée par l'existence, comme si le moindre mouvement pouvait lui rompre les os. Et quand elle se hissa difficilement sur le tabouret devant lui, rien ne semblait la presser.

« Longue journée ? » demanda Sonny.

Elle sourit. « Comme les autres, non ? »

Sonny la servit, et elle but son whisky à petites gorgées, tout aussi lentement.

« Je m'appelle Sonny », dit-il.

Elle lui adressa un autre sourire, un éclair amusé dans les yeux. « Amani Zulema. »

Sonny eut un petit rire. « Drôle de nom.

— C'est le mien. » Elle se leva, prit son verre et du même pas traînant se dirigea vers la scène.

L'orchestre qui était en train de jouer sembla s'incliner devant elle. Sans qu'elle prononce un mot, le pianiste se leva pour lui céder sa place, les autres musiciens quittèrent la scène.

Amani posa son verre sur le piano et fit courir ses mains sur le clavier. Là, au piano, elle montrait cette même nonchalance qui avait frappé Sonny, ses doigts glissant sur les touches.

Mais c'est quand elle se mit à chanter que le silence se fit dans la salle. Elle était de petite taille, mais avec une voix si profonde qu'elle en paraissait presque imposante. Elle avait un timbre rocailleux, comme si elle s'était gargarisée avec du gravier pour s'échauffer. Elle se balançait en chantant. Se penchait d'un côté, inclinait la tête et partait dans l'autre direction. Quand elle se lança dans un scat, la petite foule se mit à gronder et gémir, cria même « Amen » à une ou deux reprises. Quelques badauds entrèrent dans le bar, restant dans l'embrasure de la porte, cherchant à l'apercevoir.

Elle termina en fredonnant, un son qui semblait venir du plus profond de ses entrailles, là où habite l'âme selon certains. Sonny se remémora son enfance et le premier jour où sa mère avait chanté à l'église. Il était petit, et Josephine n'était qu'un bébé qu'Eli faisait sauter sur son genou. Sa mère avait laissé tomber son livre de chant, et le bruit avait fait sursauter la congrégation qui s'était tournée vers elle. Sonny avait senti son cœur lui monter à la gorge. Il se souvenait d'avoir été gêné pour elle. À cette époque, il était constamment en colère ou embarrassé à cause d'elle. Mais ce jour-là, elle s'était mise à chanter. Elle avait chanté : *I Shall Wear a Crown*. Je porterai une couronne.

C'était la plus belle chose que Sonny ait entendue, et il avait aimé sa mère à ce moment plus que jamais. La congrégation disait « Chante, Willie » et « Amen », et « Dieu soit béni », et Sonny avait pensé que sa mère n'avait pas besoin d'attendre d'être au ciel pour être récompensée. Il le voyait ; elle portait déjà sa couronne.

Amani finit de chanter et sourit à la foule qui se mit à hurler, avec des applaudissements et des bravos. Elle prit son verre sur le piano et le vida d'un trait. Elle revint vers Sonny et posa le verre vide devant lui. Elle ne dit pas un mot et sortit.

Sonny habitait dans un squat de l'East Side avec des gens qu'il connaissait plus ou moins. Sans réfléchir, il avait donné son adresse à sa mère, et il comprit qu'elle l'avait refilée à Lucille quand celle-ci débarqua avec leur fille.

« Sonny ! » cria-t-elle. Elle était sur le trottoir devant l'immeuble. Il y avait certainement des centaines de Sonny à Harlem. Il préféra ignorer que c'était lui qu'elle appelait.

« Carson Clifton, je sais que tu es là-haut. »

Il n'y avait pas de porte à l'arrière de l'appartement pour s'échapper, et elle n'allait pas tarder à débarquer.

Sonny se pencha à moitié à sa fenêtre du deuxième étage.

« Qu'est-ce tu veux, Luce ? » demanda-t-il. Il n'avait pas vu sa fille depuis bientôt un an. L'enfant était grande, trop grande pour être juchée sur la hanche de sa minuscule mère, mais Lucille avait toujours eu de la force pour dix.

« Laisse-nous monter ! » hurla-t-elle en réponse. Il poussa l'un de ses « soupirs de vieille dame », comme disait Josephine, avant de descendre leur ouvrir.

Lucille n'était pas dans la pièce depuis dix secondes que Sonny regrettait déjà de l'avoir fait entrer.

« On a besoin d'argent, Sonny.

— Je sais que ma mère t'en a déjà filé.

— Avec quoi je suis supposée nourrir cette gosse ? Avec de l'air ? L'air ne fait pas pousser un bébé.

— J'ai rien pour toi, Lucille.

— Tu as cet appartement. Angela m'a dit que tu lui avais donné quelque chose seulement le mois dernier. »

Sonny secoua la tête. Quels mensonges ces femmes se racontaient-elles entre elles et à elles-mêmes ? « J'ai pas vu Angela depuis plus longtemps que toi. »

Lucille se racla la gorge. « Quel père tu fais ! »

Sonny était furieux à présent. Il n'avait jamais voulu d'enfant, mais il avait fini par en avoir trois. D'abord la fille d'Angela, la seconde de Rhonda, et la troisième était celle de Lucille, qui était venue un peu tard. Willie leur donnait à chacune un peu d'argent tous les mois, même s'il leur avait dit d'arrêter de lui en demander. Elles ne l'écoutaient pas.

Quand Angela avait accouché de leur fille, Etta, Sonny n'avait que quinze ans. Angela quatorze. Ils avaient dit qu'ils allaient se marier et faire les choses comme il convenait, mais lorsque les parents d'Angela avaient découvert qu'elle était enceinte et que l'enfant était de Sonny, ils l'avaient envoyée en Alabama dans leur famille jusqu'à la naissance de l'enfant, et quand elle était revenue avec sa fille, ils avaient interdit à Sonny de les voir, ni l'une ni l'autre.

Sonny avait vraiment voulu se comporter correctement avec Angela, avec sa fille, mais il était jeune et sans travail, et s'était dit que les parents d'Angela avaient probablement raison en déclarant qu'il était fondamentalement bon à rien. Il avait eu le cœur brisé quand Angela avait épousé un jeune pasteur itinérant qui prêchait le Renouveau dans le Sud. Le pasteur laissait Angela seule à Harlem des mois d'affilée, et Sonny pensait que s'il avait la chance de l'avoir, il ne la quitterait jamais.

Mais il se contemplait alors dans le miroir. S'y reflétaient des traits qu'il n'arrivait pas à rapprocher de ceux de sa mère. Son nez n'était pas le sien. Ni ses oreilles. Il l'interrogeait souvent sur ces différences quand il était jeune. Il lui demandait d'où venaient ce nez, ces oreilles, cette peau plus claire. Il lui posait des questions sur son père, et tout ce qu'elle répondait était qu'il n'avait pas de père. Il n'avait pas de père, mais il était bien sorti de quelque part, hein. « Hein ? » interrogeait-il en se moquant de l'homme dans le miroir. « Hein ? »

« C'est plus un bébé, Lucille. Regarde-la. »

L'enfant trottinait dans l'appartenant, bien assurée sur ses petites jambes. Lucille lança à Sonny un regard assassin, prit sa fille dans ses bras et tourna les talons.

« Et ne va pas non plus réclamer du fric à ma mère ! » cria-t-il derrière elle. Il l'entendit descendre lourdement l'escalier jusqu'en bas puis sortir dans la rue.

Deux jours plus tard, Sonny était de retour au *Jazzmine*. Il avait demandé aux autres employés quand Amani reviendrait, mais aucun n'avait su lui répondre.

« Elle va où le vent l'emporte », dit Louis l'Aveugle, en essuyant le bar. Sonny dut pousser un léger soupir, car Louis dit : « Je connais ce bruit.

— Quel bruit ?

— Laisse tomber, Sonny.

— Pourquoi ? » demanda Sonny. Comment est-ce qu'un vieil aveugle pouvait comprendre qu'on désire une femme en l'ayant à peine vue ?

« L'apparence seule d'une femme ne compte pas, faut penser aussi à ce qu'il y a à l'intérieur », répondit Louis, lisant dans ses pensées. « Y a rien dans cette femme qui vaille la peine. »

Sonny ne l'écouta pas. Il lui fallut attendre trois mois pour revoir Amani. Et tout ce temps, il l'avait cherchée partout, allant d'un club à un autre, espérant voir un jour son pas lent se diriger vers la scène.

Quand il la trouva, elle était assise à une table au fond du club, endormie. Il dut s'approcher pour s'en rendre compte, assez près pour l'entendre inspirer et expirer en ronflant. Il avait regardé autour de lui, mais Amani était dans un coin sombre du bar, et personne ne semblait s'intéresser à elle. Il lui donna une poussée sur le bras. Rien. Il poussa à nouveau, plus fort. Toujours rien. La troisième fois, sa tête roula sur le côté, si lentement qu'on aurait cru voir un rocher bouger. Elle cligna les yeux une ou deux fois, soulevant lentement, délibérément ses lourdes paupières et ses cils épais.

Quand elle le regarda enfin, Sonny comprit pourquoi elle clignait les yeux. Ils étaient injectés de sang, ses pupilles dilatées. Elle cilla encore deux fois, rapidement, et, en l'observant, Sonny se rendit compte qu'il n'avait pas réfléchi à ce qu'il ferait une fois qu'il l'aurait retrouvée.

« Tu chantes ce soir ? demanda-t-il timidement.

— Est-ce que j'ai un air à chanter ? »

Sonny ne répondit pas. Amani étira son cou et ses épaules. Elle déploya tout son corps. « Qu'est-ce

que tu veux, mec ? demanda-t-elle. Qu'est-ce que tu
veux ?

— Toi », souffla Sonny. Il l'avait voulue depuis le
jour où il l'avait vue chanter. Ce n'était pas à cause
de sa démarche lente ou parce que sa voix lui avait
rappelé son souvenir préféré de sa mère. C'était
parce qu'il avait senti quelque chose s'ouvrir en lui
quand elle s'était mise à chanter ce soir-là, et il voulait retrouver un petit peu plus de cette sensation, la
garder pour lui.

Elle secoua la tête et sourit. « Bon, viens. »

Ils sortirent dans la rue. Le beau-père de Sonny,
Eli, aimait se promener et, quand il était à la maison,
il emmenait Sonny, Willie et Josephine se balader
dans toute la ville. C'était peut-être pour cette raison
que sa mère s'était mise à marcher, elle aussi, se dit
Sonny. Il se rappelait encore le jour où elle l'avait
emmené jusqu'à la partie blanche de la ville. Il avait
cru qu'ils continueraient à marcher indéfiniment,
mais elle s'était arrêtée net, et Sonny avait été déçu,
sans vraiment savoir pourquoi.

Avec Amani, Sonny passa devant des endroits qu'il
avait connus à l'époque du comité du logement, des
boîtes de jazz pour paumés, des stands de bouffe bon
marché, des coiffeurs, dans des rues pleines de junkies tendant leurs chapeaux aux passants.

« Tu ne m'as encore rien dit sur ton nom, dit
Sonny en enjambant un homme étendu au milieu de
la rue.

— Qu'est-ce que tu veux savoir ?

— T'es musulmane ? »

Amani se moqua un peu de lui. « Non, j'suis pas musulmane. » Sonny attendit qu'elle parle. Il en avait déjà assez dit. Il ne voulait pas la bousculer, lui montrer son désir, ses faiblesses. Il attendit qu'elle parle. « *Amani* veut dire "harmonie" en swahili. Quand j'ai commencé à chanter, m'ait apparu que j'avais besoin d'un nouveau nom. Ma Mama m'avait appelée Mary, et y a personne qui va devenir célèbre avec un nom comme Mary. Et j'ai rien à voir avec tous ces trucs de *Nation of Islam* et du Retour en Afrique, mais j'ai vu Amani et j'me suis dit qu'il était pour moi. Alors je l'ai pris.

— Tu n'as rien à voir avec ce truc du Retour en Afrique, et tu prends un nom africain ? » Sonny avait mis de côté ses convictions politiques mais il les sentait revenir en douce. Amani avait presque la moitié de son âge. L'Amérique dans laquelle elle était née était différente de la sienne. Il résista à l'envie de la tancer du doigt.

« On peut pas revenir en arrière, non ? » Elle s'immobilisa et lui toucha le bras. Elle paraissait plus sérieuse qu'elle ne l'avait été de toute la soirée, comme si elle le considérait subitement comme une personne réelle et non comme quelqu'un sorti du rêve dont il l'avait tirée. « D'abord on ne peut pas revenir à quelque chose qu'on a jamais connu. Ça ne nous appartient plus. Tout ça, si. »

Elle tendit la main devant elle comme si elle voulait s'emparer de tout Harlem, tout New York, toute l'Amérique.

Ils atteignirent finalement un ensemble de logements sociaux loin dans Harlem West. L'immeuble n'était pas fermé et, quand ils pénétrèrent dans l'entrée, la première chose que Sonny remarqua fut la rangée de toxicos alignés le long des murs. Ils ressemblaient à des mannequins, ou aux cadavres que Sonny avait vus quand il était entré dans un funérarium et avait regardé l'employé manipuler un corps, relever un coude, tourner un visage vers la gauche, courber un dos.

Personne ne manipulait ces corps dans l'entrée – du moins à la connaissance de Sonny –, mais il comprit sur-le-champ qu'il était dans l'une de ces *dope houses*, un repaire de camés. Tout à coup, ce qu'il n'avait pas voulu voir chez Amani, ses gestes lents, somnolents, ses pupilles dilatées, lui apparut clairement. Soudain inquiet, il avala sa salive, il ne voulait pas qu'Amani s'aperçoive que plus il s'attardait avec elle, plus il sentait qu'il perdait le contrôle.

Ils entrèrent dans une pièce. Un homme se berçait sur un matelas malpropre, son corps recroquevillé contre le mur. Deux femmes se tapotaient le bras, se préparant pour la seringue qu'un deuxième homme tenait à la main. Ils ne levèrent même pas les yeux à l'entrée de Sonny et d'Amani.

Partout où se posait son regard, Sonny voyait des instruments de jazz. Deux trompettes, une contrebasse, un saxo. Amani laissa tomber ses affaires sur le sol et s'assit près de l'une des filles, qui leva les yeux et leur fit un signe de tête. Amani se tourna vers Sonny, resté un peu en arrière, la main encore posée sur la poignée de porte.

Elle ne dit rien. L'homme passa la seringue à la première fille qui la passa ensuite à la seconde. La seconde la passa à Amani, mais elle continuait à regarder Sonny. Elle se taisait.

Sonny la regarda enfoncer l'aiguille dans son bras, vit ses yeux chavirer. Quand elle le regarda à nouveau, elle dit : « Voilà, c'est moi. Tu en as encore envie ? »

« Carson, Carson ! Je sais que tu es là ! »

Il entendait la voix, mais en même temps il n'arrivait pas à l'entendre. Il vivait dans sa propre tête, et il ne pouvait pas dire où cela finissait et où le monde commençait, et il ne voulait pas répondre à la voix avant de savoir de quel côté des choses elle provenait.

« Carson ! »

Il était assis tranquillement, du moins le croyait-il. Il transpirait, sa poitrine se levait et s'abaissait, se levait et s'abaissait. Il allait devoir se shooter vite fait pour ne pas crever.

Quand la voix derrière la porte se mit à prier, Sonny comprit que c'était sa mère. C'était ce qu'elle faisait parfois, alors qu'il était encore à peu près clean, quand la drogue n'était encore qu'une distraction et qu'il pensait pouvoir plus ou moins la dompter.

« Seigneur, délivre mon fils de ce tourment. Mon Dieu, je sais qu'il est descendu en enfer pour voir à quoi ça ressemble, mais je t'en prie, renvoie-le-nous. »

Sonny aurait pu trouver un apaisement dans ces paroles s'il ne s'était pas senti aussi mal.

Sa poitrine se souleva, sans que rien ne vienne au début, mais peu après il vomissait dans un coin de la pièce.

La voix de sa mère s'éleva, plus forte. « Seigneur, je sais que tu peux le délivrer de ce qui l'afflige. Bénis-le et prends soin de lui. »

La délivrance était exactement ce que voulait Sonny. Il était un toxico de quarante-cinq ans, et il n'en pouvait plus. Il était malade, mais chaque tentative pour décrocher le rendait plus malade encore.

Sa mère chuchotait à présent, à moins que les oreilles de Sonny ne fonctionnent plus. Bientôt il n'entendrait plus rien du tout. Bientôt, quelqu'un entrerait : l'un des camés avec lesquels il vivait, et ils iraient peut-être se ravitailler. Mais probablement pas, et Sonny n'aurait plus qu'à aller se fournir tout seul. Il s'y mit aussitôt.

Il se releva et alla coller son oreille contre la porte pour s'assurer que sa mère était bien partie. Lorsqu'il en fut certain, il sortit pour aller saluer Harlem.

Harlem et l'héroïne. L'héroïne et Harlem. Sonny ne pouvait penser à l'une sans songer à l'autre. Elles étaient identiques. Toutes les deux allaient le tuer. Les junkies et le jazz s'étaient alliés, se nourrissaient l'un de l'autre, et maintenant chaque fois que Sonny entendait une trompette, il voulait sa dose.

Il descendit la 116e Rue. Il pouvait presque toujours se procurer sa dose sur la 116e. Mais il repérait rapidement les junkies et les dealers, scrutant les passants jusqu'à ce qu'il cible ceux qui avaient ce qu'il lui fallait. C'était ça, de vivre à l'intérieur de sa propre tête. On devenait conscient de ceux qui faisaient la même chose que vous.

À la première junkie croisée, il demanda de la marchandise. La femme secoua la tête. Au camé suivant, il demanda s'il pouvait lui en refiler, et l'homme secoua aussi la tête, mais lui indiqua un type plus loin qui dealait.

La mère de Sonny ne lui donnait plus d'argent. Angela lui en filait parfois, si son mari le pourvoyeur de bibles avait fait un peu de marge sur le circuit du Renouveau. Sonny allongea au dealer tout ce qu'il avait en poche et n'en retira presque rien.

Il voulait se shooter avant de rentrer. Si Amani était là, elle lui raflerait le presque rien. Il se fixa dans les toilettes d'un bar et sentit aussitôt le mal s'éloigner. En arrivant chez lui, il se sentait presque bien. Presque, ce qui voulait dire qu'il devrait bientôt se shooter à nouveau pour se sentir un peu mieux, et encore pour être un peu mieux, et encore, et encore.

Amani était assise devant le miroir et tressait ses cheveux.

« Où t'étais ? » demanda-t-elle.

Sonny ne répondit pas. Il s'essuya le nez du revers de la main et se mit à fouiller dans le réfrigérateur à la recherche de quelque chose à manger. Ils habitaient les Johnson Houses à l'angle de la 112ᵉ et de Lexington Avenue, et leur porte n'était jamais fermée à clé. Des junkies entraient et sortaient, passant d'un appartement à l'autre. L'un deux gisait par terre, inconscient, devant la table.

« Ta Mama est venue », dit Amani.

Sonny trouva un morceau de pain et mangea ce qui n'était pas moisi. Il regarda Amani qui finissait de se coiffer et se levait pour s'observer dans le miroir. Sa taille avait épaissi.

« Elle dit qu'elle veut que tu ailles dîner chez elle dimanche.

— Où tu vas ? » demanda-t-il à Amani. Il n'aimait pas la voir s'habiller pour sortir. Elle lui avait promis voilà longtemps qu'elle ne donnerait jamais son corps pour de la drogue et, au début, Sonny n'avait pas cru qu'elle tiendrait sa promesse. La parole d'une droguée ne valait pas grand-chose. Parfois, pour en être sûr, il la suivait dans Harlem les soirs où elle se coiffait et se maquillait. Chaque fois c'était la même triste histoire. Amani suppliait le propriétaire d'un club de la laisser chanter à nouveau, juste une fois. Ils ne le faisaient presque jamais. Un jour, la boîte la plus crade de tout Harlem avait accepté, et Sonny était resté debout dans le fond quand Amani était montée sur scène, ne rencontrant que des regards vides et le silence. Personne ne se souvenait de ce qu'elle avait été. Ils ne voyaient que ce qu'elle était maintenant.

« Tu devrais aller voir ta Mama, Sonny. Un peu d'argent ne nous ferait pas de mal.

— Oh, arrête, Amani. Tu sais bien qu'elle me donnera rien.

— Quand même. Si tu te nettoyais un peu. Tu pourrais te doucher et te raser. Peut-être qu'elle te donnerait quelque chose. »

Sonny s'approcha d'Amani. Il se tint derrière elle, enroula ses bras autour de son ventre, en sentit la fermeté sous ses doigts. « Pourquoi tu me ferais pas un petit cadeau, bébé ? » lui murmura-t-il à l'oreille.

Elle commença à se tortiller, mais il la tint fermement et elle s'adoucit, se laissa aller. Sonny ne l'avait jamais vraiment aimée, pas vraiment. Mais il l'avait toujours désirée. Il avait mis un certain temps à comprendre la distinction entre les deux.

« Je viens de me coiffer, Sonny, dit-elle, mais elle lui offrait déjà son cou, l'inclinant vers la gauche pour qu'il puisse passer sa langue sur le côté droit.

— Chante-moi quelque chose, Amani », dit-il en lui prenant le sein dans la main. Elle fredonna sous sa caresse, mais ne chanta pas.

Sonny laissa sa main descendre plus bas, encore plus bas jusqu'à la touffe de poils qui l'attendait. Alors elle entonna : « *I loves you, Porgy. Don't let him take me. Don't let him handle me and drive me mad*[1]. » Elle chantait si doucement qu'on aurait dit un murmure. Presque. Lorsque les doigts de Sonny s'enfoncèrent dans sa moiteur, elle était revenue au refrain. Elle partirait ce soir-là dans les clubs de jazz, et ils ne la laisseraient pas chanter, mais lui le ferait toujours.

« J'irai voir ma Mama », lui promit-il quand elle laissa la porte d'entrée battre derrière elle.

Sonny conservait un sachet de came dans sa chaussure. Histoire de se rassurer. Il franchit les nombreux

_____

1. *I loves you Porgy* : chanson de Nina Simone. (« Je t'aime, Porgy. Ne le laisse pas me prendre. Ne le laisse pas me toucher et me rendre folle. »)

blocs qui le séparaient de la maison de sa mère, avec son gros orteil serré autour du sachet, comme un petit poing. Il le serrait, le desserrait. Serrait, desserrait.

Longeant les cités qui s'étendaient entre son appartement et celui de Willie, Sonny essaya de se souvenir de la dernière fois où il avait vraiment parlé à sa mère. C'était en 1964, pendant les émeutes, et elle lui avait demandé de venir la retrouver devant son église pour qu'elle puisse lui filer un peu d'argent. « Je ne veux pas te voir mort, ou pire », avait-elle dit, lui passant le peu de monnaie qu'elle n'avait pas donnée à la quête. En prenant l'argent, Sonny s'était demandé : *Que peut-il y avoir de pire que la mort ?* Et les événements autour de lui s'étaient chargés de lui fournir la réponse. Quelques semaines plus tôt, la police de New York avait abattu un jeune Noir de quinze ans, un étudiant, pour pratiquement rien. La fusillade avait déclenché les émeutes, opposant de jeunes Noirs, des hommes et quelques femmes, aux forces de police. Aux informations, on en avait attribué la responsabilité aux Noirs de Harlem. À ces dingues, ces brutes, ces Noirs monstrueux, qui avaient le culot de demander qu'on ne tire pas sur leurs enfants en pleine rue. Ce jour-là Sonny avait serré dans sa main l'argent que lui avait donné sa mère en rentrant chez lui, espérant ne pas rencontrer des Blancs qui voudraient prouver quelque chose, car il savait dans sa chair, même s'il ne l'avait pas encore totalement enregistré dans son esprit, qu'en Amérique, le pire qui pouvait vous arriver était d'être noir. Pire que mort, vous étiez un mort qui marche.

Josephine lui ouvrit la porte. Elle portait sa petite fille sur un bras et tenait son fils par l'autre main. « Tu t'es perdu ou un truc comme ça ? demanda-t-elle en lui lançant un regard hostile.

— Du calme », siffla sa mère derrière elle, mais Sonny était content de voir que sa sœur le traitait comme elle l'avait toujours fait.

« Tu as faim ? demanda Willie. Elle prit le bébé des bras de Josephine et se dirigea vers la cuisine.

— J'voudrais aller aux toilettes d'abord », dit Sonny en s'y dirigeant. Il ferma la porte, s'assit sur le siège et retira le sachet de sa chaussure. Il était arrivé depuis à peine une minute, mais il était déjà nerveux. Il lui fallait quelque chose pour tenir le coup.

Quand il ressortit, sa mère lui avait déjà préparé une assiette. Sa sœur et elle le regardèrent manger.

« Pourquoi vous mangez pas ? leur demanda-t-il.

— Parce que t'as une heure et demie de retard ! » dit Josephine entre ses dents.

Willie posa un bras sur l'épaule de Josephine, puis sortit un peu d'argent de son soutien-gorge. « Josey, pourquoi t'irais pas chercher un truc pour ces gosses ? » dit-elle.

Le regard que Josephine lança à Willie peina davantage Sonny que tout ce qu'elle lui avait dit précédemment. C'était un regard qui demandait à sa mère si elle serait en sûreté une fois seule avec lui, et le hochement de tête incertain qu'elle reçut en réponse le laissa presque le cœur brisé.

Josephine rassembla ses enfants et partit. Sonny n'avait encore jamais vu le bébé, bien que sa mère soit venue lui annoncer sa naissance. Quant au bambin, Sonny l'avait aperçu une seule fois, un jour où il avait croisé Josephine dans une rue tranquille. Il avait baissé la tête et avait fait semblant de ne pas les voir.

« Merci pour le repas, maman », dit-il. Il avait presque fini et commençait à avoir l'estomac brouillé d'avoir mangé si vite. Elle hocha la tête et rajouta une grosse portion dans son assiette.

« Depuis combien de temps tu n'as pas mangé correctement ? »

Sonny haussa les épaules et sa mère continua de l'observer. Il se sentait nauséeux à nouveau ; l'effet de la petite dose qu'il avait prise s'estompait trop vite, et il aurait voulu se lever pour aller en prendre une autre, mais ces tours aux toilettes risquaient d'éveiller les soupçons de Willie.

« Ton père était un Blanc », dit-elle calmement.

Sonny faillit s'étrangler avec l'os de poulet sur lequel il s'affairait.

« Tu me posais toujours des questions sur lui, dans le passé, et je ne t'ai jamais rien dit, alors je vais te le dire maintenant. »

Elle se leva et alla se servir un verre de thé glacé à la cruche posée près de l'évier. Elle le but d'un trait pendant que Sonny observait son dos. Quand elle eut fini, elle s'en versa un second et l'apporta à la table.

« Il n'était pas blanc au début, dit-elle. Il était noir quand je l'ai connu, plus jaune que noir, en réalité. Mais quand même, il avait la peau colorée. »

Sonny toussa. Il se mit à tripoter l'os de poulet. « Pourquoi tu me l'as pas dit avant ? » demanda-t-il. Il sentait la colère monter, mais il la contint. Il était venu pour demander de l'argent, il ne pouvait pas se disputer avec elle. Pas maintenant.

« J'ai failli te le dire. J'y ai pensé. Tu l'as vu une fois. Le jour où on est allé tous les deux à pied jusqu'à la 109ᵉ Rue Ouest, tu t'en souviens ? Ton papa se tenait de l'autre côté de la rue avec sa femme blanche et son enfant blanc, et j'ai pensé : *Je devrais peut-être dire à Carson qui est cet homme.* Puis je me suis dit qu'il valait mieux le laisser partir. Alors je l'ai laissé partir, et nous sommes rentrés à Harlem. »

Sonny cassa l'os de poulet en deux. « Mama, tu aurais dû l'arrêter. Tu aurais dû me le dire, et tu aurais dû l'arrêter. Je sais pas pourquoi tu laisses toujours les gens te marcher dessus. Mon père, Eli, cette foutue église. Tu t'es jamais battue pour rien. Pour rien. Pas un seul jour de ta vie. »

Sa mère tendit le bras en travers de la table, posa la main sur son épaule, et la pressa fort jusqu'à l'obliger à la regarder dans les yeux. « C'est pas vrai, Carson. Je me suis battue pour toi. »

Il baissa les yeux sur les deux morceaux d'os dans son assiette. Il toucha du pied le sachet dans sa chaussure.

« Tu crois que t'as fait grand-chose parce que tu manifestais ? Moi aussi, j'ai manifesté. J'ai manifesté avec ton père et avec mon p'tit bébé, et j'ai fait toute la route depuis l'Alabama. Toute la route jusqu'à Harlem. Mon fils connaîtrait un monde meilleur que celui que j'avais connu, que mes parents avaient connu. Je deviendrais une chanteuse célèbre. Robert serait pas obligé de travailler à la mine pour un Blanc. C'était ça aussi manifester, Carson. »

Sonny regarda en direction des toilettes. Il voulait se lever et finir le sachet qui était dans sa chaussure. Il savait que c'était probablement le dernier qu'il pourrait se payer avant longtemps, très longtemps.

Willie débarrassa la table et se versa un autre verre de thé. Il l'observa debout près de l'évier, buvant à longs traits, son dos et sa poitrine s'élevant et s'abaissant tandis qu'elle s'efforçait de retrouver son calme. Elle revint et s'assit en face de lui, sans le quitter des yeux.

« Tu as toujours été plein de colère. Même enfant, tu étais en colère. Je te voyais me regarder comme si tu allais me tuer, et je savais pas pourquoi. Il m'a fallu du temps pour comprendre que tu étais né d'un homme qui pouvait choisir sa vie, mais que tu ne pourrais jamais choisir la tienne, et c'était comme si tu étais né en le sachant. »

Elle avala une gorgée et fixa le vide. « Les hommes blancs ont le choix. Ils peuvent choisir leur travail, choisir leur maison. Ils font des bébés noirs, puis ils s'évaporent comme s'ils n'avaient jamais été là, comme si toutes ces femmes noires avec lesquelles ils avaient couché ou qu'ils avaient violées, elles étaient tombées enceintes toutes seules. Les hommes blancs peuvent aussi décider pour les Noirs. Ils les vendaient autrefois ; maintenant ils les envoient juste en prison, comme ils ont fait avec mon papa, et les privent de leurs enfants. Tout ça me brise le cœur, mon fils, le petit-fils de mon papa, de te voir ici avec ces p'tis gosses qui se baladent dans Harlem et connaissent à peine ton nom, encore moins ton visage. Tout c'que je peux dire, c'est que c'est pas comme ça devrait être. Il y a des choses que tu n'as pas apprises de moi, des choses que tu tiens de ton père même si tu l'as pas connu, des choses qu'il avait apprises chez les Blancs. Ça me rend triste de voir que mon fils est un drogué après tout ce que j'ai manifesté, mais ce qui me rend encore plus triste c'est de voir que tu penses que tu peux t'en aller comme ton papa. Continue à vivre comme ça et l'homme blanc n'aura plus besoin de faire quoi que ce soit. Il n'aura pas besoin de te vendre ou de te mettre dans une mine de charbon pour te posséder. Il te possède juste comme ça, et il dira que c'est toi qui l'as fait. Il dira que c'est ta faute. »

Josephine rentra avec les enfants. Ils avaient de la glace sur leur chemise et des petits sourires de contentement sur le visage. Josephine ne s'attarda pas. Elle conduisit les enfants directement dans la chambre et les coucha.

Willie sortit une liasse de billets coincés entre ses seins et la jeta sur la table devant Sonny. « C'est pour ça que tu es venu ? » demanda-t-elle.

Sonny vit les larmes gonfler ses yeux. Il continuait à palper du pied le sachet, sentait ses doigts impatients de saisir l'argent.

« Prends-les et pars si tu veux, dit Willie. Pars si tu veux. »

412

Ce que Sonny aurait voulu, c'était hurler, prendre l'argent, prendre le reste du sachet dans sa chaussure et trouver un endroit pour se shooter jusqu'à ce qu'il puisse oublier tout ce que sa mère lui avait dit. C'était ce qu'il avait envie de faire. Mais ce n'est pas ce qu'il fit. Il resta.

Marjorie

« Escuse-moi, *sista*. Je t'emmène au fort. Fort Cape Coast. Cinq cédis. Tu viens d'Amérique ? Je t'emmène voir bateau esclaves. Juste cinq cédis. »

Le garçon devait avoir une dizaine d'années, à peine moins âgé que Marjorie. Il la suivait depuis qu'elle était descendue du tro-tro avec la domestique de sa grand-mère. C'était ce que faisaient les gens du pays, ils attendaient que les touristes débarquent pour les arnaquer, leur faire payer des choses que tous les Ghanéens savaient gratuites. Marjorie tenta de l'ignorer, mais elle avait chaud et se sentait fatiguée. Elle était encore imprégnée de l'odeur de sueur des gens pressés contre son dos, sa poitrine et ses flancs durant le voyage en tro-tro de presque huit heures depuis Accra.

« J'emmène toi voir fort Cape Coast, *sista*. Seulement cinq cédis », répéta-t-il. Il n'avait pas de chemise, et elle percevait la chaleur qu'irradiait sa peau monter vers elle. Après tout ce trajet, elle ne pouvait supporter la présence d'un autre corps si près d'elle, et elle ne put s'empêcher de crier en twi : « Je suis du Ghana, idiot, tu ne le vois pas ? »

414

Le garçon ne renonça pas à son anglais. « Mais tu viens d'Amérique ? »

Furieuse, elle continua à marcher. Les bretelles de son sac à dos pesaient lourdement sur ses épaules, et elle savait qu'elles laisseraient des marques.

Marjorie rendait visite à sa grand-mère au Ghana, comme chaque été. Il y avait quelque temps, celle-ci était venue s'installer à Cape Coast pour être près de la mer. À Edweso, où elle vivait auparavant, tout le monde l'appelait la Femme Folle mais, à Cape Coast, on ne la connaissait que sous le nom de Old Lady. Si âgée, disaient-ils, qu'elle pouvait réciter l'histoire entière du Ghana de mémoire.

« Est-ce mon enfant qui vient me voir ? » demanda la vieille dame. Elle s'appuyait sur une canne de bois courbé, et son dos reproduisait cette courbe, s'arrondissant de telle manière qu'elle semblait être constamment en train de supplier. « *Akwaaba, Akwaaba, Akwaaba*[1], dit-elle.

— Ma chère Old Lady, tu m'as manqué », s'exclama Marjorie. Elle serra si fort sa grand-mère dans ses bras qu'elle poussa un petit cri.

« Eh, tu es venue pour me briser les os ?

— Pardon, pardon. »

Old Lady appela le boy pour qu'il lui prenne son sac et lentement, avec précaution, Marjorie dégagea les bretelles de ses épaules douloureuses.

Sa grand-mère la vit faire une grimace et demanda : « Tu as mal ?

— Ce n'est rien. »

---

1. *Akwaaba* : « bienvenue » en langue twi.

La réponse était un réflexe. Chaque fois que son père ou sa grand-mère demandait si elle avait mal, Marjorie répondait qu'elle ne savait pas. Petite fille, quelqu'un lui avait dit que les cicatrices du visage de son père ainsi que celles des mains et des pieds de sa grand-mère étaient la suite de grandes souffrances. Et comme Marjorie n'avait pas de cicatrices semblables, elle ne se plaignait jamais d'avoir mal. Un jour, quand elle était très petite, elle avait observé la teigne s'étendre, s'étendre, s'étendre sur son genou. Elle l'avait caché à ses parents pendant presque deux semaines, jusqu'à ce que le cercle arrive à la jointure de la cuisse et du mollet, l'empêchant de fléchir la jambe. Quand elle avait fini par le montrer à ses parents, sa mère avait vomi, et son père l'avait prise dans ses bras et s'était rué aux urgences. L'infirmière qui était venue les chercher était restée stupéfaite, non par la teigne, mais par la cicatrice de son père. Elle avait demandé si c'était lui qui avait besoin de soins.

Aujourd'hui, en regardant les mains de sa grand-mère, il était presque impossible de faire la différence entre les cicatrices et les rides de la peau. Tout le paysage du corps était devenu une ruine : la jeune femme avait été détruite, il ne restait rien d'elle.

Elles rentrèrent en taxi chez Old Lady. La grand-mère de Marjorie habitait un vaste bungalow ouvert sur la plage, comme ceux des quelques Blancs qui vivaient en ville. Quand Marjorie était en primaire, son père et sa mère avaient quitté l'Alabama et étaient revenus au Ghana pour aider Old Lady à la construction de la maison. Ils étaient restés plusieurs mois, laissant Marjorie à des amis. L'été venu, quand Marjorie avait pu les rejoindre, elle était tombée amoureuse de la belle maison sans portes. Elle était cinq fois plus grande que le petit appartement familial de Huntsville, et devant la façade s'étendait la plage, non un carré d'herbe fanée comme le jardin qu'elle avait toujours connu. Elle y était restée tout l'été, se demandant comment ses parents pouvaient quitter un endroit pareil.

« As-tu été sage, ma chère enfant ? » demanda Old Lady, offrant à Marjorie des chocolats qu'elle conservait dans sa cuisine. Marjorie avait un faible pour le chocolat. Sa mère se moquait d'elle, disant qu'elle devait être née dans une fève de cacao ouverte en deux.

Marjorie accepta la friandise et demanda la bouche pleine de chocolat fondant : « Et-ce que nous irons à la mer aujourd'hui ?

— Parle twi », répondit sévèrement sa grand-mère, en lui donnant une petite tape derrière la tête.

« Excuse-moi », marmonna Marjorie. Chez elle, à Huntsville, ses parents lui parlaient en twi, et elle leur répondait en anglais. Cela depuis le jour où Marjorie avait rapporté de la maternelle une note de sa maîtresse qui disait :

Marjorie ne répond pas spontanément aux questions. Elle parle rarement. Connaît-elle l'anglais ? Sinon, vous devriez envisager l'anglais comme seconde langue. Marjorie aurait peut-être besoin d'un soutien particulier ? Nous avons de très bonnes classes de soutien à l'école.

Ses parents étaient livides. Son père avait lu quatre fois la note à haute voix. Répétant « Qu'est-ce qu'en sait cette idiote ? », mais par la suite ils interrogèrent tous les soirs Marjorie sur son anglais. Quand elle répondait en twi, ils disaient : « Parle anglais. » Et maintenant c'était la première langue qui lui venait à l'esprit. Elle aurait dû se souvenir que sa grand-mère demandait le contraire.

« Oui, nous irons à la mer. Range tes affaires. »

Aller à la plage avec Old Lady était l'une des distractions favorites de Marjorie. Sa grand-mère n'était pas comme les autres grands-mères. La nuit, elle parlait dans son sommeil. Tantôt elle se battait ; tantôt elle marchait dans la chambre. Marjorie avait entendu les histoires qu'on racontait sur les brûlures de ses mains et de ses pieds, et sur celles du visage de son père. Elle savait pourquoi les gens d'Edweso l'avaient appelée la Femme Folle, mais pour elle, sa grand-mère n'avait jamais été folle. Old Lady n'avait jamais été folle. Old Lady faisait des rêves et avait des visions.

Elles marchèrent sur la plage. Old Lady avançait si lentement qu'on avait l'impression qu'elle ne bougeait pas du tout. Toutes les deux étaient pieds nus, et quand elles arrivaient à la lisière du sable, elles attendaient que l'eau monte et lèche l'intervalle entre leurs orteils, nettoie le sable qui s'y était niché. Marjorie vit sa grand-mère fermer les yeux et attendit patiemment que la vieille femme commence à parler. C'était pour ça qu'elles étaient venues là, qu'elles venaient toujours là.

« Est-ce que tu portes la pierre ? » demanda sa grand-mère.

Marjorie porta instinctivement la main à son collier. Son père le lui avait donné seulement un an plus tôt, disant qu'elle était maintenant assez grande pour en prendre soin. Il avait appartenu à Old Lady et à Abena avant elle, et auparavant à James, à Quey et à Effia la Beauté. Tout avait commencé avec Maame, la femme qui avait déclenché le grand feu. Son père lui avait dit que le collier faisait partie de l'histoire de leur famille et qu'elle ne devrait jamais l'enlever, jamais le donner. À présent, il réfléchissait l'eau de l'océan devant elles, des vagues d'or miroitant sur la pierre noire.

« Oui, Old Lady. »

Sa grand-mère lui prit la main et le silence retomba entre elles. « Tu es dans cette eau », prononça finalement son aïeule.

Marjorie acquiesça d'un petit signe de tête. Le jour de sa naissance, treize ans plus tôt, de l'autre côté de l'Atlantique, ses parents avaient envoyé son cordon ombilical à Old Lady pour qu'elle le jette dans l'océan. Cela avait été la seule requête de Old Lady. Lorsque son fils et sa belle-fille avaient décidé sur le tard de se marier et d'aller vivre en Amérique, elle leur avait demandé, si jamais ils avaient un enfant, d'envoyer quelque chose de lui au Ghana.

« Notre famille a vu le jour ici, à Cape Coast », dit Old Lady. Elle désigna du doigt le fort de Cape Coast. « Je voyais toujours ce fort dans mes rêves, mais j'ignorais pourquoi. Un jour, je suis venue sur cette côte, et j'ai senti les esprits de nos ancêtres qui m'appelaient. Certains étaient libres, et leurs voix me parvenaient de la plage, mais d'autres étaient enfermés, au fond, tout au fond de l'eau, et j'ai dû y entrer pour les entendre. J'ai marché loin dans l'eau, et elle m'a presque entraînée à la rencontre de ces esprits qui étaient enfermés si profondément dans la mer qu'ils ne seraient jamais plus libres. Quand ils étaient en vie, ils ne savaient pas d'où ils venaient et, une fois morts, ils ne savaient pas comment regagner la terre ferme. C'est là que je t'ai mise, pour que, si ton esprit se mettait à vagabonder un jour, tu saches d'où tu venais. »

Marjorie hocha la tête tandis que sa grand-mère la prenait par la main et s'enfonçait de plus en plus loin dans la mer. C'était leur rituel d'été : sa grand-mère lui rappelait comment retourner chez elle.

Marjorie revint en Alabama trois fois plus foncée de peau et avec deux kilos de plus. Ses règles étaient arrivées pendant qu'elle était chez sa grand-mère, et la vieille femme avait battu des mains et chanté pour célébrer la féminité de sa petite-fille. Elle n'avait pas envie de quitter Cape Coast, mais l'école allait commencer et ses parents ne la laisseraient pas rester plus longtemps.

Elle entrait au lycée et, la nouvelle grande école lui rappela immédiatement pourquoi elle avait toujours détesté l'Alabama. Sa famille habitait le sud-est de Huntsville. Ils étaient la seule famille noire du bloc, les seuls Noirs à des kilomètres à la ronde. Dans son nouveau lycée, il y avait plus d'enfants noirs que Marjorie n'en voyait en général en Alabama, mais il ne lui fallut que quelques conversations avec eux pour s'apercevoir qu'ils n'appartenaient pas à la même classe de Noirs qu'elle. Que, en réalité, elle n'était pas de la bonne espèce.

« Pourquoi tu parles comme ça ? » lui avait demandé Tisha, la chef de bande, le jour de la rentrée, quand elle les avait rejointes pour déjeuner.

« Comme quoi ? » avait demandé Marjorie, et Tisha avait répété ses paroles, avec un accent à moitié anglais censé imiter Marjorie. « *Comme quoi ?* »

Le lendemain Marjorie s'était assise seule, lisant *Sa Majesté des mouches* pour le cours d'anglais. Elle tenait le livre dans une main et sa fourchette de l'autre. Elle était tellement captivée par sa lecture qu'elle ne se rendit pas compte que le morceau de poulet qu'elle avait au bout de sa fourchette n'avait pas atterri dans sa bouche, et qu'elle mâchait de l'air. Elle leva les yeux et vit Tisha et les autres filles noires en arrêt devant elle.

« Pourquoi tu lis ce livre ? » demanda Tisha.

Marjorie bégaya. « Je… je dois le lire pour le cours.

— *Je dois le lire pour le cours*, l'imita Tisha en se moquant. Tu parles comme une fille blanche. Fille blanche. Fille blanche. Fille blanche. »

Elles continuèrent à psalmodier, et Marjorie retint ses larmes avec peine. Au Ghana, chaque fois qu'apparaissait une personne blanche, il y avait toujours un enfant pour la montrer du doigt. Un petit groupe d'enfants, noirs et brillants sous le soleil équatorial, tendaient leurs petits doigts vers la personne dont la couleur de peau était différente de la leur et criaient « *Obroni ! Obroni !* ». Ils riaient bêtement, enchantés par la différence. La première fois que Marjorie avait vu des enfants se conduire ainsi, elle avait regardé l'homme blanc dont ils venaient de clamer la couleur de peau. Il avait paru choqué, offensé. « Pourquoi disent-ils tout le temps ça ! » avait-il demandé à l'ami qui l'accompagnait.

Le père de Marjorie l'avait prise à part, ce soir-là, et lui avait demandé si elle connaissait la réponse à la question de l'homme blanc. Elle avait haussé les épaules. Son père lui avait expliqué que ce mot en était arrivé à signifier quelque chose d'entièrement différent de ce qu'il désignait à l'origine. Que les jeunes du Ghana, un pays lui-même encore très jeune, étaient nés dans un endroit vidé de ses colonisateurs. Ne voyant pas de Blancs au quotidien, comme en avaient toujours vu les gens de la génération de sa mère et les plus âgés, le mot prenait une nouvelle signification pour eux. Ils vivaient dans un Ghana où ils étaient la majorité, où leur couleur de peau était la seule qu'on rencontrât à des kilomètres alentour. Pour eux, appeler quelqu'un « *obroni* » était un acte innocent, une interprétation de la race comme couleur de peau.

À présent, la tête baissée, refoulant ses larmes pendant que Tisha et ses amies l'appelaient « fille blanche », Marjorie prit conscience, une fois de plus, qu'ici « blanc » pouvait représenter la façon dont une personne parlait ; « noir » la musique qu'une personne écoutait. Au Ghana, vous ne pouviez être que ce que vous étiez, ce que votre peau annonçait au monde.

« Ne fais pas attention à elles, dit ce soir-là Esther, la mère de Marjorie, en lui caressant les cheveux. Ne fais pas attention à elles, mon intelligente petite fille. Ma beauté. »

Le lendemain Marjorie déjeuna dans la salle des professeurs d'anglais. Son professeur, Mme Pinkston, était une grosse femme à la peau couleur brou de noix dont le rire ressemblait au lent grondement d'un train dans le lointain. Elle portait un grand sac rose d'où elle sortait des livres comme du chapeau d'un prestidigitateur. Marjorie les comparait à des lapins. « Que savent-elles ? dit Mme Pinkston en lui offrant un biscuit. Elles ne savent absolument rien. »

Mme Pinkston était le professeur préféré de Marjorie, l'un des deux professeurs noirs qui enseignaient dans une école rassemblant presque deux mille élèves. À la connaissance de Marjorie, elle était la seule personne à avoir un exemplaire du livre de son père, *The Ruin of a Nation Begins in the Homes of Its People*. Le livre était l'œuvre de sa vie. Il avait soixante-trois ans quand il l'avait achevé, et approchait des soixante-dix quand sa mère et lui avaient fini par concevoir Marjorie. Il avait emprunté le titre à un vieux proverbe ashanti et s'en servait pour discuter de l'esclavage et du colonialisme. Marjorie, qui avait lu tous les livres de la bibliothèque familiale, avait consacré un après-midi entier à essayer de lire celui de son père. Elle n'avait pas dépassé la page 2. Quand elle l'avait dit à son père, il lui avait répondu qu'elle le comprendrait plus tard, lorsqu'elle serait beaucoup plus âgée. Il ajouta qu'on avait besoin de temps pour avoir une idée claire des choses.

« Que penses-tu de ce livre ? demanda Mme Pinkston, en désignant *Sa Majesté des mouches* dans la main de Marjorie.

— Il me plaît, dit Marjorie.

— Mais est-ce que tu l'aimes ? Est-ce qu'il te touche au fond de toi ? »

Marjorie secoua la tête. Elle ignorait ce que signifiait être touché au fond de soi par un livre, mais n'en dit rien à son professeur d'anglais de peur de la décevoir.

Madame Pinkston rit de son rire de train en marche et laissa Marjorie à sa lecture.

Marjorie passa ainsi trois années, à la recherche des livres qu'elle aimait, qui la touchaient au fond d'elle-même. Arrivée en terminale, elle avait dévoré à peu près tout ce que contenait le mur sud de la bibliothèque de l'école, au moins mille livres, et elle s'attaquait au mur nord.

« Celui-là est vraiment bon. »

Elle venait de prendre *Middlemarch* sur le rayon et humait son odeur quand le garçon s'était adressé à elle.

« Tu aimes Eliot ? » avait demandé Marjorie. Elle l'avait vu récemment dans les parages, elle ne savait plus très bien où. Avec ses cheveux blonds et ses yeux bleus, il ressemblait, en plus vieux, au gamin d'un film publicitaire pour les céréales Cheerios.

Il avait posé son index sur ses lèvres. « Ne le dis à personne. » Elle n'avait pu s'empêcher de sourire.

« Je m'appelle Marjorie.

— Graham. »

Ils s'étaient serré la main et Graham lui avait parlé de *Pigeon Feathers*[1], le livre qu'il était en train de lire. Il lui dit que sa famille venait d'arriver d'Allemagne, que son père était dans l'armée, que sa mère était morte depuis longtemps. Marjorie lui avait sans doute parlé elle aussi, mais elle ne se rappelait pas ce qu'elle avait dit, sinon qu'elle avait tellement souri qu'elle en avait mal aux joues. Puis la cloche avait sonné, l'heure du déjeuner avait passé et ils avaient regagné leurs classes.

Depuis, ils se voyaient tous les jours. Ils lisaient ensemble dans la bibliothèque pendant que les autres déjeunaient. Ils s'asseyaient à quelques centimètres l'un de l'autre à une longue table, assez grande pour contenir au moins trente personnes, les nombreux sièges vides n'offrant aucune excuse à leur proximité. Ils ne parlaient plus autant que le premier jour. Lire ensemble leur suffisait. Graham laissait parfois des notes à l'intention de Marjorie. Surtout des petits poèmes ou des bouts d'histoires. Elle était trop timide pour lui montrer ce qu'elle avait écrit. Le soir, quand elle rentrait chez elle, elle attendait que ses parents soient couchés avant d'allumer la lampe et lire les billets de Graham dans la lumière tamisée.

« Papa, quand as-tu su que maman te plaisait ? » demanda-t-elle le lendemain au petit déjeuner. Son père avait eu une crise cardiaque deux ans plus tôt et depuis mangeait un bol de flocons d'avoine

----

1. John UPDIKE, *Pigeon Feathers and other stories* ou *Les Plumes du pigeon*, traduction Jean Rosenthal, Seuil, 1964.

chaque jour. Il était si vieux que les professeurs de Marjorie le prenaient toujours pour son grand-père.

Il s'essuya les lèvres avec sa serviette et s'éclaircit la voix. « Qui t'a dit que ta mère me plaisait ? » demanda-t-il. Marjorie ouvrit de grands yeux et son père éclata de rire.

« C'est ta mère qui t'a raconté ça ? Eh, *Abronoma*, tu es trop jeune pour que quelqu'un te plaise. Concentre-toi sur tes études. »

Il était sorti, parti donner son cours d'histoire au Community College, avant que Marjorie ait eu le temps de protester. Elle avait toujours détesté que son père l'appelle « Colombe ». C'était son surnom, né avec elle parce qu'il traduisait son nom ashanti, mais il avait pourtant toujours donné à Marjorie l'impression d'être petite, jeune et fragile. Or elle n'était pas petite. Elle n'était pas jeune non plus. Elle n'était plus tellement jeune avec des seins qui avaient la même taille que ceux de sa mère, si gros qu'il lui arrivait de les soutenir dans ses mains quand elle marchait nue dans sa chambre pour les empêcher de ballotter sur sa poitrine.

« Quelqu'un te plaît ? » demanda la mère de Marjorie, entrant dans la pièce avec le linge qu'elle venait de laver. Il y avait presque quinze ans que ses parents vivaient en Amérique, mais Esther n'utilisait toujours pas de machine à laver. Elle lavait tous les sous-vêtements de la famille à la main dans l'évier de la cuisine.

« Personne, répondit Marjorie.

— Quelqu'un t'a-t-il demandé de t'accompagner au bal de fin d'année ? » demanda Esther avec un large sourire.

Cinq ans plus tôt, elle avait regardé une émission sur les bals de promos aux États-Unis avec sa mère, et celle-ci avait été enchantée par le spectacle. Elle avait dit qu'elle n'avait jamais vu rien de pareil, les filles dans leurs robes longues et les garçons en costume. L'espoir que sa fille pourrait être l'une de ces privilégiées dansait comme une flamme dans les yeux d'Esther, alors qu'il piquait ceux de Marjorie comme de la poussière. Marjorie était l'une des trente élèves noires de son école. Aucune n'avait été invitée au bal l'année précédente.

« Non, maman, mon Dieu !

— Je ne suis pas ton Dieu et ne l'ai jamais été, dit sa mère, sortant un soutien-gorge de dentelle noire des profondeurs de l'évier. Si tu plais à un garçon, tu dois lui faire comprendre qu'il te plaît à toi aussi. Sinon, il ne fera jamais rien. J'ai vécu dans la maison de ton père pendant des années et des années avant qu'il me demande de l'épouser. J'étais stupide, j'espérais qu'il verrait que je désirais la même chose que lui alors que je ne laissais rien transparaître. Sans l'intervention de Old Lady, qui sait s'il aurait osé faire quelque chose. Cette femme a une volonté de fer. »

Ce soir-là, Marjorie glissa le poème de Graham sous son oreiller, espérant avoir hérité de la volonté de sa grand-mère, que les mots écrits de sa main flotteraient dans son oreille durant son sommeil, s'épanouiraient en un rêve.

Mme Pinkston organisait une manifestation culturelle noire au lycée et elle avait demandé à Marjorie de bien vouloir lire un poème. La manifestation, intitulée *The Waters We Wade In*[1], ne ressemblait à aucune des précédentes, et devait prendre place début mai, bien après que le Mois de l'histoire noire avait pris fin.

« Tout ce que tu as à faire est de raconter ton histoire, dit Mme Pinkston. Dire ce que signifie pour toi d'être afro-américaine.

— Mais je ne suis pas afro-américaine », dit Marjorie.

Sans pouvoir déchiffrer exactement l'expression du visage de Mme Pinkston, Marjorie comprit tout de suite qu'elle n'avait pas dit ce qu'il fallait. Elle aurait voulu l'expliquer, mais ne savait pas comment. Elle voulait dire à Mme Pinkston que chez elle ils avaient un autre nom pour « Afro-Américain ». *Akata*. Ces *Akatas* étaient différents des Ghanéens, partis depuis trop longtemps de la mère patrie pour continuer à l'appeler mère patrie. Elle aurait voulu lui dire qu'elle aussi se sentait écartelée, presque une *Akata* car partie depuis trop longtemps du Ghana pour être ghanéenne. Mais l'expression de Mme Pinkston l'empêcha d'essayer de lui expliquer.

« Écoute, Marjorie, je vais te dire une chose que peut-être personne ne t'a dite jusqu'alors. Ici, dans ce pays, les Blancs qui gouvernent ne se préoccupent

---

1. *The Waters We Wade In* (« les eaux dans lesquelles nous marchons ») inspiré des paroles du célèbre negro spiritual *Wade In The Water* (1901).

pas de savoir d'où tu viens. Tu es ici à présent, et ici le noir est noir et sera toujours noir. » Elle se leva de sa chaise et leur versa à chacune une tasse de café. Marjorie n'appréciait pas particulièrement le café. Le goût était trop amer ; il lui restait dans l'arrière de la gorge, comme s'il hésitait à entrer dans son corps ou à en être expulsé. Mme Pinkston but son café, mais Marjorie se borna à regarder le sien. Brièvement, pendant une seconde, elle crut y voir le reflet de son visage.

Ce soir-là, Marjorie alla au cinéma avec Graham. Quand il vint la chercher, elle lui demanda de garer sa voiture une rue plus loin. Elle n'était pas encore prête à le présenter à ses parents.

« Pas bête », dit Graham, et Marjorie se demanda si son père savait avec qui elle sortait.

À la fin du film, Graham l'emmena dans une clairière au milieu des bois. C'était l'un de ces endroits réputés pour accueillir les ébats des jeunes, mais Marjorie y était venue une ou deux fois, et il était toujours désert.

Il n'y avait personne ce soir-là. Graham avait une bouteille de whisky sur le siège arrière, et bien qu'elle détestât l'odeur de l'alcool, Marjorie but lentement une gorgée. Pendant ce temps, Graham sortit une cigarette. Après l'avoir allumée, il continua à jouer avec le briquet, l'allumant, l'éteignant.

« Peux-tu arrêter, s'il te plaît ? demanda Marjorie quand il se mit à agiter le briquet devant lui.

— Quoi ?

— Le briquet. Peux-tu l'éteindre s'il te plaît ? »

Graham la regarda avec un drôle d'air, mais ne dit rien, et elle n'eut pas besoin de lui donner d'explications. Lorsqu'elle avait appris d'où son père et sa grand-mère tenaient leurs cicatrices, elle avait été terrifiée par le feu. Quand elle n'était qu'une petite fille, la femme feu des rêves de sa grand-mère avait hanté les heures où elle restait éveillée. Elle n'en avait appris l'existence que par les récits de sa grand-mère les jours où elles marchaient jusqu'à la mer et où elle lui racontait ce qu'elle savait de leurs ancêtres. Cependant Marjorie croyait voir la femme feu dans les lueurs bleu et orange du poêle, dans les braises, dans la flamme des briquets. Elle craignait de faire les mêmes cauchemars, d'être choisie par les ancêtres pour partager l'histoire de leur famille. Mais ces rêves n'étaient pas venus la tourmenter, et avec le temps, la peur du feu avait diminué. Mais elle sentait encore son cœur trembler de temps en temps, quand elle voyait des flammes, comme si l'ombre de la femme feu était encore tapie quelque part.

« Qu'as-tu pensé du film ? » demanda Graham, en rangeant le briquet.

Marjorie haussa les épaules. Elle ne trouvait pas d'autre réponse à lui donner, parce qu'elle ne s'était pas intéressée au film. Elle avait pensé à la position des mains de Graham sur le cornet de pop-corn ou l'accoudoir qu'ils partageaient. Elle avait pensé à son rire quand il trouvait quelque chose de drôle, cherché à savoir si l'inclinaison de sa tête vers la gauche, vers elle, était ou non une invitation à pencher la sienne vers lui ou à la poser sur son épaule. Au fil des semaines où ils avaient appris à se connaître, Marjorie était tombée de plus en plus amoureuse du bleu de ses yeux. Elle écrivait des poèmes sur eux. Ils avaient un bleu semblable à l'eau de l'océan, à un ciel clair, à la couleur du saphir – elle n'arrivait pas à le définir. Pendant le film, elle avait pensé que ses seuls amis avaient toujours été des personnages de romans, jamais réels. Puis Graham était arrivé et avait accaparé un peu de sa solitude avec ses yeux de baleine bleue. Le lendemain, elle avait beau se creuser la cervelle, elle était incapable de se souvenir du titre du film.

« Ouais, j'ai eu la même impression », dit Graham. Il but une longue gorgée de whisky.

Marjorie se demandait si elle était amoureuse. Comment le savoir ? Au collège, elle s'était plongée dans la littérature victorienne, si profondément romantique. Chaque personnage de ces livres était irrémédiablement amoureux. Tous les hommes faisaient la cour, et toutes les femmes étaient courtisées. Il était plus facile de voir à quoi ressemblait l'amour à cette époque, où on ne dissimulait pas ses émotions. Et aujourd'hui, se réduisait-il à être assis dans une Toyota en buvant du whisky ?

« Tu ne m'as toujours pas laissé lire ce que tu écrivais, dit Graham. Il étouffa un renvoi en repassant la bouteille à Marjorie.

— Il faut que j'écrive un poème pour la manifestation de Mme Pinkston le mois prochain. Tu pourrais peut-être le lire.

— C'est quelques semaines après le bal de fin d'année, n'est-ce pas ? »

Marjorie sentit sa bouche se dessécher à la mention du bal. Elle attendit qu'il en dise davantage, mais il resta silencieux, et elle se borna à hocher la tête.

« J'aimerais beaucoup le lire. Si tu en as envie, bien sûr. »

Il avait repris la bouteille et, malgré l'obscurité, Marjorie vit les jointures de ses doigts rougir quand il la serra dans sa main.

Les poiriers de Chine commençaient à fleurir. Au lycée, tout le monde disait qu'ils sentaient le sperme, le sexe ou le vagin. C'était un parfum qui rappelait à Marjorie sa virginité, et qu'elle était incapable d'assimiler à autre chose qu'à du poisson pourri. L'été, elle finissait par s'y habituer, et quand les fleurs tombaient, l'odeur n'était plus qu'un souvenir lointain. Mais au printemps, elle réapparaissait, annonçant puissamment sa venue.

Marjorie travaillait son poème pour *The Waters We Wade In* quand son père reçut un appel du Ghana. Old Lady s'affaiblissait. Sa servante ne savait dire si ses rêves étaient les mêmes ou différents. Old Lady ne quittait plus son lit aussi souvent qu'autrefois – elle qui avait toujours eu peur de s'endormir.

Marjorie voulait que sa famille parte au Ghana sans tarder. Elle cessa d'écrire son poème, prit le téléphone des mains de son père affolé – un geste qui lui aurait valu une tape sur la tête en une autre occasion – et exigea que la domestique lui passe Old Lady au téléphone même s'il fallait la réveiller.

« Tu es malade ? demanda-t-elle à sa grand-mère.

« — Malade ? Je vais bientôt danser avec toi au bord de l'eau cet été. Comment pourrais-je être malade ?

— Tu ne vas pas mourir ?

— Que t'ai-je dit à propos de la mort ? » dit sévèrement Old Lady au téléphone, d'une voix qui résonna plus fort qu'au début de leur conversation. Marjorie tira sur le fil. Old Lady disait que seuls mouraient les corps. Les esprits erraient. Ils trouvaient Asamando, ou ne le trouvaient pas. Ils restaient aux côtés de leurs descendants pour les guider dans l'existence, les réconforter, parfois pour les effrayer et les faire sortir du brouillard de l'indifférence, de la léthargie.

Marjorie chercha la pierre accrochée à son cou. Le cadeau de son ancêtre. « Promets-moi de ne pas t'en aller avant que je puisse te revoir », dit Marjorie. Derrière elle, Yaw posa une main sur son épaule.

« Je promets de ne jamais te quitter », dit Old Lady.

Marjorie rendit le téléphone à son père qui lui lança un regard étrange. Elle retourna dans sa chambre. Sur son bureau, sur la feuille de papier qui était supposée contenir un poème, on lisait simplement : « De l'eau. De l'eau. De l'eau. De l'eau. »

Marjorie et Graham sortirent une nouvelle fois ensemble, cette fois à l' *U.S. Space and Rocket Center*. Graham n'y était jamais allé, mais Marjorie et ses parents s'y rendaient une fois par an. Sa mère aimait passer en revue les photos des astronautes qui tapissaient les halls et son père adorait se promener dans le musée, examiner chaque fusée comme s'il voulait apprendre à en construire une lui-même. D'une certaine manière, se dit Marjorie, ses parents avaient déjà voyagé dans l'espace, atterrissant dans un pays qui leur était aussi étranger que la lune.

Graham ne respectait pas les pancartes *Ne pas toucher.* Il laissait d'imperceptibles empreintes sur les vitrines en fibre de verre, des empreintes qui disparaissaient presque aussitôt.

« Les États-Unis n'aurait pas eu de programme spatial, s'il n'y avait pas eu les Allemands, dit Graham.

— L'Allemagne te manque ? » demanda Marjorie. Graham ne parlait presque jamais du pays où il avait passé la plus grande partie de son enfance. Il n'éprouvait pas la même fierté que Marjorie quand elle évoquait le Ghana.

« Parfois, mais les gosses de militaires ont l'habitude du changement. » Il haussa les épaules et pressa ses doigts sur une vitrine renfermant une combinaison spatiale. Marjorie l'imagina traversant la vitrine, son corps attiré à l'intérieur, endossant la combinaison, puis échappant à la gravité et se mettant à flotter, plus haut, de plus en plus haut.

« Marjorie ?

— Oui ?

— Je disais : retourneras-tu un jour vivre au Ghana ? »

Elle pensa un moment à sa grand-mère et à l'océan, au fort. Elle pensa au chaos des voitures et des corps dans les rues de Cape Coast, aux femmes aux hanches puissantes qui vendaient du poisson dans de grands plateaux rutilants et aux jeunes filles aux seins à peine naissants qui marchaient au milieu de la rue, pressant leurs visages contre les vitres des taxis, disant « eau glacée » et « s'il te plaît, je te prie ».

« Non, je ne crois pas. »

Graham hocha la tête et continua d'avancer, jusqu'à la vitrine suivante. Marjorie lui prit la main au moment où il s'apprêtait à la poser sur le verre. Elle l'arrêta et dit : « J'ai surtout l'impression que je ne fais pas partie du pays. Dès que je sors de l'avion, les gens peuvent voir que je suis comme eux, mais aussi différente. Ils le sentent.

— Ils sentent quoi ? »

Marjorie leva les yeux, cherchant le mot juste. « La solitude, peut-être. Ou l'isolement. La façon dont je ne suis pas à ma place ici ou là. Ma grand-mère est la seule personne qui me voit réellement. »

Elle baissa les yeux. Sa main tremblait et elle lâcha celle de Graham, mais il la reprit. Et quand elle releva la tête, elle le vit se pencher, sentit ses lèvres sur les siennes.

Pendant des semaines, Marjorie attendit d'avoir des nouvelles de sa grand-mère. Ses parents avaient engagé une nouvelle servante pour s'occuper d'elle en permanence, ce qui avait pour seul résultat de l'exaspérer. Son état empirait. Marjorie ne savait pas comment elle le savait, mais elle le savait.

En classe, elle restait silencieuse. Elle ne levait jamais la main, et deux de ses professeurs cessèrent de lui demander si tout allait bien. Elle les envoyait balader. Au lieu de déjeuner dans la salle d'anglais, ou de lire dans la bibliothèque, elle s'asseyait à la cafétéria, au bout d'une longue table rectangulaire, mettant le premier qui passait au défi de lui adresser la parole. Ce qui n'empêcha pas Graham de venir s'asseoir en face d'elle.

« Ça va ? demanda-t-il. Je ne t'ai plus vue depuis… »

Il n'alla pas plus loin, mais Marjorie voulait le lui entendre dire. *Depuis que nous nous sommes embrassés.* Ce jour-là, Graham portait les couleurs du lycée – un orange agressif, à peine atténué par un gris reposant.

« Ça va, dit-elle.

— Tu es inquiète pour ton poème ? »

Son poème était une suite de caractères de même type sur une feuille de papier, une expérience en lettres d'imprimerie, cursives, capitales. « Non, je ne m'inquiète pas. »

Graham hocha la tête lentement, et soutint son regard. Elle était venue dans la cafétéria pour être seule mais au milieu des autres. C'était une sensation qu'elle aimait bien parfois, comme celle de descendre de l'avion à Accra et de se trouver entourée d'un océan de visages semblables au sien. Elle profitait de cet anonymat pendant ces toutes premières minutes, puis la sensation disparaissait. Quelqu'un s'approchait d'elle, lui demandait s'il pouvait porter sa valise, s'il pouvait la conduire quelque part, si elle pouvait nourrir son bébé.

Pendant qu'elle regardait Graham, une petite brune que Marjorie avait déjà croisée dans les couloirs s'approcha d'eux. « Graham ? dit-elle. Je ne te vois jamais ici à l'heure du déjeuner. Je m'en souviendrais sinon. »

Graham fit un signe de tête sans dire un mot. La fille n'avait pas encore remarqué Marjorie, mais l'indifférence de Graham la porta à tourner son regard vers celle qui retenait son attention.

Elle dévisagea Marjorie pendant une seconde, assez longtemps pour que Marjorie remarque le pli dégoûté qui déformait son visage. « Graham, murmura-t-elle, comme si baisser la voix pouvait empêcher Marjorie d'entendre. Tu ne devrais pas être ici.

— Quoi ?

— Tu ne devrais pas être ici. Les gens vont penser… » Un autre coup d'œil. « Eh bien, tu sais.

— Non, je ne sais pas.

— Viens t'asseoir avec nous », dit-elle. Elle jetait un regard autour d'elle, son attitude trahissant une anxiété naissante.

« Je suis bien où je suis.

— Vas-y », dit Marjorie. Graham se tourna vers elle. Comme s'il avait oublié que c'était elle qu'il avait soutenue en premier lieu. Comme s'il s'était uniquement disputé pour la place, et non pour celle qui était assise en face de lui. « Vas-y, ça va. »

À peine eut-elle prononcé ces mots qu'elle cessa de respirer. Elle aurait voulu qu'il refuse, qu'il se rebiffe plus longtemps, plus ardemment, qu'il lui prenne la main au travers de la table et mêle ses doigts rougis aux siens.

Mais il n'en fit rien. Il se leva, l'air presque soulagé. Quand Marjorie vit la fille brune glisser sa main dans la sienne et l'entraîner, ils étaient déjà au milieu de la salle. Elle avait cru que Graham était comme elle, un lecteur, un solitaire, mais en le voyant s'éloigner avec la fille, elle comprit qu'il était différent. Elle vit combien il lui était facile de passer inaperçu, comme s'il avait de tout temps fait partie de ce monde.

Le bal des terminales avait pour thème *Gatsby le Magnifique*. Pendant les jours précédents consacrés à la décoration, mille feux scintillèrent à tous les étages du lycée. Le soir du bal, assise entre ses parents sur leur divan, Marjorie regarda un film à la télévision. Elle entendit ses parents murmurer quand elle se leva pour faire du pop-corn.

« Elle n'a pas l'air dans son assiette », disait Yaw. Il n'avait jamais été doué pour parler à voix basse. Le ton normal de sa voix était un grondement sonore, semblant venir du fond de ses entrailles.

« C'est une ado. Les ados sont comme ça », dit Esther. Marjorie avait entendu les mêmes propos de la part des infirmières à la maison de retraite où travaillait Esther, comme si les ados étaient des bêtes sauvages dans une jungle dangereuse. Il valait mieux les laisser tranquilles.

Quand Marjorie revint, elle s'efforça de paraître plus en forme, sans être assurée d'y parvenir.

Le téléphone sonna, et elle se précipita pour répondre. Elle avait demandé à sa grand-mère de l'appeler une fois par mois pour la rassurer, bien qu'elle sût que la vieille dame avait du mal à le faire. Mais quand elle répondit au téléphone, c'est la voix de Graham qui l'accueillit.

« Marjorie ? » demanda-t-il. Elle respirait dans l'appareil, mais n'avait pas encore parlé. Qu'y avait-il à dire ? « J'aurais bien voulu t'emmener. C'est seulement que… »

La phrase resta en suspens, mais c'était sans importance. Elle le savait déjà. Il irait avec la brune. Il voulait emmener Marjorie, mais son père avait pensé que ce n'était pas approprié. L'école pensait que ce ne serait pas approprié. Comme dernier argument, Marjorie l'avait entendu dire au proviseur qu'elle n'était « pas comme les autres filles noires ». Et, d'une certaine manière, cela avait été pire. Elle avait déjà renoncé à Graham.

« Je pourrais encore t'entendre lire ton poème ? demanda-t-il.

— Je le lis la semaine prochaine. Tout le monde l'entendra.

— Tu sais ce que je veux dire. »

Dans le salon, son père s'était mis à ronfler. C'était ainsi qu'il regardait toujours les films. Elle l'imagina la tête posée sur l'épaule de sa mère, qui l'entourait de ses bras. Peut-être sa mère dormait-elle aussi, la tête inclinée vers Yaw, ses longues tresses vanille formant un rideau qui cachait leurs visages. Ils partageaient un amour confortable. Un amour qui n'avait pas besoin de combats ni de mensonges. Quand Marjorie avait redemandé à son père quand il avait su qu'il aimait Esther, il avait répondu qu'il l'avait toujours su. Il avait dit que c'était inné, qu'il l'avait respiré dans le premier souffle de vent à Edweso, qu'il était entré en lui comme l'harmattan. Il n'y avait pas de place pour l'amour en Alabama pour Marjorie.

« Je dois y aller, dit-elle au téléphone à Graham. Mes parents m'attendent. » Elle reposa le téléphone et regagna le salon. Sa mère était éveillée, le regard rivé sur la télévision, tout en n'y prêtant aucune attention.

« C'était qui, ma chérie ? demanda-t-elle.

— Personne », dit Marjorie.

L'auditorium pouvait contenir deux mille spectateurs. À l'arrière de la scène, Marjorie entendait les autres élèves entrer, bavarder par ennui. Elle faisait les cent pas, trop inquiète pour regarder de l'autre côté du rideau. À côté d'elle, Tisha et ses amis répétaient une danse sur un air de musique doucement diffusé par la radiocassette.

« Tu es prête ? » demanda Mme Pinkston. Marjorie sursauta.

Ses mains tremblaient déjà, et elle s'étonna de ne pas avoir lâché son poème.

« Non, dit-elle.

— Si, tu l'es, dit Mme Pinkston. Ne t'inquiète pas. Tu vas être formidable. » Elle s'éloigna, allant encourager les autres participants.

Quand le spectacle commença, Marjorie sentit son estomac se serrer. Elle n'avait jamais parlé devant un auditoire aussi important, et pensa que son trac venait de là, mais il augmenta, accompagné de nausées. Puis se dissipa.

Cette sensation n'était pas nouvelle. Sa grand-mère y voyait une prémonition, disait que son corps enregistrait quelque chose que le monde n'avait pas encore perçu. Marjorie la ressentait parfois avant d'avoir une mauvaise note. Cela lui était même arrivé avant un accident de voiture. Un autre jour, elle avait eu un pressentiment quelques instants avant de s'apercevoir qu'elle avait perdu une bague que son père lui avait donnée. Il lui avait expliqué que les événements se seraient produits de toute façon, qu'elle en ait eu l'intuition ou non et peut-être avait-il raison. Mais elle savait surtout qu'elle devait rassembler ses forces pour affronter son appréhension.

S'armant de courage, elle s'avança donc sur la scène après que Mme Pinkston l'eut présentée. Elle s'attendait à être éblouie par les projecteurs, mais elle n'avait pas prévu la chaleur qui s'en dégagerait, comme si un million de soleils rayonnaient au-dessus de sa tête. Elle se mit à transpirer, passa sa main sur son front.

Elle posa son texte devant elle sur le pupitre. Elle avait répété des centaines de fois à voix basse, en classe, devant le miroir de la salle de bains, dans la voiture avec ses parents au volant.

L'impression de silence, à peine interrompue par une toux ou un bruit de pieds, troubla Marjorie. Elle s'approcha du micro. Elle s'éclaircit la voix, et commença à lire.

> *Fends le fort, ouvre le*
> *Trouve-moi, trouve-toi.*
> *Nous, deux, l'odeur du sable*
> *Le vent, l'air.*
> *L'une a senti le fouet. Fouettée*
> *Une fois embarquée*

Nous, deux, noires
Moi, toi
L'une a grandi
Sur la terre du cacao, née d'une fève
La peau intacte, saignant encore.
Nous, deux, marchons dans l'eau.
Les eaux semblent différentes
Mais sont les mêmes.
Notre pareille. Sœur de peau.
Qui savait ? Ni Toi. Ni Moi.

Elle leva les yeux. Une porte s'ouvrit avec un grincement, laissant entrer un rai de lumière.

Assez pour qu'elle aperçoive son père dans l'entrebâillement, mais pas assez pour qu'elle puisse voir les larmes qui coulaient sur son visage.

La seule promesse que Old Lady, Akua, la Femme Folle d'Edweso, ne tint pas fut la dernière. Elle mourut au milieu de ce sommeil qu'elle avait toute sa vie redouté. Elle voulait être enterrée sur une montagne dominant la mer. Marjorie prit un congé pour le reste de l'année scolaire, ses notes étaient si bonnes que c'était sans importance.

Elle marcha avec sa mère derrière les hommes chargés de soulever le corps de sa grand-mère. Son père avait insisté pour le porter aussi, malgré son âge qui rendait sa présence plus gênante qu'utile. Quand ils atteignirent le site de la tombe, l'assistance se mit à pleurer. Tout le monde avait pleuré pendant des jours entiers, mais pas Marjorie.

Les hommes commencèrent à creuser l'argile rouge. Deux tas s'amoncelaient de chaque côté du grand trou rectangulaire, de plus en plus profond. Un menuisier avait fabriqué le cercueil d'Old Lady dans un bois couleur terre, et quand il fut descendu, personne ne distingua plus la limite entre lui et le sol. Ils se mirent alors à jeter l'argile dans la tombe. Ils la tassèrent avec le dos de leurs pelles quand ils eurent fini. Le bruit se répercutait au-delà de la montagne, jusque dans la vallée.

Un fois qu'ils eurent placé une plaque sur la tombe, Marjorie se rendit compte qu'elle avait oublié d'y jeter son poème, souvenir des rêves qu'Old Lady lui racontait quand elles s'avançaient vers l'océan. Elle savait que sa grand-mère aurait aimé l'entendre. Elle sortit le poème de sa poche et ses mains tremblantes firent flotter les mots dans le souffle léger du vent.

Se jetant sur le monticule de la tombe, elle se mit enfin à pleurer. « *Me Mam-yee, me Maame. Me Mam-yee, me Maame.* »

Sa mère vint la relever. Plus tard, Esther lui dirait qu'elle avait l'air de vouloir s'envoler de la falaise, en bas de la montagne, et plonger dans la mer.

Marcus

Marcus n'aimait pas l'eau. Il était à l'université la première fois qu'il avait vu la mer de près, et cette vision lui avait levé le cœur, toute cette immensité, ce bleu sans limites, qui s'étendait plus loin que portait le regard. Il était terrifié. Il n'avait pas dit à ses amis qu'il ne savait pas nager, et son camarade de chambre, un rouquin du Maine, était déjà à deux mètres sous la surface de l'Atlantique avant que Marcus ait même trempé le bout de ses orteils.

Il y avait quelque chose dans l'odeur de la mer qui le dégoûtait. Cette puanteur salée lui collait aux narines et lui donnait l'impression de se noyer. Elle était visqueuse dans sa gorge, comme de la saumure, collée à l'endroit où pendait la luette, l'empêchant de respirer.

Quand il était jeune, son père lui avait dit que les Noirs n'aimaient pas l'eau parce qu'ils avaient été transportés dans des bateaux négriers. Comment un homme noir aurait-il eu envie de nager ? Le fond de l'océan était déjà jonché d'hommes noirs.

Marcus hochait toujours patiemment la tête quand son père lui racontait ce genre de choses. Sonny pouvait parler des jours entiers de l'esclavage, du travail des prisonniers, du système, de la ségrégation, de l'Homme. Son père avait une haine invétérée des Blancs. Une haine semblable à un sac de pierres, une pierre pour chaque année où l'injustice raciale continuait à être la norme aux États-Unis. Il portait toujours ce fardeau.

Marcus n'oublierait jamais les premiers enseignements de son père, cours d'histoire alternative qui avaient amené Marcus à s'intéresser de plus près aux États-Unis. Tous les deux partageaient un même lit dans le petit appartement de Ma Willie. Le soir, le dos percé par les ressorts pointus comme des couteaux, Sonny racontait à Marcus comment les États-Unis emprisonnaient des Noirs pris sur le trottoir pour en faire de la main-d'œuvre bon marché ou comment la discrimination financière interdisait aux banques d'investir dans les quartiers noirs, refusant les emprunts immobiliers ou les prêts aux entreprises. Comment s'étonner que les prisons soient encore remplies d'hommes noirs ? Comment s'étonner que le ghetto soit le ghetto ? Sonny parlait de choses que Marcus n'avait jamais lues dans ses livres d'histoire, mais dont plus tard, à l'université, il avait appris la vérité. Il avait appris que son père était un esprit brillant, mais qu'un poids obscur l'étouffait.

Le matin, Marcus regardait Sonny se lever, se raser et partir pour le dispensaire de méthadone d'East Harlem. Les gestes de son père étaient réglés comme une horloge. À 6 h 30, il se levait et buvait un verre de jus d'orange. À 7 heures moins le quart, il se rasait et, à 7 heures, il franchissait la porte. Il recevait sa dose de méthadone et partait ensuite à son travail de gardien à l'hôpital. Il était l'homme le plus intelligent que Marcus ait jamais connu, mais n'avait jamais pu se libérer complètement de la drogue.

À l'âge de 7 ans, Marcus avait demandé à Ma Willie ce qui arriverait si un fragment de l'emploi du temps de Sonny devait changer. Ce qui se passerait s'il n'avait pas sa méthadone. Sa grand-mère avait haussé les épaules. Ce n'est que bien plus tard que Marcus comprit l'importance du rituel de son père. Toute sa vie semblait conditionnée par cet équilibre.

Aujourd'hui, Marcus se retrouvait au bord de l'eau. Un nouveau camarade de fac l'avait invité à une *pool party* pour célébrer le nouveau millénaire, et Marcus avait accepté malgré ses hésitations. Une piscine en Californie était sans doute plus sûre que la mer. Il pouvait paresser dans une chaise longue et prétendre qu'il prenait un bain de soleil. Il pouvait plaisanter, dire qu'il voulait bronzer.

Quelqu'un cria « Boulet ! » arrosant d'eau glacée les jambes de Marcus. Il les essuya, grimaçant, avec la serviette que Diante lui avait passée.

« Merde, Marcus, on va rester longtemps ici, mec ? Il fait une chaleur d'enfer. On se croirait en Afrique. »

Diante se plaignait tout le temps. C'était un artiste que Marcus avait connu au cours d'une fête donnée à Palo Alto, et bien que Diante ait passé son enfance à Atlanta, il y avait quelque chose en lui qui rappelait à Marcus sa propre famille. Ils étaient devenus comme deux frères.

« Ça ne fait pas dix minutes qu'on est ici, Mr Freeze », dit Marcus, mais lui aussi commençait à avoir envie de bouger.

« *Nope*, négro. Je vais pas cramer dans cette fournaise. » Il se leva et envoya une vaguelette aux autres dans la piscine.

Diante voulaient toujours accompagner Marcus aux fêtes de l'université et, à peine arrivé, avait envie d'en partir. Il cherchait une fille qu'il avait rencontrée un jour dans un musée. Il ne connaissait pas son nom, mais il avait assuré à Marcus qu'elle était étudiante, que ça se voyait rien qu'à sa façon s'exprimer. Marcus n'avait pas jugé bon de lui rappeler qu'il y avait bien un million d'universités dans le pays. Comment savoir si cette fille se trouverait à l'une de leurs fêtes ?

Marcus allait passer son doctorat en sociologie à Stanford. Chose qu'il n'aurait jamais pu imaginer quand il partageait un matelas avec son père et, pourtant, il était bien là. Sonny avait été si fier quand il lui avait annoncé qu'il était accepté à Stanford qu'il en avait pleuré. C'était la seule fois où Marcus l'avait vu pleurer.

Marcus quitta la fête peu après Diante, prétextant qu'il avait du travail. Il parcourut à pied les dix kilomètres qui le séparaient de chez lui, et il arriva en nage, sa chemise trempée. Il entra dans la douche aux carreaux de faïence bleue, laissa l'eau lui marteler la tête, sans lever les yeux, craignant encore de se noyer.

« Ta mama te salue », dit Sonny.

C'était leur coup de téléphone hebdomadaire. Marcus appelait tous les dimanches après-midi quand il savait que sa tante Josephine et tous les cousins seraient chez Ma Willie à faire la cuisine et manger après la messe. Il appelait parce que Harlem lui manquait, les repas du dimanche lui manquaient, comme lui manquait Ma Willie qui chantait le gospel à pleine voix, comme si Jésus allait apparaître dans dix minutes, qu'il suffisait qu'elle lui demande de venir préparer un plat.

« Ne mens pas », dit Marcus. La dernière fois qu'il avait vu Amani c'était à la remise des diplômes de fin d'études. Sa mère portait un vêtement que Ma Willie lui avait donné, visiblement. C'était une robe à manches longues, mais quand elle avait levé le bras pour lui faire des signes au moment où il traversait la scène pour recevoir son diplôme, Marcus était pratiquement certain d'avoir vu les marques de piqûres.

« Hmm, fit Sonny.

— Tout va bien chez vous là-bas ? demanda Marcus. Les gosses et les autres, tout le monde est OK ?

— Ouais, ça va. Ça va bien. »

On n'entendit plus que leur respiration dans le téléphone pendant un moment. Ni l'un ni l'autre ne voulait parler, mais aucun ne voulait interrompre la conversation.

« T'es toujours clean ? » Marcus posait rarement la question, mais il ne put s'en empêcher.

« Oui, t'en fais pas pour moi. Garde ta tête dans tes bouquins. Ne pense pas à moi. »

Marcus hocha la tête. Il lui fallut un moment pour comprendre que son père n'était pas capable d'entendre ça, et il dit « OK » et ils finirent par couper la communication.

Plus tard, Diante passa le chercher. Il voulait traîner Marcus au musée à San Francisco, celui-là même où il avait rencontré la fille.

« Je ne sais pas pourquoi tu t'accroches tellement à cette fille », dit Marcus. Lui-même ne nourrissait aucune passion pour les musées. Il ne savait jamais quoi penser des œuvres. Il écoutait Diante parler de traits, de couleurs, de nuances. Il hochait la tête, mais en réalité, tout cela ne signifiait rien pour lui.

« Si tu la voyais, tu comprendrais », dit Diante. Ils parcouraient le musée, sans s'intéresser vraiment aux peintures exposées.

« Je comprends qu'elle doit être chouette.

— Ouais, elle est chouette, mais c'est pas que ça, mec. »

Marcus avait déjà entendu ce refrain. Diante avait rencontré la fille à l'exposition Kara Walker. Ils avaient arpenté quatre fois la salle aux silhouettes noires sur papier découpé, qui couraient du sol au plafond, avant que leurs épaules s'effleurent à la cinquième. Ils avaient discuté d'une œuvre en particulier pendant une heure, et n'avaient pas songé une seule seconde à se présenter.

« Je te le dis, Marcus. Tu viendras bientôt à notre mariage. Je dois seulement la retrouver. »

Marcus grommela. Combien de fois Diante avait pointé du doigt « sa femme » au cours d'une soirée pour sortir ensuite avec elle pas plus d'une semaine ?

Il laissa Diante à ses rêves et se promena seul dans le musée. Plus que l'art, il aimait l'architecture du bâtiment. Les escaliers compliqués et les murs blancs où étaient accrochées des œuvres aux couleurs vives. Il aimait marcher et trier ses pensées dans ce genre d'atmosphère.

Il avait visité un musée autrefois avec son école quand il était en primaire. Ils avaient pris un bus, puis parcouru le reste des blocs à la queue leu leu, chaque enfant tenant la main du suivant. Marcus se souvenait de sa fascination devant le reste de Manhattan, la partie qui n'était pas la sienne, costumes de ville et longues coiffures dégradées. Au musée, la contrôleuse leur avait souri du haut de sa cabine vitrée. Marcus avait tendu le cou pour la voir, et elle avait récompensé ses efforts d'un petit geste de la main.

Une fois à l'intérieur, leur maîtresse, Mme Mac-Donald, leur avait fait visiter toutes les salles, l'une après l'autre, montré toutes les œuvres. Marcus était le dernier de la file, et La Tavia, la fille dont il tenait la main, l'avait lâchée pour éternuer. Marcus en avait profité pour renouer son lacet. Quand il avait relevé la tête, sa classe avait disparu. En réfléchissant, il aurait dû les retrouver rapidement, une file de petits canards noirs dans le grand musée blanc, mais la foule était si nombreuse, les gens si grands, qu'il ne savait où se diriger et il eut bientôt trop peur pour avancer.

Il était là, paralysé, pleurant sans bruit, quand un couple de Blancs d'un certain âge le découvrit.

« Regarde, Howard », dit la femme. Marcus se souvenait encore de la couleur de sa robe, rouge sang, qui l'avait empli d'une frayeur encore plus grande. « Le pauvre petit est sans doute perdu. » Elle le regarda attentivement et dit : « Il est mignon, tu ne trouves pas ? »

L'homme, Howard, du bout de sa canne légère, tapota le pied de Marcus. « Tu es perdu, mon garçon ? » Marcus ne répondit pas. « J'ai dit : "tu es perdu ?" »

La canne continuait à frapper son pied et, une seconde, Marcus crut que l'homme allait la lever jusqu'au plafond et l'abattre sur sa tête. Il ne comprenait pas pourquoi il avait cette impression, mais elle l'emplit d'une telle frayeur qu'il sentit bientôt un filet de liquide courir le long de sa jambe de pantalon. Il hurla et se mit à courir d'une salle blanche à l'autre, jusqu'à ce qu'un vigile l'attrape, appelle la maîtresse à l'Interphone, et renvoie toute la classe dans la rue, dans le bus, chez eux à Harlem.

Diante le retrouva au bout d'un moment. « Elle n'est pas là », dit-il. Marcus leva les yeux au ciel. À quoi s'attendait-il ? Ils quittèrent le musée.

Un mois s'écoula, et il fut temps pour Marcus de retourner à ses recherches. Il s'en était éloigné parce que les choses n'avançaient pas comme il le désirait.

À l'origine, il avait voulu centrer son travail sur l'ancien système de louage des condamnés, système qui avait spolié son arrière-grand-père H de plusieurs années de sa vie, mais plus il approfondissait la question, plus le projet prenait de l'ampleur. Comment parler de l'histoire de son arrière-grand-père H sans parler aussi de celle de grand'ma Willie et des millions d'autres Noirs qui avaient émigré au Nord, fuyant les lois Jim Crow ? Et s'il mentionnait la Grande Migration, il lui faudrait parler de ces villes qui absorbèrent ce flot d'hommes et de femmes. Il lui faudrait parler de Harlem. Et comment parler de Harlem sans mentionner l'addiction de son père à l'héroïne – les séjours en prison, le casier judiciaire. Et s'il abordait le sujet de l'héroïne à Harlem dans les années 1960, ne faudrait-il pas aussi parler de la prolifération du crack dans les années 1980 ? Et s'il parlait du crack, il faudrait inévitablement parler de la « guerre contre la drogue ». Et s'il traitait de la guerre contre la drogue, il raconterait comment presque la moitié des Noirs avec lesquels il avait grandi étaient en train soit de rejoindre, soit de quitter le système carcéral le plus redoutable du monde. Et s'il racontait comment les amis de son ghetto faisaient cinq ans de prison pour avoir détenu de la marijuana alors que presque tous les Blancs qu'il côtoyait à l'université en fumaient ouvertement tous les jours, il entrait dans une telle colère qu'il jetait bruyamment le livre qu'il lisait sur la table de la magnifique mais mortellement silencieuse salle de lecture de la bibliothèque verte de l'université de Stanford. Et s'il le jetait sur la table, tout le monde dans la salle le regarderait, et tout ce qu'ils verraient serait la couleur de sa peau et sa colère, et ils penseraient en connaître un bout sur lui, exactement ce qui avait permis de mettre son arrière-grand-père en prison, mais d'une façon différente, moins flagrante.

Quand Marcus se mettait à ressasser ces pensées, il n'arrivait même plus à ouvrir un livre.

Il ne se rappelait pas exactement quand lui était venu le besoin d'étudier et de connaître sa famille plus intimement. Peut-être au cours de l'un de ces déjeuners dominicaux chez Ma Willie, quand sa grand-mère avait demandé qu'ils se prennent tous par la main et prient. Il était en général coincé entre deux de ses cousins ou entre son père et Tante Josephine, et Ma Willie entonnait une de ses prières en chantant.

La voix de sa grand-mère était une des merveilles du monde. Elle suffisait à éveiller en lui tout l'espoir, l'amour et la foi qu'il ne posséderait jamais, unis pour faire battre son cœur plus vite et rendre ses paumes moites. Il devait lâcher la main de son voisin pour essuyer ses mains, ses larmes.

Dans cette cuisine, avec sa famille, il lui arrivait de se représenter une pièce différente, une famille plus vaste. Il les imaginait si bien qu'il croyait les voir. Tantôt dans une case en Afrique, avec un patriarche armé d'une machette ; tantôt dehors dans une forêt de palmiers, avec une foule qui regardait une jeune femme portant un seau sur la tête ; ou alors dans un appartement exigu avec trop d'enfants, ou dans une petite ferme presque en ruine, autour d'un arbre en feu, dans une salle de classe. Il voyait tout cela pendant que sa grand-mère priait et chantait, priait et chantait, et tous ces gens lui manquaient tellement qu'il les imaginait là, dans la pièce, avec lui.

Il le raconta à sa grand-mère après l'un de ces déjeuners, et elle lui dit qu'il avait peut-être reçu le don de clairvoyance. Mais il n'avait jamais pu croire dans le dieu de Ma Willie. Il était donc parti en quête d'une famille et de réponses plus concrètes, à travers la recherche et l'écriture.

Marcus prit quelques notes et alla retrouver Diante. La mission de son ami, retrouver la femme mystérieuse, était terminée, mais pas son goût pour les fêtes et les sorties.

Ils finirent à San Francisco ce soir-là. Diante connaissait un couple de lesbiennes qui avait transformé leur maison en galerie d'art/boîte de nuit afro-caribéenne. Quand ils entrèrent, ils furent accueillis par les sons métalliques de grands steel-drums. Des hommes drapés de pagnes en kente de couleurs vives maniaient des mailloches aux extrémités roses. Debout à l'extrémité de cette rangée d'hommes, une femme chantait une complainte.

Marcus s'avança. L'art exposé sur les murs l'effraya un peu, ce qu'il n'admettrait jamais devant Diante si, ou plus vraisemblablement quand son ami lui demanderait son opinion. Le tableau de Diante représentait une femme à cornes, ligotée à un baobab. Marcus n'y comprit rien, mais il resta à la regarder pendant un moment, la tête inclinée vers la gauche, acquiesçant d'un petit signe chaque fois que quelqu'un apparaissait près de lui.

Bientôt ce fut Diante qui apparut. Il lui frappa l'épaule à plusieurs reprises, de rapides petits coups successifs, qui cessèrent avant que Marcus lui dise d'arrêter.

« Qu'est-ce que tu veux, négro ? » demanda Marcus.

Diante n'avait même pas l'air de se rendre compte qu'il y avait quelqu'un à côté de lui. Son corps était penché vers l'extérieur, et il se retourna vers Marcus.

« Elle est là.

— Qui ?

— Qui ? Tu te fous de moi ? La fille, mec. Elle est ici. »

Marcus tourna les yeux dans la direction donnée par le doigt de Diante. Deux femmes se tenaient debout côte à côte. La première était grande et maigre, le teint clair comme celui de Marcus, mais avec des dreadlocks qui lui descendaient plus bas que les reins. Elle jouait avec ses nattes, les tournant autour d'un doigt ou les prenant toutes ensemble pour les empiler sur le sommet de sa tête.

C'est l'autre qui attira le regard de Marcus. Elle avait la peau foncée, bleu-noir aurait-on dit dans les cours de récréation de Harlem – et elle était pulpeuse, avec de gros seins et une coiffure afro qui lui donnait l'air d'avoir été effleurée par un éclair.

« Allons-y, mec », dit Diante, s'approchant déjà des deux filles. Marcus le suivit à quelque distance. Il voyait Diante s'efforcer de prendre un air décontracté. L'allure nonchalante, l'inclinaison du corps étudiée. Quand ils arrivèrent à la hauteur des filles, Marcus attendit pour voir laquelle des deux était *la fille*.

« Toi ! dit la fille aux dreadlocks en frappant l'épaule de Diante.

— Je me disais que je te connaissais, mais je ne me souvenais plus où j'avais bien pu te rencontrer », dit Diante.

Marcus leva les yeux au ciel.

« On s'est vus au musée, il y a environ deux mois, dit la fille en souriant.

— Mais bien sûr, bien sûr ! » dit Diante. Il était à son avantage à présent, droit, le sourire aux lèvres. « Je m'appelle Diante, et voici mon ami Marcus. »

La fille aplatit sa jupe et prit une autre de ses tresses qu'elle tourna autour de son doigt. On eût dit qu'elle voulait la lisser. L'autre fille n'avait pas encore ouvert la bouche, et elle gardait les yeux obstinément tournés sur le sol, comme si en évitant de les regarder elle pouvait prétendre qu'ils n'étaient pas là.

« Je m'appelle Ki, dit la fille aux dreadlocks. Et voici mon amie, Marjorie. »

À la mention de son nom, Marjorie leva la tête, le rideau de ses cheveux sauvages s'ouvrit, dévoilant un visage charmant et un très beau collier.

« Très heureux, Marjorie », dit Marcus, en lui tendant la main.

Quand Marcus n'était encore qu'un enfant, sa mère, Amani, l'avait emmené pour la journée. L'avait volé, en réalité, car Ma Willie, Sonny et le reste de la famille n'imaginaient pas qu'Amani, qui était passée soi-disant dire bonjour, l'entraînerait hors de l'appartement en lui promettant une glace.

Sa mère n'avait pas de quoi payer le cornet. Marcus se souvenait d'avoir marché d'un vendeur à l'autre dans l'espoir de trouver moins cher. Une fois qu'ils eurent atteint l'ancien quartier de Sonny, Marcus fut convaincu de deux choses : d'abord, qu'il se trouvait à un endroit où il n'était pas censé être et, ensuite, qu'il n'aurait pas de glace.

Sa mère l'avait traîné sur toute la 116e Rue, le montrant à ses amis toxicos, aux musiciens de jazz à la côte.

« C'est ton petit ? » avait demandé une grosse femme édentée, s'accroupissant, permettant ainsi à Marcus de voir le fond de sa bouche vide.

« Ouais, c'est Marcus. »

La femme l'avait touché, puis était partie en se dandinant. Amani avait continué à l'entraîner dans une partie de Harlem qu'il ne connaissait qu'à travers des histoires, ou les prières que les membres de la congrégation affichaient à l'église le dimanche. Le soleil devenait de plus en plus bas dans le ciel. Amani s'était mise à crier, à le gronder pour qu'il marche plus vite, bien qu'il allât aussi vite que le pouvaient ses petites jambes. La nuit était presque tombée quand Ma Willie et Sonny l'avaient retrouvé. Son père l'avait attrapé par la main, tirant si fort qu'il avait cru que son bras allait se détacher de l'articulation. Et il avait vu sa grand-mère gifler Amani, disant à voix assez haute pour que tout le monde l'entende : « Touche encore une fois à cet enfant et tu verras. »

Marcus pensait souvent à cette journée. Il en était encore stupéfait. Non à cause de la peur qu'il avait ressentie tout au long de ce périple, quand cette femme qui n'était guère qu'une étrangère pour lui l'avait entraîné de plus en plus loin de sa maison, mais de l'ampleur de l'amour et du réconfort qu'il avait ressentis plus tard, quand sa famille l'avait finalement retrouvé. Pas d'avoir été perdu, mais d'avoir été retrouvé. C'était le même sentiment qu'il éprouvait maintenant quand il voyait Marjorie. Comme si, d'une certaine façon, elle l'avait trouvé.

Des mois avaient passé, et la relation de Diante et de Ki tourna court, laissant l'amitié de Marcus et de Marjorie comme seule preuve qu'elle ait jamais existé. Diante passait son temps à taquiner Marcus au sujet de Marjorie : « Quand c'est que tu vas dire à cette fille que t'as envie d'elle ? » Mais Marcus ne pouvait pas expliquer à Diante que ce n'était pas de cela qu'il s'agissait, parce qu'il ne comprenait pas vraiment lui-même de quoi il s'agissait.

« Et, ici, c'est la région ashantie, disait Marjorie en montrant une carte du Ghana fixée à son mur. C'est de là que vient ma famille en théorie, mais ma grand-mère est venue s'installer dans la région centrale, ici exactement, pour être plus près de la plage.

— Je déteste la plage », dit Marcus.

Marjorie lui sourit, le rire aux lèvres, mais elle se reprit et son expression devint grave. « Tu en as peur ? » demanda-t-elle. Elle laissa son doigt descendre lentement du bord de la carte jusqu'au mur. Elle posa la main sur la pierre noire du collier qu'elle portait toujours au cou.

« Oui, je crois que j'en ai peur », dit Marcus. Il ne l'avait jamais avoué à personne.

« Ma grand-mère me disait que les gens qui étaient échoués au fond de la mer lui parlaient. Elle les entendait. Nos ancêtres. Elle était un peu folle.

— Ça ne me paraît pas tellement fou. Merde, tout le monde à l'église de ma grand-mère a entendu un

458

esprit à un moment ou à un autre. Ce n'est pas parce que certaines personnes voient, entendent ou sentent quelque chose que celles qui ne le peuvent pas doivent les traiter de folles. Ma grand-mère disait : "Un aveugle ne nous traite pas de fous parce que nous voyons." »

Marjorie lui adressa alors un vrai sourire. « Tu veux savoir ce qui me fait peur ? » demanda-t-elle, et il hocha la tête. Il avait appris à ne pas s'étonner de la voir aussi franche. Elle ne parlait jamais pour ne rien dire, mais plongeait droit dans les profondeurs. « Le feu », dit-elle.

Il avait entendu l'histoire de la cicatrice de son père dès la première semaine de leur rencontre. Sa réaction ne le surprit pas.

« Ma grand-mère racontait que nous étions nés d'un grand feu. J'aurais bien voulu savoir ce qu'elle entendait par là.

— Tu ne retournes jamais au Ghana ?

— Oh, j'ai été occupée par l'école et l'enseignement et tout ça. » Elle s'arrêta et regarda en l'air, réfléchissant. « Je n'y suis pas retournée depuis la mort de ma grand-mère, en fait, dit-elle doucement. Elle m'a donné ça. Un héritage familial, je pense. » Marjorie montra le collier.

Marcus hocha la tête. Voilà pourquoi Marjorie ne l'ôtait jamais.

L'heure tournait et Marcus avait du travail, mais il n'arrivait pas à quitter le séjour de Marjorie. Il y avait une large baie vitrée qui laissait entrer tellement de lumière que son épaule était baignée de chaleur. Il aurait voulu rester là aussi longtemps qu'il le pouvait.

« Elle aurait détesté savoir que je n'y suis pas retournée depuis si longtemps. Presque quatorze ans. Quand mes parents étaient encore en vie, ils ont essayé de me persuader d'y aller, mais c'était trop douloureux, de l'avoir perdue. Et puis j'ai perdu mes parents et je suppose que je n'ai plus trouvé de raison d'aller là-bas. Mon twi est tellement rouillé, je ne sais même pas si je pourrais demander mon chemin. »

Elle eut un rire forcé, mais détourna le regard dès qu'il déserta ses lèvres. Elle cacha son visage pendant ce qui parut une éternité à Marcus. Le soleil tourna, s'éloignant de la fenêtre et Marcus sentit la chaleur quitter son épaule. Il aurait voulu qu'elle revienne.

Il passa le restant de l'année scolaire à remettre ses recherches à plus tard. Il n'en voyait plus la raison. Il avait obtenu une bourse qui lui permettait d'aller à Birmingham et de voir ce qui restait de Pratt City. Il s'y rendit avec Marjorie, et ils ne rencontrèrent qu'un vieil aveugle, probablement dérangé, qui prétendit avoir connu H, l'arrière-grand-père de Marcus quand il était môme.

« Tu pourrais prendre Pratt City comme sujet de recherche, avait suggéré Marjorie en sortant de la maison de cet homme. C'est une ville qui paraît intéressante. »

Quand le vieillard avait entendu la voix de Marjorie, il avait voulu la toucher. C'était sa façon de connaître quelqu'un. Étonné et un peu gêné, Marcus avait regardé Marjorie laisser l'homme passer ses doigts le long de ses bras pour finir par son visage, comme s'il la lisait. C'était sa patience qui l'avait frappé. Il la connaissait depuis peu de temps, mais pouvait déjà dire qu'elle avait assez de patience pour traverser n'importe quelle tempête. Il étudiait parfois avec elle à la bibliothèque, et il l'observait du coin de l'œil dévorer livre après livre. Elle travaillait sur la littérature africaine et afro-américaine, et quand Marcus lui avait demandé pourquoi elle avait choisi ces thèmes, elle avait répondu que c'était des livres qu'elle pouvait sentir au fond d'elle-même. Lorsque le vieil homme l'avait touchée, elle l'avait regardé avec une telle patience, comme si elle lisait sur sa peau à lui tandis qu'il lisait la sienne.

« Ce n'est pas le sujet, dit-il.

— Et quel est le sujet, Marcus ? »

Elle s'immobilisa. Autant qu'ils puissent le savoir, ils se trouvaient au-dessus d'une ancienne mine de charbon, un tombeau pour tous les condamnés noirs qui avaient été enrôlés de force pour y travailler. C'était une chose de faire des recherches sur un sujet, une autre, ô combien différente, de l'avoir vécu. De l'avoir éprouvé. Comment expliquer à Marjorie que ce qu'il voulait capter avec son projet était la sensation du temps, l'impression d'être une part de quelque chose qui remontait si loin en arrière, qui était si désespérément vaste qu'il était facile d'oublier qu'elle, lui, chacun d'entre nous, en faisait partie – non pas isolément, mais fondamentalement.

Comment expliquer à Marjorie qu'il n'aurait pas dû être là ? Vivant. Libre. Que le fait qu'il soit né, ne soit pas enfermé dans la cellule d'une prison quelque part, n'était pas dû à un travail acharné ou à sa foi dans le Rêve Américain ; il n'était pas arrivé là à la force du poignet, mais par simple chance. Il avait seulement entendu raconter l'histoire de l'arrière-grand-père H par Ma Willie, mais ces histoires suffisaient à le faire pleurer et à l'emplir de fierté. On l'appelait H les Deux Pelles. Mais comment avait-on appelé son père et le père de son père avant lui ? Et les mères ? Ils avaient tous fait partie de leur temps et, en marchant dans Birmingham aujourd'hui, Marcus était une somme de ces époques. C'était là son sujet.

Au lieu de ça, il dit : « Sais-tu pourquoi j'ai peur de la mer ? »

Elle secoua la tête.

« Ce n'est pas seulement parce que je crains de me noyer. Bien que ça me fasse peur, bien sûr. C'est à cause de tout cet espace. C'est parce que, où que porte mon regard, je vois du bleu, et je ne sais pas où il commence. Quand je suis là-bas, je reste aussi près du sable que possible, parce je sais où il finit au moins. »

Elle resta silencieuse un moment, continua à marcher un peu devant lui. Peut-être pensait-elle au feu, elle lui avait dit que c'était ce qu'elle craignait le plus au monde. Marcus n'avait jamais vu une seule photo du père de Marjorie, mais il imaginait qu'il avait été un homme redoutable avec une cicatrice couvrant la moitié de son visage. Il imaginait que Marjorie craignait le feu pour la même raison que lui-même craignait l'eau.

Elle s'arrêta sous un lampadaire cassé qui émettait par intervalles une lumière sinistre. « Je parie que tu aimerais la plage de Cape Coast, dit-elle. C'est beau là-bas. Ça ne ressemble pas du tout à ce qu'on voit en Amérique. »

Marcus rit. « Je crois que personne dans ma famille n'a jamais mis les pieds à l'étranger. Je ne saurais pas quoi faire pendant un aussi long voyage en avion.

— On passe surtout son temps à dormir », dit-elle.

Il avait hâte de quitter Birmingham. Pratt City avait depuis longtemps disparu, et il n'allait pas trouver ce qu'il cherchait dans les ruines. Il ne savait pas s'il le trouverait jamais.

« Bon, dit-il. Allons-y. »

« Scuse-moi, sah ! Tu veux voir le fort des esclaves ? Je t'emmène voir fort Cape Coast. Dix cédis, sah. Juste dix cédis. Je t'emmène voir beau château. »

Marjorie l'entraînait loin de l'arrêt du tro-tro, pressée de trouver un taxi qui les conduirait à leur hôtel sur la plage. Quelques jours plus tôt, ils avaient visité Edweso, pour rendre hommage au lieu de naissance du père de Marjorie. Et quelques heures auparavant, ils en avaient fait autant pour sa mère et s'étaient rendus à Takoradi.

Tout était brillant ici, même le sol. Partout où ils allaient, Marcus remarquait cette poussière d'un rouge brillant. Elle recouvrait son corps à la fin de la nuit. Maintenant le sable allait s'y mêler.

« Ne fais pas attention à eux », dit Marjorie en poussant Marcus à dépasser un groupe de garçons et de filles qui essayaient de lui vendre un truc ou un autre, de l'emmener ici ou là.

Il arrêta Marjorie. « Tu ne l'as jamais vu ? Le fort ? »

Ils étaient au milieu d'une rue animée, et les Klaxon retentissaient, sans qu'on sache à l'intention de qui – des filles maigrelettes avec leurs seaux sur la tête, des garçons qui vendaient des journaux, de la foule entière qui avait la même peau que Marcus et qui se bousculait, empêchait les voitures de circuler. Ils parvinrent malgré tout à passer.

Marjorie empoigna les bretelles de son sac à dos, les écarta de son corps. « Non, en fait, je n'y suis jamais allée. C'est ce que font les touristes noirs quand ils viennent ici. » Il haussa les sourcils. « Tu vois ce que je veux dire, ajouta-t-elle.

— Eh bien, je suis noir, et je suis un touriste. »

Marjorie soupira et consulta sa montre, bien qu'ils n'aient aucun endroit précis où aller. Ils étaient venus pour la plage, et ils avaient la semaine entière pour la voir. « Bon, d'accord. Je vais t'y emmener. »

Ils prirent un taxi jusqu'à leur hôtel pour y déposer leurs bagages. Depuis le balcon, Marcus eut son premier véritable aperçu de la plage. Elle semblait s'étendre sur des kilomètres à perte de vue. Le sable miroitait sous les rayons du soleil. Du sable comme des diamants sur ce qui avait jadis été la Côte-de-l'Or.

Il n'y avait presque personne aux alentours du fort ce jour-là, hormis quelques femmes rassemblées autour d'un très vieil arbre, à manger des noix et se tresser mutuellement les cheveux. Elles regardèrent Marcus et Marjorie quand ils s'approchèrent, mais ne bougèrent pas. Marcus finit par se demander si elles

étaient réelles. S'il y avait bien un endroit qui paraissait hanté, c'était celui-là. De l'extérieur, le fort était
d'un blanc éblouissant. Blanc pur, comme si le bâtiment entier avait été nettoyé à la brosse jusqu'à ce
qu'il brille, débarrassé de toute impureté. Marcus se
demanda qui l'avait fait briller ainsi, et dans quel but.
À l'intérieur, les choses étaient un peu plus miteuses.
L'empreinte sale d'une honte ancienne qui maintenait l'ensemble en place commençait à apparaître
dans le ciment noirci et les portes aux gonds rouillés.
Bientôt un homme si maigre et si grand qu'il semblait
fait de longs rubans élastiques les accueillit ainsi que
les quatre autres visiteurs inscrits pour la visite.

Il s'adressa brièvement à Marjorie en fanti et elle
lui répondit dans le twi hésitant et contrit qu'elle
avait parlé toute la semaine.

Comme ils s'approchaient de la longue rangée de
canons tournés vers la mer, Marcus l'arrêta. « Que
t'a-t-il dit ?

— Il connaissait ma grand-mère. Il m'a souhaité
akwaaba. »

C'était l'un des rares mots que Marcus avait appris
depuis son arrivée. « Bienvenue. » La famille de
Marjorie, des inconnus dans la rue, même le contrô-
leur à l'aéroport, lui avait souhaité un bon séjour. On
le lui disait à lui aussi.

« C'est ici qu'était l'église, dit l'homme élastique,
pointant l'endroit du doigt. Juste au-dessus des
cachots. Vous pouviez faire le tour du niveau supérieur, entrer dans l'église, et tout ignorer de ce qui se
passait en dessous. En réalité, de nombreux soldats
britanniques épousaient des femmes du pays, et leurs

enfants, en même temps que les enfants indigènes, allaient à l'école ici au niveau supérieur. Certains étaient envoyés en Angleterre pour étudier et en revenaient pour former l'élite. »

Près de lui, Marjorie se balançait d'un pied sur l'autre, et Marcus essaya de ne pas la regarder. C'était ainsi que la plupart des gens passaient leur existence, aux niveaux supérieurs, sans jeter un regard en dessous d'eux.

Et c'est là qu'ils descendirent. En bas. Dans le ventre de cette bête échouée. Là où stagnait une crasse qui n'avait pu être éliminée. Verte, grise, noire, brune, sombre, tellement sombre. Il n'y avait pas de fenêtres. Il n'y avait pas d'air.

« Ici, c'est l'un des cachots des femmes, dit finalement le guide en les conduisant dans une salle où flottait encore une odeur indéfinissable. Ils y entassaient jusqu'à deux cent cinquante femmes pendant environ trois mois. De là ils les faisaient sortir par cette porte. » Il s'avança un peu plus loin.

Le groupe quitta le cachot et marcha en direction de la porte. Elle était peinte en noir. Au dessus, il y avait une inscription. *Porte du voyage sans retour.*

« Cette porte mène à la plage, où les bateaux attendaient pour les emmener. »

Les. Les. Toujours *les.* Personne ne *les* appelait par leurs noms. Le groupe était silencieux. Ils étaient tous immobiles, ils attendaient. Quoi, Marcus l'ignorait. Soudain, il fut pris d'une nausée. Il voulait être ailleurs, quelque part ailleurs, n'importe où ailleurs.

Il ne réfléchit pas. Il poussa la porte. Il entendait le guide qui lui demandait de s'arrêter, criait quelque chose en fanti à Marjorie. Et il entendait aussi Marjorie. Il sentait son bras peser sur sa main, sa main pousser et ouvrir la porte, et enfin la lumière apparut.

Marcus se mit à courir sur la plage. Dehors, des centaines de pêcheurs étaient occupés à leurs filets d'un bleu turquoise éclatant. De longues barques de bois artisanales s'alignaient tout au long jusqu'à perte de vue. Chacune arborait un pavillon d'aucune nationalité en particulier, de n'importe où. Une étoffe à pois cotôyait le drapeau britannique, un fanion orangé l'étendard français, un guidon ghanéen la bannière étoilée américaine.

Marcus courut jusqu'à ce qu'il tombe sur deux hommes à la peau noire, brillante, comme passée au cirage, qui étaient en train d'allumer un feu dont les flammes ondoyaient, léchaient comme des langues, rampant vers la mer. Quand ils le virent, ils s'arrêtèrent pour l'observer.

Il entendit ses pas derrière lui avant de la voir. Le bruit de ses pieds sur le sable, léger, étouffé. Elle s'arrêta à une certaine distance, et quand elle lui parla, sa voix lui parut lointaine, portée par le vent chargé de sel.

« Qu'y a-t-il ? » cria Marjorie. Et il continua à regarder l'eau fixement. Elle s'étendait partout où portait son regard. Elle se répandait à ses pieds, menaçant d'éteindre le feu.

« Viens par ici », dit-il en se tournant vers elle. Elle regarda le feu, et ce fut seulement à ce moment qu'il se souvint de sa peur. « Viens, répéta-t-il. Viens voir. » Elle s'approcha un peu plus, mais s'arrêta à nouveau quand le feu s'élança vers le ciel en grondant.

« Tout va bien », dit-il, et il le croyait. Il lui tendit la main. « Tout va bien. »

Elle s'avança jusqu'à l'endroit où il se tenait, là où le feu rencontrait l'eau. Il lui prit la main et tous deux plongèrent leur regard dans les profondeurs. La peur que Marcus avait éprouvée à l'intérieur du fort était toujours présente, mais il savait qu'elle était comme le feu, un être sauvage qui pouvait être dompté, contrôlé.

Marjorie lâcha alors sa main. Il la regarda courir, tête baissée, vers les vagues qui se brisaient, la regarda plonger jusqu'à ce qu'il la perde de vue, sans pouvoir rien faire qu'attendre qu'elle refasse surface. Quand elle réapparut, elle lui fit signe avec ses bras et, sans qu'elle prononce un mot, il comprit ce qu'elle disait. C'était à son tour de la rejoindre.

Il ferma les yeux, entra dans l'eau jusqu'aux mollets, retint sa respiration et se mit à courir. Il entra en courant sous l'eau. Les vagues se brisaient au-dessus de sa tête, tout autour de lui. L'eau lui entrait dans le nez, lui piquait les yeux. Quand il sortit la tête pour tousser et respirer, il regarda toute l'eau qui s'étendait devant lui, cette vaste étendue de temps et d'espace. Il entendit le rire de Marjorie et se mit à rire lui aussi. Quand il arriva enfin à sa hauteur, elle remuait juste assez pour maintenir sa tête au-dessus de l'eau. Le collier à la pierre noire reposait en dessous de sa clavicule et Marcus regarda les éclats dorés qui s'en échappaient, scintillant au soleil.

« Tiens, dit Marjorie. Mets-le. » Elle ôta le collier de son cou, et le passa autour de celui de Marcus. « Bienvenue chez toi. »

Il sentit la pierre frapper sa poitrine, dure et chaude, avant de remonter lentement à la surface. Il la toucha, surpris de sa légèreté.

Et Marjorie se mit à l'éclabousser, riant à gorge déployée avant de partir à la nage, vers la côte.

REMERCIEMENTS

Je suis profondément reconnaissante de l'aide que m'ont apportée, pendant sept années, le Stanford University's Chappell-Lougee Fellowship, l'American Dream Fellowship de la Fondation Merag, le Dean's Graduate Research Fellowship de l'université de l'Iowa, et le Whited Fellowship.

Mille mercis à mon agent, Eric Simonoff, toujours si sûr et avisé, qui a soutenu ce roman. Et aussi à la merveilleuse équipe de WME, spécialement Raffaella De Angelis, Annemarie Blumenhagen, et Cathryn Summerhayes pour m'avoir si brillamment représentée devant le reste du monde.

Toute ma gratitude à mon éditrice, Jordan Pavlin, pour ses encouragements et ses conseils attentifs. Merci à tous chez Knopf pour leur enthousiasme sans limite. Et encore à Mary Mount et à chacun chez Viking UK.

Pour leur amitié inébranlable : Tina Kim, Allison Dill, Raina Sun, Becca Richardson, Bethany Woolman, Tabatha Robinson et Faradia Pierre.

Merci à toi, Christina Ho, première lectrice et amie chère, pour ta présence durant l'évolution difficile de ce livre et pour m'avoir persuadée, à chaque changement de cap, qu'il valait la peine de continuer.

J'ai eu aussi le privilège de passer deux années au Iowa Writers' Workshop. Merci à vous, Deb West, Jan Zenisek et Connie Brothers.

Merci aussi à mes condisciples là-bas, spécialement à ceux qui m'ont offert conseils, encouragements et de délicieux dîners, parfois les trois dans la même soirée : Nana Nkweti, Clare Jones, Alexia Arthurs, Jorge Guerra, Naomi Jackson, Stephen Narain, Carmen Machado, Olivia Dunn, Liz Weiss et Aamina Ahmad.

J'ai eu la chance d'avoir des professeurs qui m'ont donné la conviction, même quand j'étais enfant, que mon rêve de devenir écrivaine était non seulement possible, mais une issue inévitable. Je ne les remercierai jamais assez pour leur soutien des premiers jours. Merci à tous. En Alabama : Amy Langford et Janice Vaughn. À Stanford : Josh Tyree, Molly Antopol, Donna Hunter, Elizabeth Tallent et Peggy Phelan. En Iowa : Julie Orringer, Ayana Mathis, Wells Tower, Marilynne Robinson, Daniel Orozco et Sam Chang. Et aussi à Sam Chang pour avoir cru en ce livre dès ses premières lignes, s'être assuré que j'avais tout le nécessaire pour travailler, et pour ce coup de téléphone en 2012.

Merci à Hannah Nelson-Teutsch, Jon Amar, Patrice Nelson, et, avec un souvenir ému, à Clifford Teutsch pour leur soutien et leur chaude hospitalité.

Je dois tout à mes parents, Kwaku et Sophia Gyasi, qui, comme tant d'immigrants, sont le symbole même du travail acharné et du sacrifice. Merci d'avoir dégagé un chemin pour qu'il nous soit plus facile de marcher. Merci à mes frères, Kofi et Kwabena, d'y marcher avec moi.

Encore un merci particulier à mon père et Kofi qui ont répondu à d'innombrables questions. En plus de leurs réponses et suggestions, parmi les livres et articles que j'ai consultés, il faut citer : The Door of No Return de William St. Clair, Mission from Cape Coast Castle to

Ashantee *de Thomas Edward Bowdich,* The Fante and the Transatlantic Slave Trade *de Rebecca Shumway,* The Human Tradition in the Black Atlantic, 1500-2000 *édité par Beatriz G. Mamigonian et Karen Racine,* A Handbook on Asante Culture *de Osei Kwadwo,* Spirituality, Gender and Power in Asante History *d'Emmanuel Akyeampong et Pashington Obeng,* Black Prisoners and Their World, Alabama 1865-1900 *de Mary Ellen Curtin,* « *From Alabama's Past, Capitalism Teamed with Racism to Create Cruel Partnership* » *par Douglas A. Blackmon dans le* Wall Street Journal, Twice the Work of Free Labor : The Political Economy of Convict Labor in the New South *d'Alex Lichtenstein,* « *Two Industrial Towns : Pratt City et Thomas* » *de la Birmingham Historical Society,* Yaa Asantewaa and the Asante-British War of 1900-1 *par A. Adu Boahen, et* Smack : Heroin and the American City *par Eric C. Schneider.*

Enfin, plus que tout, merci à Matthew Nelson-Teutsch, mon très cher et aimé lecteur, qui m'a apporté tout au long de l'écriture de ce roman l'intelligence, la bienveillance, la générosité et l'amour comme il le fait tous les jours de ma vie. Nous, ce roman et moi, lui devons beaucoup.

Table

Le Livre de Poche s'engage pour l'environnement en réduisant l'empreinte carbone de ses livres. Celle de cet exemplaire est de : **400 g éq. CO_2** Rendez-vous sur www.livredepoche-durable.fr

PAPIER À BASE DE FIBRES CERTIFIÉES

Composition réalisée par PCA

Achevé d'imprimer en février 2018, en France sur Presse Offset par
Maury Imprimeur – 45330 Malesherbes
N° d'imprimeur : 224994
Dépôt légal 1re publication : janvier 2018
Édition 02 – février 2018
LIBRAIRIE GÉNÉRALE FRANÇAISE – 21, rue du Montparnasse – 75298 Paris Cedex 06